Construction de maison à ossature de bois — Canada Deuxième édition métrique

La Société canadienne d'hypothèques et de logement (SCHL) offre un large éventail de renseignements relatifs à l'habitation. Pour obtenir des précisions, adressez-vous au bureau SCHL de votre localité.

La SCHL endosse le thème de développement durable du gouvernement fédéral. Nos publications sont publiées en quantités limitées, selon la demande du marché; les mises à jour paraissent lorsqu'elles sont nécessaires; et, dans la mesure du possible, nous utilisons du papier recyclé et de l'encre qui ne nuisent pas à l'environnement.

This publication is also available in English under the title *Canadian Woodframe House Construction. Second Metric Edition* (NHA 5031)

Canada

Préface

Le présent ouvrage décrit en détail la façon de construire les maisons à ossature de bois au Canada. Il traite des méthodes de construction les plus courantes et apporte certaines suggestions concernant le choix de matériaux appropriés. L'ouvrage ne tente pas d'expliquer toutes les variantes apportées à ce type de construction dans les diverses parties du pays; les principes fondamentaux qu'il décrit demeurent valables en dépit des différences qui peuvent exister dans les détails de construction.

Il est à espérer que cet ouvrage saura être très utile à tous ceux que la construction domiciliaire intéresse et qu'il contribuera à faciliter la formation des apprentis travailleurs de la construction et des étudiants en techniques de construction. La matière est présentée de façon à être très accessible à ceux qui ne possèdent aucune expérience de la construction. Le texte est accompagné de nombreuses illustrations qui en facilitent la compréhension, et un glossaire en fin d'ouvrage définit les termes techniques. Les annexes en fin d'ouvrage contiennent des tableaux utiles à la construction de maisons à ossature de bois. Pour obtenir des renseignements plus spécifiques, le lecteur est invité à consulter le *Code national du bâtiment du Canada 1985*. On trouvera également des références bibliographiques à la fin de certains chapitres.

Les usages décrits dans le présent ouvrage répondent aux exigences minimales prescrites dans l'édition 1985 du *Code national du bâtiment du Canada* ou les dépassent. Les pratiques qui dépassent les exigences du Code sont considérées comme souhaitables plutôt que seulement acceptables.

Les mesures utilisées dans le présent ouvrage sont toutes exprimées en unités métriques puisque de plus en plus de dessins de construction sont exécutés en dimensions métriques et que les fabricants canadiens continuent à convertir les dimensions de leurs produits et documents descriptifs en unités métriques.

L'Institut de recherche en construction du Conseil national de recherches du Canada, Forintek Canada Corporation, le Conseil canadien du bois et l'Association canadienne du ciment Portland ont collaboré avec la Société canadienne d'hypothèques et de logement à l'élaboration de cet ouvrage. Leur assistance s'est avérée fort précieuse dans l'établissement de la portée et de la teneur de l'ouvrage et dans les modifications et corrections apportées au manuscrit.

Emplacement et excavation

Délimitation de l'excavation

Avant de décider de l'emplacement exact de la maison sur le terrain, il importe de consulter les codes de construction locaux afin d'établir le recul et les dégagements latéraux qui peuvent avoir une influence déterminante sur l'implantation de la maison. On peut, dans certains cas, déterminer le recul tout simplement en s'alignant sur les maisons voisines.

Une fois le terrain dégagé, on établit le périmètre de la maison par rapport à l'emplacement exact des angles du terrain. Ceux-ci sont déterminés par un arpenteur-géomètre reconnu. On indique ensuite la position de chacun des coins de la maison à l'aide de petits piquets de bois; un clou enfoncé en partie supérieure de ceux-ci indique le bord extérieur des murs de fondation.

Puisque ces piquets disparaîtront lors de l'excavation, il convient de prévoir d'autres moyens de repérage. On peut reporter l'emplacement des repères d'angle en prolongeant les lignes des murs de fondation au-delà des coins déjà marqués et en fixant ces repères décalés à l'aide de piquets enfoncés dans le sol ou d'objets avoisinants permanents. Ceux-ci servent à aligner un système de planches de repère *(Fig. 1, A)* une fois l'excavation faite. Ces planches de repère peuvent toutefois être posées directement, si les fondations sont de forme relativement simple, que l'emplacement n'est pas exigü et que l'excavation est faite avec soin.

Le piquetage de l'excavation est habituellement fait de 600 à 700 mm au-delà des coins de la maison. Cette marge facilite le montage des coffrages, l'installation du drain autour de la fondations, l'imperméabilisation des fondations et la pose de l'isolant.

On pourra délimiter l'excavation d'une autre façon, surtout lorsque sa forme est irrégulière, en pulvérisant une ligne de peinture fluorescente directement sur le sol.

Dimensions de l'excavation

Dans la plupart des cas, le moyen d'excavation le plus rapide et le moins coûteux consiste à utiliser un bouteur ou une pelle mécanique. Avant de commencer, il convient toutefois d'enlever la terre végétale et de la stocker pour réutilisation ultérieure. La terre sous-jacente est habituellement transportée hors du terrain, à moins qu'elle ne serve de remblai au besoin. La profondeur de l'excavation et, par conséquent, l'élévation des fondations, dépendent habituellement du niveau de la rue, de l'égout et du branchement d'eau, du profil du terrain et du niveau définitif du terrain sur le pourtour de la maison. On doit également tenir compte du niveau des maisons voisines et de la façon dont les eaux de ruissellement s'écoulent.

La profondeur de l'excavation est tributaire de deux autres considérations : la hauteur libre dans le sous-sol et l'élévation du plancher au-dessus du sol extérieur. La hauteur libre du sous-sol doit être d'au moins 1,95 m sous les poutres ou les solives, bien qu'il soit préférable d'avoir 2 m. Si le sous-sol doit être habité, la hauteur libre doit être portée à 2,3 m, comme pour les autres étages. L'élévation du rez-de-chaussée devrait permettre un dégagement minimum entre le bas du bardage (parement extérieur), qui correspond habituellement à l'arase des fondations, et le niveau définitif du sol. Le dégagement est de 150 mm pour la maçonnerie et les bardages métalliques, et de 200 mm pour les bardages en bois, en contreplaqué, en panneaux de fibres durs, et le stucco *(Fig. 2)*. Ceci a pour but de protéger le bardage contre les dommages causés par la neige fondante et les éclaboussures de pluie.

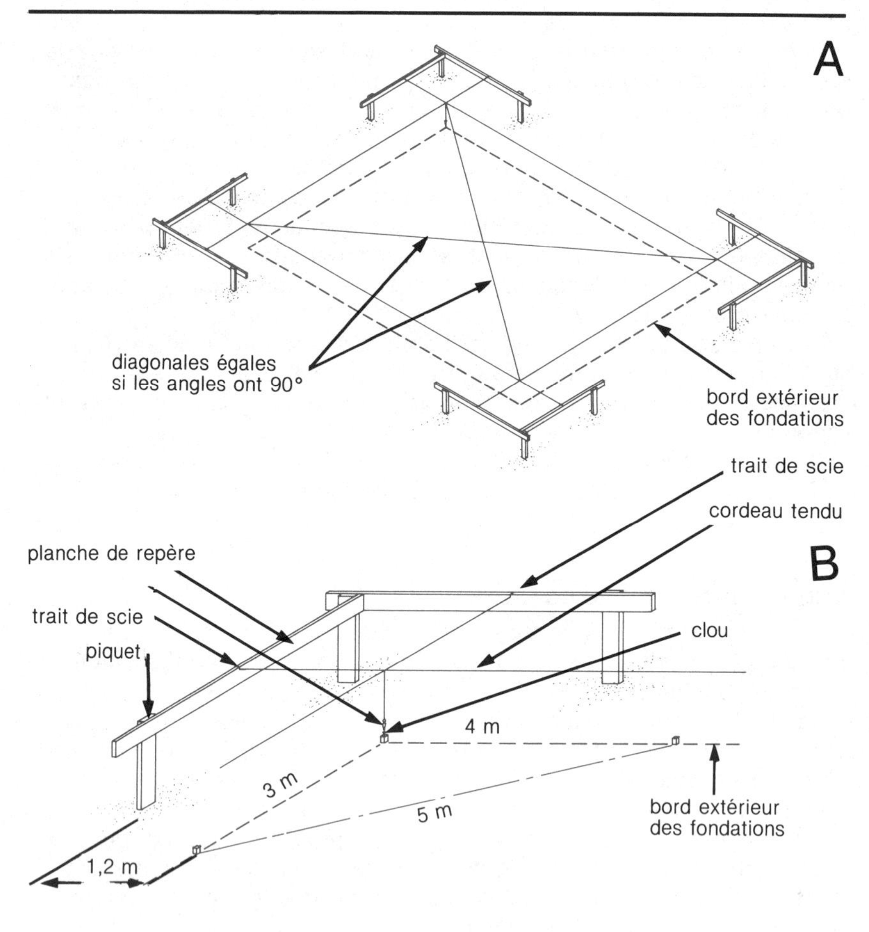

Figure 1. Alignement et implantation de la maison.
A — Délimitation de l'excavation
B — Vérification de la perpendicularité des angles

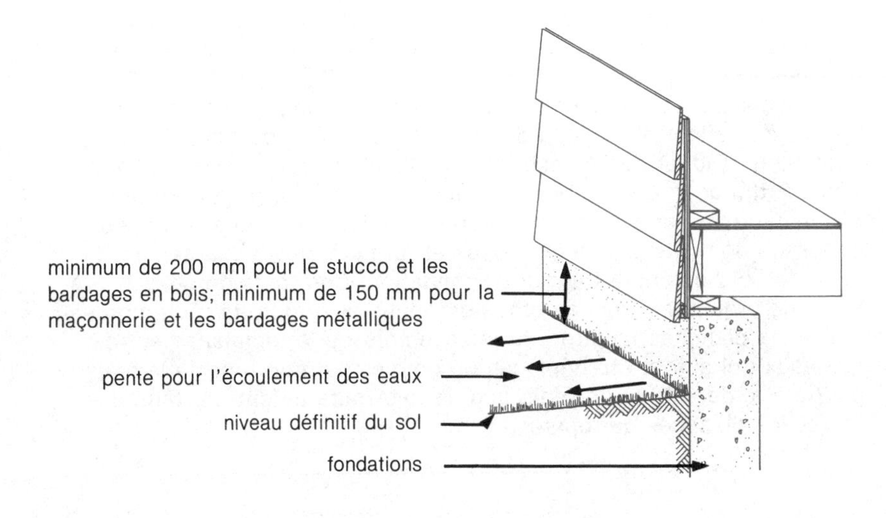

Figure 2. Niveau définitif du sol aménagé en pente pour assurer l'écoulement des eaux.

On doit aménager le terrain définitif en pente à partir du mur de fondation et prévoir une façon d'évacuer les eaux de ruissellement hors du terrain. On aménage à cette fin un fossé d'égouttement en pente douce, si la pente autour de la maison en rencontre une autre en sens inverse. Par exemple, si le terrain monte de l'avant vers l'arrière, le fossé doit être aménagé à l'arrière de la maison de façon à diriger l'eau autour de la maison et vers la rue. La terre de remblai autour des fondations ne doit pas s'élever à plus de 100 mm sous le niveau définitif du sol, afin de permettre l'addition de terre végétale ou de matériaux de revêtement.

Lorsque la dalle du sous-sol doit être coulée sur un matériau granulaire, il faut en tenir compte au moment de déterminer la profondeur de l'excavation. Habituellement, cette profondeur tient aussi compte de l'épaisseur de la semelle. Lorsque le sol est bien drainé et que seule une membrane d'étanchéité est prévue (sans matériau granulaire l'excavation peut être arrêtée au niveau supérieur de la semelle), une tranchée est alors creusée à l'emplacement exact de celle-ci, en prévoyant suffisamment d'espace pour l'installation du drain le long de la semelle.

L'inclinaison des côtés de la fouille est déterminée par la nature du sol. Ces côtés peuvent être pratiquement verticaux dans l'argile et dans les autres terrains stables. L'inclinaison doit être beaucoup plus douce si l'excavation se fait dans le sable.

Implantation de la maison

Une fois l'excavation faite, l'étape suivante consiste à déterminer l'emplacement et le niveau des semelles et des murs de fondation. La *figure 3* illustre un agencement pratique de planches de repère utilisées à cet effet.

Enfoncer trois piquets de bonne longueur à chaque coin, à au moins 1,2 m à l'extérieur des lignes de murs de fondation déterminées antérieurement. Clouer des planches à l'horizontale, comme indiqué à la *figure 3*, de façon que leurs rives supérieures soient de niveau et à la même hauteur. Tendre un cordeau de menuisier entre les planches opposées de coins pris deux à deux et lui faire suivre exactement la ligne du bord extérieur du mur de fondation. Des traits de scie de 6 à 8 mm de profondeur ou des clous enfoncés aux endroits où le cordeau croise les planches facilitent le replacement ou le remplacement des cordeaux qui auront été déplacés ou coupés. Le pourtour de la maison pourra être déterminé une fois que de tels traits auront été faits dans toutes les planches de repère.

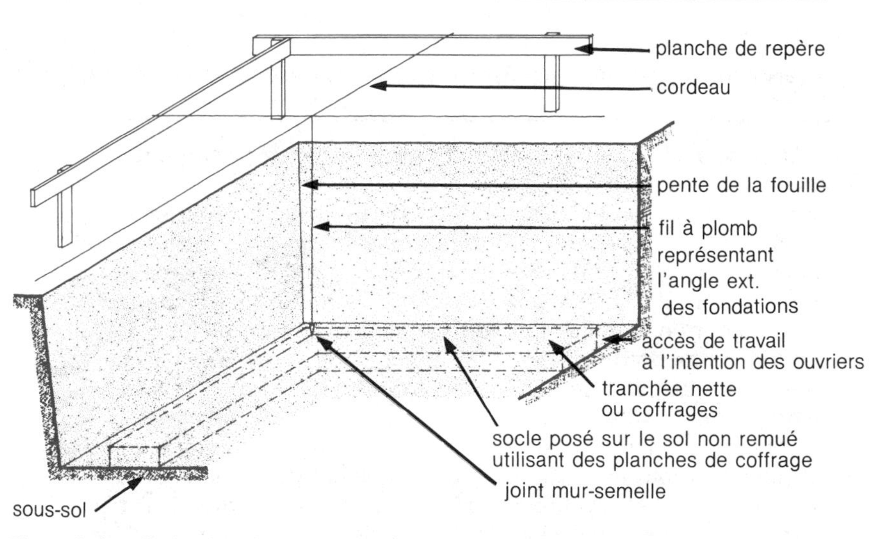

Figure 3. Installation des planches de repère et établissement des angles pour la fouille.

Deux méthodes permettent de vérifier si les angles de la maison sont d'équerre. La première consiste à mesurer la longueur des diagonales. Si les diagonales sont d'égale longueur, les angles sont d'équerre *(Fig. 1, A)*. L'autre consiste à mesurer, sur un côté d'un angle, une distance en multiples de 300 mm et, sur le côté adjacent, le même nombre de multiples de 400 mm. La diagonale (hypoténuse) comportera un même nombre de multiples de 500 mm si l'angle est droit *(Fig. 1, B)*.

Remblayage

Le remblayage autour des fondations ne doit pas être entrepris avant que les solives du plancher et le support de revêtement de sol n'aient été mis en place. Ceci vaut pour les murs de fondation en béton, en blocs de béton et en bois traité. Le *tableau 1* indique la hauteur maximale du niveau définitif du terrain au-dessus du plancher du sous-sol pour les murs de fondation avec ou sans appuis latéraux.

Les pressions soudaines qui s'exercent contre les murs de fondation pendant le remblayage peuvent provoquer le déplacement des murs, causant ainsi des dommages, par exemple, la fissuration des murs en blocs de béton. Il importe donc de déverser le matériau de remblayage d'une façon graduelle et uniforme, en couches minces, chacune d'elles étant compactée à la densité appropriée avant de placer la suivante. On prendra également soin de ne pas endommager la membrane d'imperméabilisation ou l'isolant extérieur.

Ouvrages de référence

Glossaire des termes de construction et d'aménagement de terrain
Société canadienne d'hypothèques et de logement
LNH 1165

Tables de conversion au système métrique
Société canadienne d'hypothèques et de logement
LNH 5159

Code national du bâtiment du Canada
Comité associé du Code national du bâtiment
Conseil national de recherches du Canada, 1985

Logements neufs dans des quartiers déjà établis
Société canadienne d'hypothèques et de logement
LNH 5570

Critères d'aménagement du terrain
Société canadienne d'hypothèques et de logement
LNH 5214

Ouvrage de béton

Le béton, armé ou non, sert à plusieurs fins dans la construction des maisons. On le retrouve dans les fondations et dans les planchers-dalles de sous-sols et de garages.

Béton pré-malaxé

On peut se procurer du béton pré-malaxé presque partout. Lorsqu'on commande du béton pré-malaxé pour les semelles et les murs de fondation, il importe de spécifier qu'il s'agit d'un béton à air occlus d'au moins 15 MPa. Pour les planchers de sous-sols, les dalles sur le sol, les marches extérieures et les voies d'accès privées, on doit exiger un béton à air occlus d'au moins 20 MPa. Une occlusion d'air de 5 à 8 p.100 produit un béton comportant une multitude de micro-bulles. Le béton à air occlus se met en place et se travaille plus facilement que le béton ordinaire et, caractéristique très importante, il résiste beaucoup mieux au gel après avoir durci.

Malaxage à pied d'œuvre

On doit éviter à tout prix d'ajouter de l'eau au béton, sur le chantier, pour en faciliter la mise en place. L'addition d'eau réduit la résistance du béton, accroît sa perméabilité et diminue sa résistance au gel. Si on désire une plus grande maniabilité, il est préférable de demander au fournisseur de béton de régler le dosage et, au besoin, d'ajouter un plastifiant qui améliorera la maniabilité du béton et facilitera sa mise en place.

Lorsque le malaxage doit se faire sur place, l'eau et les granulats doivent être propres et exempts de matières organiques et autres substances susceptibles de nuire à la qualité du béton. Les granulats doivent avoir une granulométrie uniforme. Le béton doit toujours être à air occlus afin d'en améliorer la durabilité et la résistance au gel.

L'adjuvant d'occlusion d'air doit être ajouté strictement selon les recommandations du fabricant car une trop grande quantité diminue la résistance du béton. Il est recommandé de consulter le représentant du fabricant afin de connaître le dosage idéal pour une utilisation spécifique. Les adjuvants d'occlusion d'air ne doivent être utilisés que lorsque le béton est préparé dans un malaxeur doté d'un moteur.

Le béton destiné aux semelles et aux murs de fondation ne doit pas comporter plus de 20 L d'eau par sac de ciment de 40 kg et celui destiné à d'autres travaux ne doit pas en comporter plus de 18 L par sac de ciment de 40 kg. Ces quantités sont basées sur une teneur moyenne en humidité des granulats.

Le dosage des granulats fins et gros, du ciment et de l'eau, doit être réglé de façon à procurer un mélange qui se tasse bien dans les angles, sans ségrégation des constituants ni ressuage d'eau à la surface du béton. Les dosages de béton mentionnés au *tableau 2* sont habituellement jugés satisfaisants.

Bétonnage

Le béton doit, dans la mesure du possible, être placé dans les coffrages en une opération continue, en couches horizontales ne dépassant pas 300 à 450 mm d'épaisseur. On ne doit pas permettre au béton de tomber dans les coffrages de plus de 1,5 m de hauteur, afin d'éviter la ségrégation des constituants. Au-delà de cette hauteur, on utilisera un tuyau vertical approprié. On peut également utiliser chariots, brouettes ou goulottes s'il n'est pas possible d'approcher la bétonnière de l'ouvrage. Les goulottes doivent être en métal ou revêtues de métal et avoir le fond arrondi et une pente d'au plus un pour deux et d'au moins un pour trois.

Le béton ne doit pas être déposé en un tas, mais doit plutôt être étalé et nivelé à la pelle ou au râteau. On peut utiliser des vibrateurs pour serrer le béton mais pas pour faciliter sa mise en place. Le béton peut également être mis en place à l'aide d'une pompe, à condition qu'elle soit appropriée au travail.

S'il faut interrompre le bétonnage, on doit niveler le béton dans les coffrages et attendre qu'il commence à prendre. La surface doit ensuite être rendue rugueuse pour assurer l'adhérence de la coulée subséquente. Lorsque le bétonnage reprend, la surface doit être nettoyée et légèrement humectée, puis recouverte d'une couche de coulis de 12 mm constituée de 1 partie de ciment pour 2 parties de sable, afin d'assurer la bonne adhérence de la nouvelle couche de béton qui doit ensuite être coulée sans délai.

Le béton qui vient d'être mis en place doit être immédiatement serré à l'aide de dames ou de pilons appropriés ou, de préférence, avec un vibrateur.

Lorsque la température ambiante est à 5°C ou moins, ou lorsqu'il y a possibilité qu'elle chute à ce niveau dans les 24 heures qui viennent, le bétonnage doit, si possible, être reporté. Toutefois, si le bétonnage devait se poursuivre, le béton doit être maintenu à une température d'au moins 10°C et d'au plus 25°C pendant le malaxage et la mise en place et à une température minimale de 10°C pour 72 heures au moins pendant son durcissement. Pour ce faire, il faudra peut-être chauffer l'eau de malaxage. On ne doit pas couler le béton sur un sol gelé et les coffrages doivent être débarrassés de la glace et de la neige qui auraient pu s'y accumuler.

Cure du béton

La cure consiste à garder au béton frais son humidité ou à l'empêcher de sécher et de diminuer de volume pendant plusieurs jours après le bétonnage. La fissuration des murs et des planchers de béton peut souvent être imputée à une cure inadéquate. Il importe donc de suivre fidèlement les techniques de cure recommandées si on désire assurer au béton la résistance, l'étanchéité et la durabilité souhaitées.

La cure des murs devrait se poursuivre après le décoffrage pendant au moins une journée si la température du béton est maintenue au-dessus de 21°C, et pendant quatre jours si la température du béton est maintenue entre 10°C et 21°C.

On peut assurer une cure appropriée en installant un tuyau d'arrosage perforé au sommet du mur et en laissant l'eau s'écouler le long de ses parois. Lorque la cure à l'eau est impraticable (par temps froid, par exemple), on peut utiliser des agents de cure qui retardent l'évaporation de l'eau. Si un produit d'imperméabilisation est appliqué sur le mur, il n'est pas nécessaire de poursuivre la cure sur cette face.

Par temps chaud, le béton doit être protégé contre un assèchement trop rapide. Par temps chaud et sec, les coffrages en bois doivent être aspergés d'eau afin de prévenir l'assèchement excessif du béton.

Par temps de gel, on peut protéger le béton frais à l'aide d'une épaisse couche de paille ou d'un autre matériau isolant. Il faudra peut-être, en outre, construire un abri et le chauffer à l'aide de générateurs à combustible de façon à maintenir les températures appropriées pendant la cure du béton.

Quant à la cure des dalles sur sol, on peut par exemple faire une pulvérisation d'eau, ou recouvrir les dalles de toiles de jute maintenues continuellement humides ou de feuilles de polyéthylène. Si le béton n'a pas bénéficié d'une cure d'environ une semaine, la surface de la dalle pourra présenter des traces inesthétiques de retrait, de fissuration ou d'affaiblissement quelconque.

Semelles, fondations et dalles

Semelles

Les semelles reçoivent les charges de la maison par l'intermédiaire des poteaux ou des murs de fondation et les retransmettent au sol. Le type et les dimensions des semelles doivent être appropriés à la nature du sol. Les semelles doivent être suffisamment profondes pour ne pas être soumises aux effets du gel. On peut également éviter les effets du gel par un drainage efficace près des fondations et en faisant en sorte que les eaux de ruissellement soient écartées de la maison.

La distance entre le dessous de la semelle et le niveau définitif du sol ne doit pas être inférieure à la profondeur de pénétration du gel. Le *tableau 3* indique la profondeur minimale des fondations selon diverses conditions du sol. Si le terrain a été remblayé, les fondations doivent traverser le remblai, jusqu'au sol non remué, ou être conçues en fonction du type de remblayage.

Semelles filantes Les dimensions des semelles filantes doivent être conformes aux exigences du code de construction. Le *tableau 4* indique ces dimensions pour un sol moyennement stable. Toutefois, si la distance entre la nappe phréatique et la surface portante est égale à la largeur de la semelle, il faut doubler les dimensions de la semelle indiquées au *tableau 4*. On coulera le béton de la semelle dans des coffrages, à moins que la nature du sol et les calculs ne permettent le creusement de tranchées nettes.

Les semelles doivent dépasser d'au moins 100 mm de part et d'autre du mur et, si elles ne sont pas armées, mesurer au moins 150 mm d'épaisseur *(Fig. 4)*. Si la capacité portante du sol est plutôt faible, il faudra peut-être prévoir des semelles armées encore plus larges.

Si la fouille pour les semelles est inégale et trop profonde à certains endroits, il faut en relever le niveau à l'aide de béton placé sur le sol non remué. On ne doit jamais remblayer sous les semelles.

On doit remplir de béton les tranchées de canalisation qui passent directement sous les semelles.

Semelles de poteaux Les semelles de poteaux *(Fig. 5 et 6)* doivent être centrées sous les pièces qu'elles supportent. Les dimensions des semelles varient en fonction de la capacité portante du sol et de la charge à supporter. Sur sol moyennement stable, on utilise habituellement des semelles de 0,4 m^2 (environ 650 × 650 mm) pour les maisons d'un étage et de 0,75 m^2 (860 × 860 mm) pour les maisons de deux étages. Les semelles non armées doivent habituellement avoir une épaisseur minimale de 150 mm. Les semelles pour foyers et cheminées sont généralement coulées en même temps que les autres semelles.

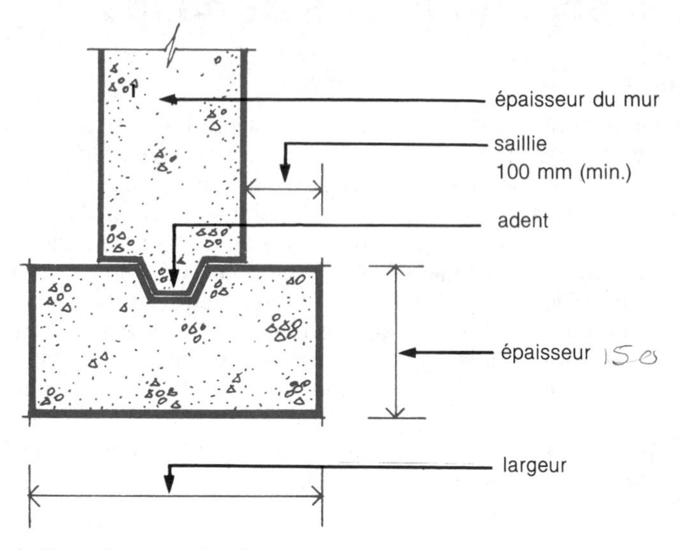

Figure 4. Dimensions des semelles.

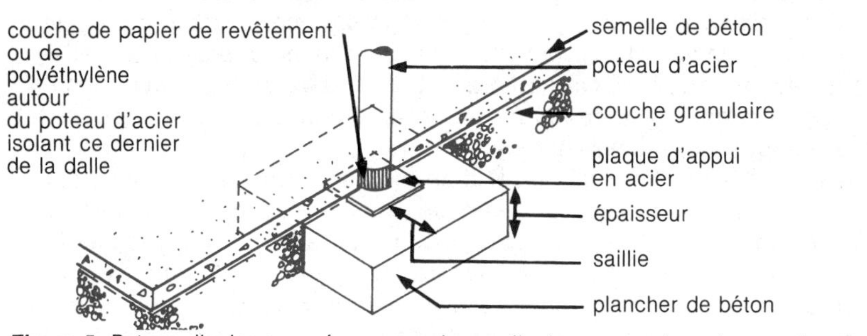

Figure 5. Poteau d'acier appuyé sur une plaque d'acier reposant sur la semelle. Base du poteau enrobée dans le plancher de béton. Le *tableau 4* donne les dimensions minimales d'une semelle dans des conditions normales.

Semelles en gradins Il faut parfois couler les semelles en gradins lorsque le terrain est très incliné ou que le sol est instable. La partie verticale du gradin doit être coulée en même temps que la semelle. Chaque gradin doit reposer sur un sol non remué ou sur un matériau granulaire damé et être de niveau.

Les raccordements verticaux entre les semelles doivent être en béton d'au moins 150 mm d'épaisseur et de la même largeur que celles-ci *(Fig. 7)*. Sur les pentes raides, plusieurs gradins pourront s'avérer nécessaires. Sauf dans le roc, la distance verticale entre des gradins successifs ne doit pas dépasser 600 mm, et la longueur des gradins ne doit pas être inférieure à 600 mm. Il faudra peut-être concevoir des semelles spéciales pour le cas de pentes très raides où il est impossible de respecter ces exigences.

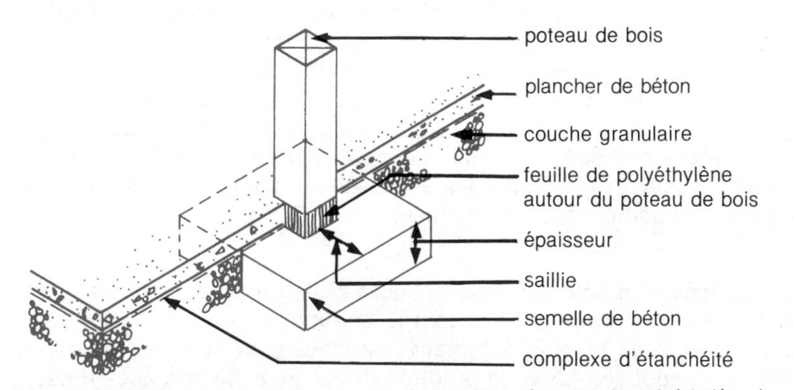

Figure 6. Poteau de bois appuyé sur semelle de béton. Couche de polyéthylène isolant le bois du béton. La base du poteau peut être saturée d'un produit de traitement du bois.

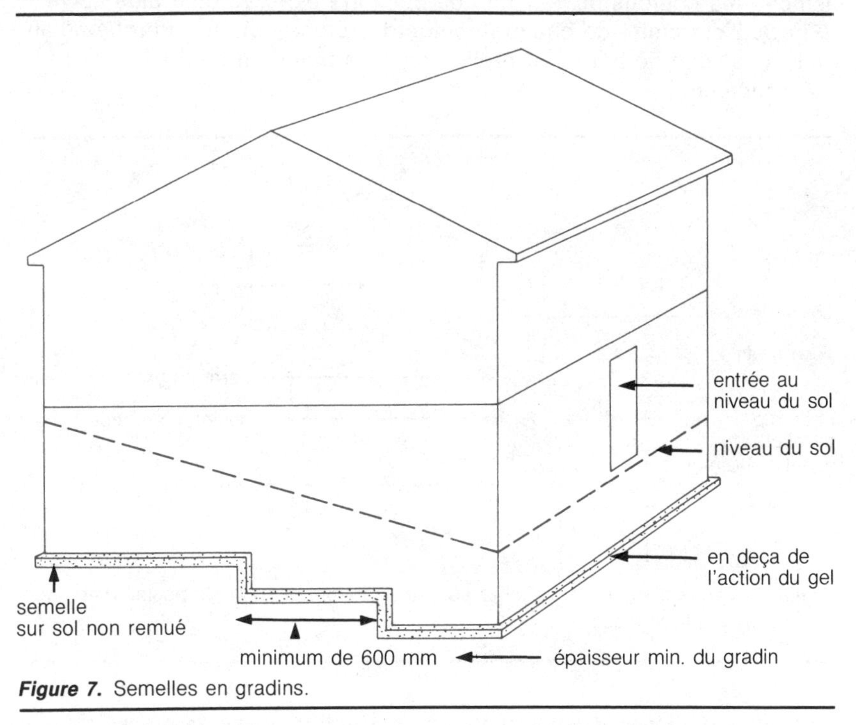

Figure 7. Semelles en gradins.

Fondations

Les fondations supportent les planchers, les murs, le toit et les autres charges de la maison (y compris le poids de la neige et des occupants) et les transmettent aux semelles filantes. Les deux types de fondations les plus courants font appel au béton coulé sur place ou aux blocs de béton, bien que le bois traité soit également une solution pratique. On trouve aussi des fondations en éléments de béton préfabriqués ou en acier.

L'épaisseur des murs de fondation en béton ou en blocs de béton peut varier de 150 à 300 mm selon leur profondeur sous le niveau du sol et l'appui latéral assuré par la charpente du plancher. Le *tableau 1* indique l'épaisseur minimale des murs de fondation en béton coulé ou en blocs de béton, en sols stables.

Pour le cas des sols instables, la construction des murs de fondation doit respecter les méthodes éprouvées utilisées localement ou les exigences spécifiques d'un ingénieur.

Murs de fondation bétonné à pied d'oeuvre Le béton doit être placé en continu, sans interruption. Pendant le bétonnage, le béton doit être damé ou vibré de façon à éliminer les poches d'air et à aider le béton à s'infiltrer sous les bâtis de fenêtres et autres éléments encastrés.

Les boulons d'ancrage des lisses d'assise doivent être placés pendant que le béton est encore plastique. Ces ancrages sont habituellement des boulons de 12,7 mm de diamètre espacés d'au plus 2,4 m *(Fig. 8)*. L'extrémité de chaque boulon d'ancrage doit être enrobée d'au moins 100 mm de béton, et repliée ou déformée afin de bien résister à l'arrachement.

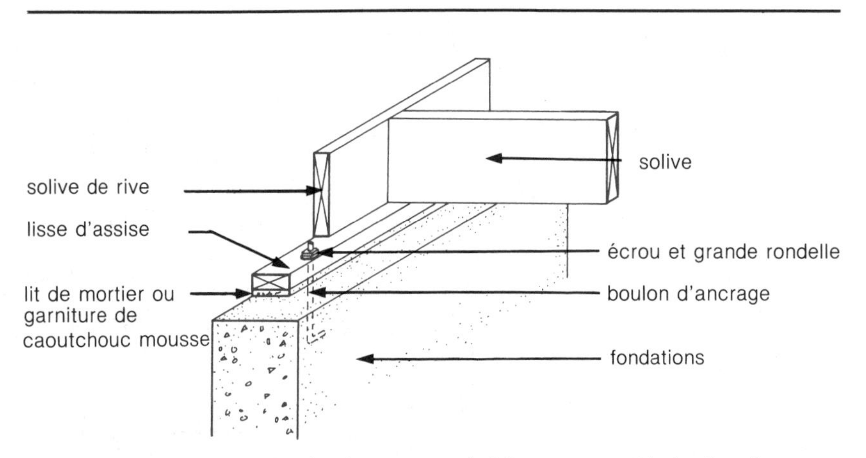

Figure 8. Façon d'ancrer le plancher au mur de béton, montrant le boulon d'ancrage qui traverse la lisse d'assise.

Coffrages des fondations On utilise habituellement de la pierre concassée autour des semelles et en-dessous du plancher-dalle pour assurer le drainage autour des fondations. Il est donc souhaitable d'étendre d'avance cette couche de pierre à l'emplacement des fondations de manière à assurer une aire de travail propre et sèche.

Les coffrages à béton doivent être étanches, bien étayés et attachés de manière à résister efficacement aux poussées exercées par le béton avant qu'il ne durcisse. Les coffrages réutilisables sont faits de contreplaqué ou d'acier et leurs parois sont retenues ensemble par des entre-

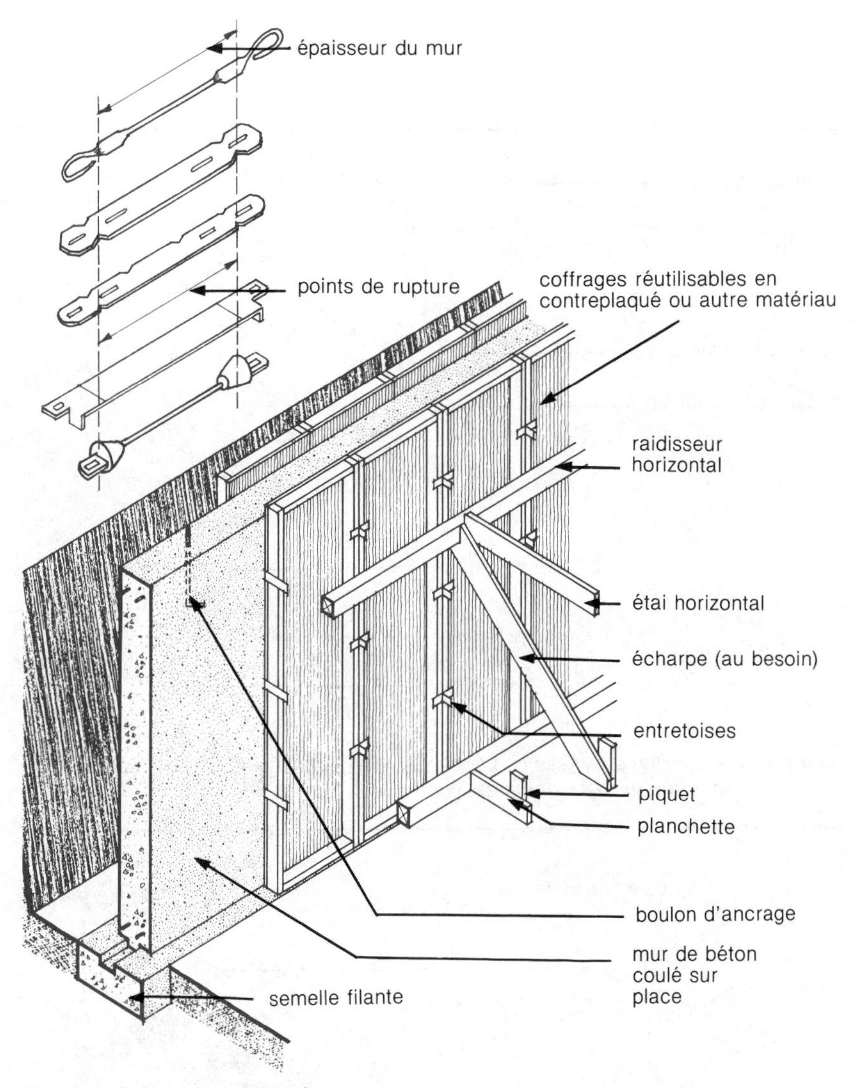

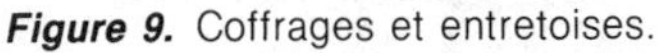

Figure 9. Coffrages et entretoises.

toises d'acier *(Fig. 9)*. On casse habituellement les extrémités de ces entretoises pour démonter les coffrages, une fois que le béton a suffisamment durci. S'il est impossible de se procurer des coffrages de ce type, on pourra toujours en construire avec du bois de construction (à rives bouvetées ou à mi-bois) ou du contreplaqué et les renforcer à l'aide de membrures appropriées. On peut les fabriquer en sections avant de les monter.

On utilise habituellement des pièces d'acier servant à la fois d'attache et d'entretoise pour consolider les coffrages et maintenir l'écartement voulu. Si les attaches sont en fil d'acier, on fixe, entre les

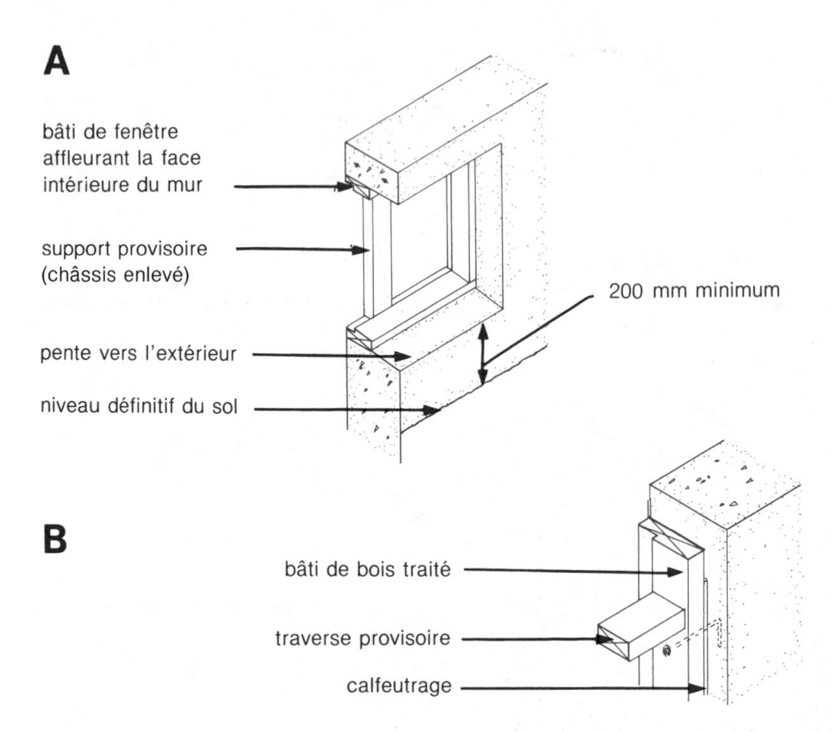

Figure 10. Bâtis renforcés utilisés au bétonnage; A — bâti de fenêtre scellé dans un mur de béton sur place, B — bâti de porte scellé.

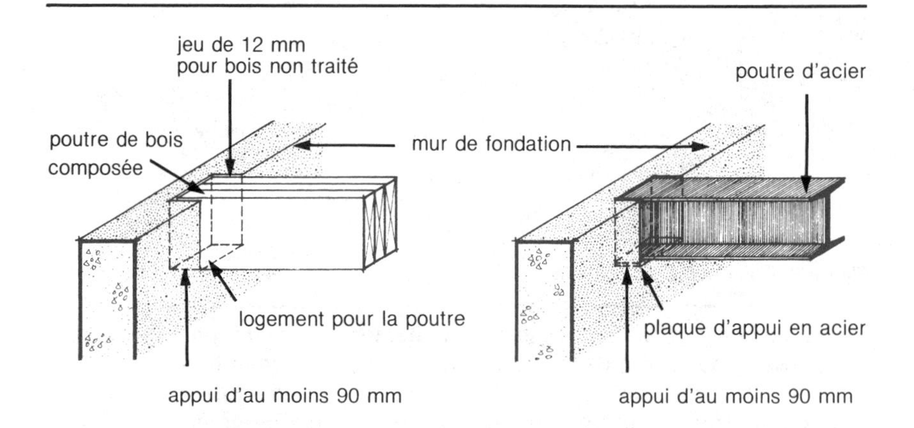

Figure 11. Appui d'extrémité des poutres encastrées dans les fondations.

parois des coffrages, des entretoises en bois dont la longueur est égale à l'épaisseur définitive du mur. Ces entretoises en bois ne doivent pas être laissées dans le béton. Les attaches en fil d'acier maintiennent les coffrages solidement contre les entretoises. On peut indiquer sur les coffrages, à l'aide de clous ou d'une ligne tracée au cordeau, jusqu'à quelle hauteur le béton doit être coulé.

Les bâtis des fenêtres, portes et autres ouvertures du sous-sol, de même que les boîtes destinées à réserver dans les murs le logement des poutres du plancher doivent être mis en place lors de la construction des coffrages. On a recours à des renforts pour maintenir les bâtis verticaux et à leur place jusqu'à ce que le béton ait pris *(Fig. 10)*. Il importe de vérifier les diagonales des bâtis afin de s'assurer qu'ils ne sont pas déformés.

Si des poutres en bois au niveau du sol ou sous celui-ci n'ont pas reçu de traitement anti-pourriture approprié, leurs logements d'appui doivent permettre un dégagement frontal et latéral de 12 mm, afin de permettre à l'air de circuler *(Fig. 11)*. Ces exigences ne s'appliquent évidemment pas aux poutres en acier.

Lorsqu'une cheminée en maçonnerie doit être incorporée à un mur extérieur, il faut en tenir compte à cette étape de la construction.

On doit, avant d'enlever les coffrages, attendre que le béton soit suffisamment résistant pour supporter les charges qui s'exercent pendant les premières étapes de la construction. Il convient d'attendre au moins deux jours, bien qu'il soit préférable d'attendre une semaine, surtout par temps froid.

Joints de retrait L'emploi de barres d'armature ou la réalisation de joints de retrait verticaux placés aux entroits appropriés permettront de prévenir la fissuration aléatoire des murs et des planchers-dalles *(Fig. 12 et 13)*. Les joints de retrait des murs sont réalisés par le clouage de baguettes de bois d'à peu près 20 mm d'épaisseur, biseautées de 20 mm à 12 mm, aux parois internes des coffrages. Les rainures ainsi obtenues établissent un plan de faiblesse permettant de déterminer à l'avance l'emplacement probable des fissures attribuables au retrait du béton. On doit prévoir des joints de retrait dans les murs de plus de 25 m de longueur. Les murs plus courts sont également exposés aux fissurations de retrait et de tels joints peuvent y être également utiles.

Les joints de retrait doivent d'abord être situés dans les plans de faiblesse naturels comme les baies de fenêtres et de portes, ainsi qu'à 3 m des coins et à 6 m les uns des autres. Ces joints doivent coïncider avec le côté des fenêtres et des portes, le cas échéant. Au décoffrage, les rainures formées par les languettes doivent être remplies d'un produit de calfeutrage de bonne qualité. L'agent d'imperméabilisation appliqué après le remplissage de la rainure doit être compatible avec ce produit de calfeutrage. Il convient de demander l'avis d'un marchand de matériaux au sujet de la compatibilité des deux matériaux.

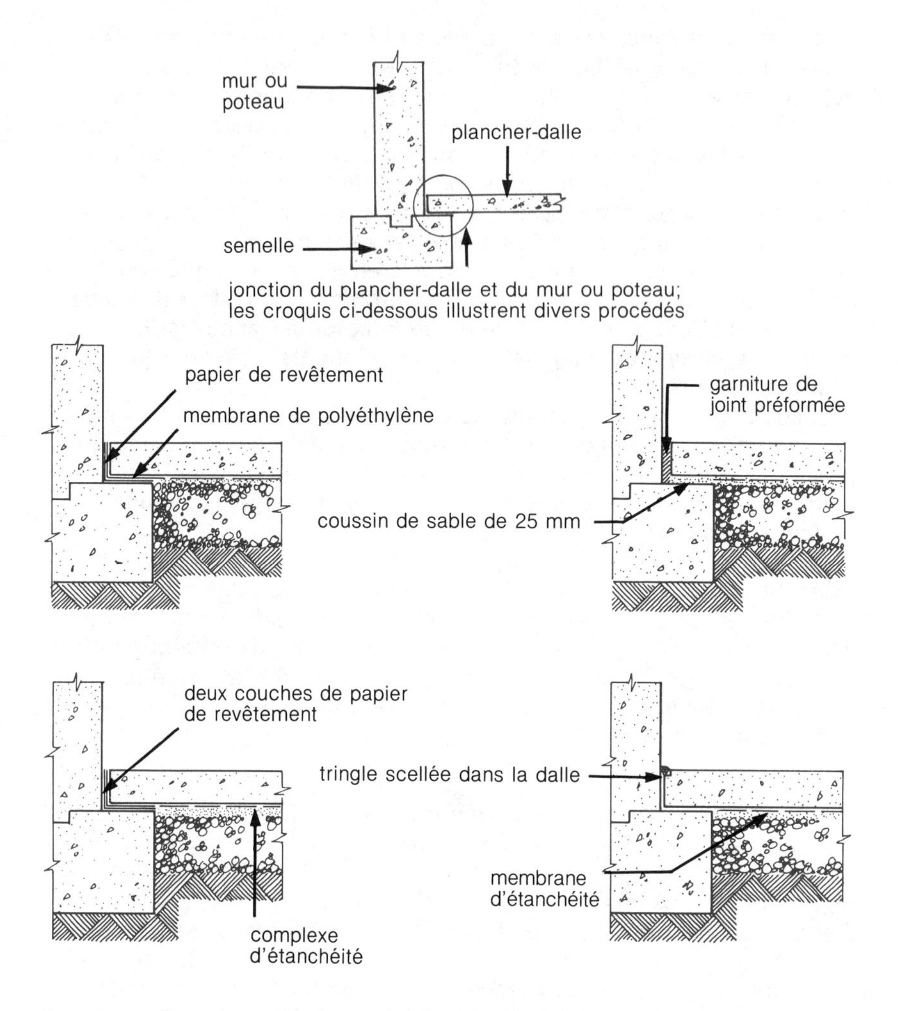

Remarque : diverses combinaisons de joints de désolidarisation entre la dalle et la semelle ou entre la dalle et le mur peuvent être employées conjointement, si on le veut.

Figure 12. Joint périmétrique d'un plancher-dalle.

Imperméabilisation Les murs de béton en sous-sol doivent être imperméabilisés à l'aide d'une couche de matériaux bitumineux appliqué contre la surface extérieure depuis la semelle jusqu'au niveau définitif du sol. Un tel enduit suffit habituellement à assurer l'étanchéité contre les infiltrations consécutives à un orage. On peut renforcer cette protection contre l'humidité en posant contre la face extérieure du mur du sous-sol un isolant dense en fibres de verre.

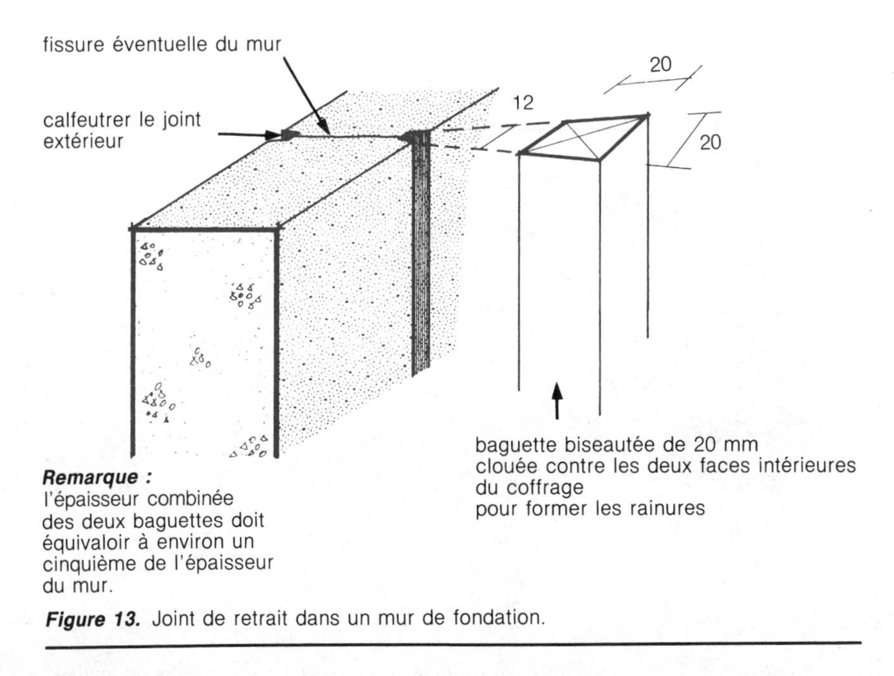

Figure 13. Joint de retrait dans un mur de fondation.

Dans les sols mal drainés, il faudra peut-être prévoir une membrane étanche constituée de deux couches de feutre saturé de bitume. Les deux épaisseurs de feutre doivent être fixées au mur et l'une à l'autre à l'aide de bitume liquide.

Murs de fondation en blocs de béton On peut se procurer des blocs de béton de diverses tailles et formes et les plus populaires sont fabriqués en dimensions modulaires de 200 mm de hauteur, 400 mm de longueur et 150, 200, 250 ou 300 mm de largeur. Leurs dimensions réelles sont de 10 mm inférieures aux dimensions nominales afin de tenir compte de l'épaisseur du joint.

Les assises de blocs reposent sur la semelle filante et sont posées sur des lits de mortier de 10 à 12 mm. Les joints ne doivent pas avoir plus de 20 mm d'épaisseur et doivent tous être lissés pour mieux résister à l'infiltration d'eau. Les deux assises inférieures doivent être posées sur un plein lit de mortier; quant aux assises suivantes, le mortier peut n'être appliqué qu'aux surfaces de contact des blocs. Lorsque les codes du bâtiment exigent la construction de pilastres pour renforcer les murs ou soutenir une poutre, ceux-ci doivent faire saillie dans le sous-sol et se prolonger de la semelle à la face inférieure des poutres qu'ils soutiennent.

Des blocs de béton spéciaux (qu'on appelle pilastre, jambage, etc.) servent à encadrer les ouvertures prévues pour les portes et les fenêtres de sous-sol *(Fig. 14)*. Par exemple, les blocs de jambage ont une feuillure dans laquelle les bâtis viennent s'insérer, ce qui donne une

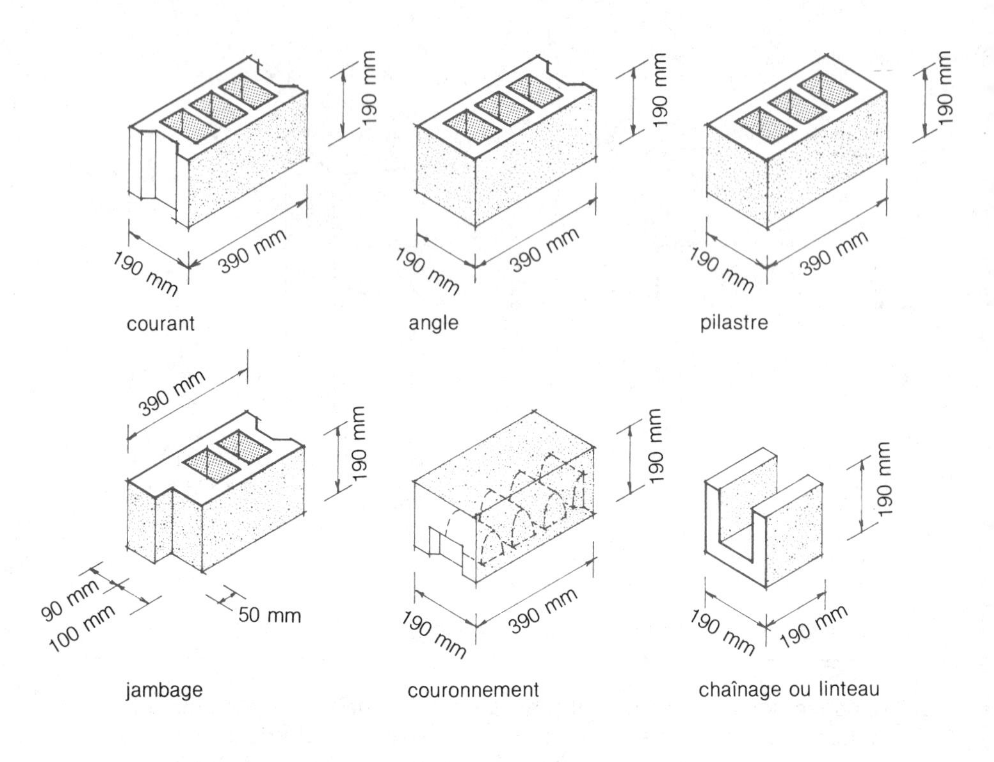

Figure 14. Blocs de béton pour fondations.

plus grande rigidité et une meilleure étanchéité à l'air. On devrait rechercher les mêmes résultats à la jonction du bâti avec l'appui et le linteau.

Les murs de blocs doivent être couronnés d'éléments de maçonnerie pleins ou de béton massif de 50 mm, ou encore d'une assise de blocs remplis de mortier. Aux endroits où les termites ne sont pas à craindre, un madrier de bois de 38 mm d'épaisseur pourra jouer le même rôle. Au niveau du sol extérieur, on doit prévoir une autre barrière destinée à empêcher les courants de convection thermiques dans les alvéoles des éléments de maçonnerie creux. Cette barrière peut être constituée d'une feuille de polyéthylène placée entre deux assises. De plus, le bardage doit recouvrir le mur de fondation d'au moins 12 mm, de façon que l'eau ne puisse atteindre le dessus des fondations. Les pilastres supportant des poutres doivent être couronnés d'éléments de maçonnerie pleins de 200 mm.

On doit protéger du gel les murs de fondation en blocs qui viennent d'être montés. Le gel du mortier avant qu'il ait eu le temps de prendre diminuerait, en effet, son adhérence et sa résistance et pourrait occasionner la rupture des joints. Les dosages de mortier doivent être conformes aux indications du *tableau 5*.

La face extérieure des murs de blocs doit être recouverte d'un enduit de mortier de ciment Portland d'au moins 6 mm. Il convient également de réaliser un congé au joint entre la semelle et le mur *(Fig. 15)*. Le mur doit ensuite être imperméabilisé au moyen d'une épaisse couche de matériau bitumineux posée sur le crépi, jusqu'au niveau définitif du sol. Pour assurer une plus grande protection aux endroits où l'eau s'accumule dans le sol, on pourra appliquer à la vadrouille deux couches d'une membrane saturée de bitume et recouvrir le tout d'une épaisse couche d'un matériau bitumineux. Cette protection préviendra les infiltrations d'eau si les blocs ou les joints venaient à se fissurer.

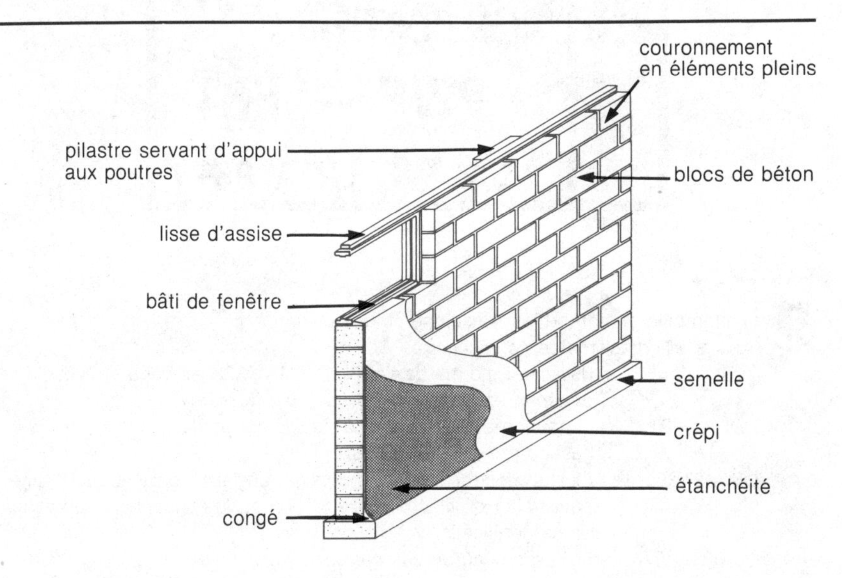

Figure 15. Fondations en blocs de béton.

Fondations en bois traité Les fondations en bois traité sont construites de la même manière que l'ossature de la maison. Elles sont habituellement constituées des éléments suivants : semelle en bois traité sous pression posée sur un lit de drainage granulaire, lisse d'assise, sablière, poteaux, calage et revêtement intermédiaire en contreplaqué traités sous pression, et feuille de polyéthylène pour renforcer l'étanchéité. On peut remplir d'isolant l'espace entre les poteaux et finir l'intérieur des fondations de manière à aménager un espace habitable bien isolé situé totalement ou partiellement sous le niveau du sol.

Dans les fondations en bois traité, les éléments susceptibles de pourrir (à cause de l'humidité du sol environnant) doivent être traités sous pression à l'aide de produits de préservation chimiques conformément aux prescriptions de la norme CSA 080.15. Les produits chimiques imprègnent les cellules de bois en permanence à des niveaux de pénétration et de concentration qui rendent le bois très résistant aux micro-organismes qui favorisent la pourriture et aux attaques des insectes tels que les termites. Une fois séché, le bois est inodore et n'est que légèrement coloré. Le bois de construction et le contre-plaqué traités sous pression peuvent être identifiés au moyen d'une marque confirmant que le matériau a été traité dans une usine qui répond aux exigences de la norme CSA 0322 *(Fig. 16).*

L'estampille comprend les renseignements suivants :
- désigne l'organisme de certification

0322	- désigne la norme de l'ACNOR, CSA 0322, en vertu de laquelle le matériau est certifié
PWF et FBT	- (fondation en bois traité et équivalent anglais) correspond à l'usage prévu du matériaux
L/B et P/C	- (bois et contreplaqué et équivalent anglais) indiquent que l'usine peut traiter du bois de construction et du contreplaqué en vertu de sa certification
CCA (ou ACA)	- correspond au produit de préservation utilisé
2577	- les deux premiers chiffres désignent l'usine, les deux derniers l'année de traitement.

Figure 16. Estampille de certification.

Les fondations en bois conviennent aux maisons individuelles ou aux immeubles de logements collectifs de faible hauteur. On peut les construire avec un plancher-dalle de béton ordinaire, un plancher de bois sur lambourdes reposant sur une couche de drainage en matériau granulaire, ou un plancher surélevé en bois *(Fig. 17).* Elles doivent être calculées de façon à supporter les charges verticales de la maison, y compris celles du plancher et du toit, ainsi que les charges horizontales exercées par le remblai. Les dimensions, l'essence et la catégorie des poteaux, de même que l'épaisseur du contreplaqué dépendent de l'écartement des poteaux, de la hauteur du remblai et du nombre d'étages du bâtiment.

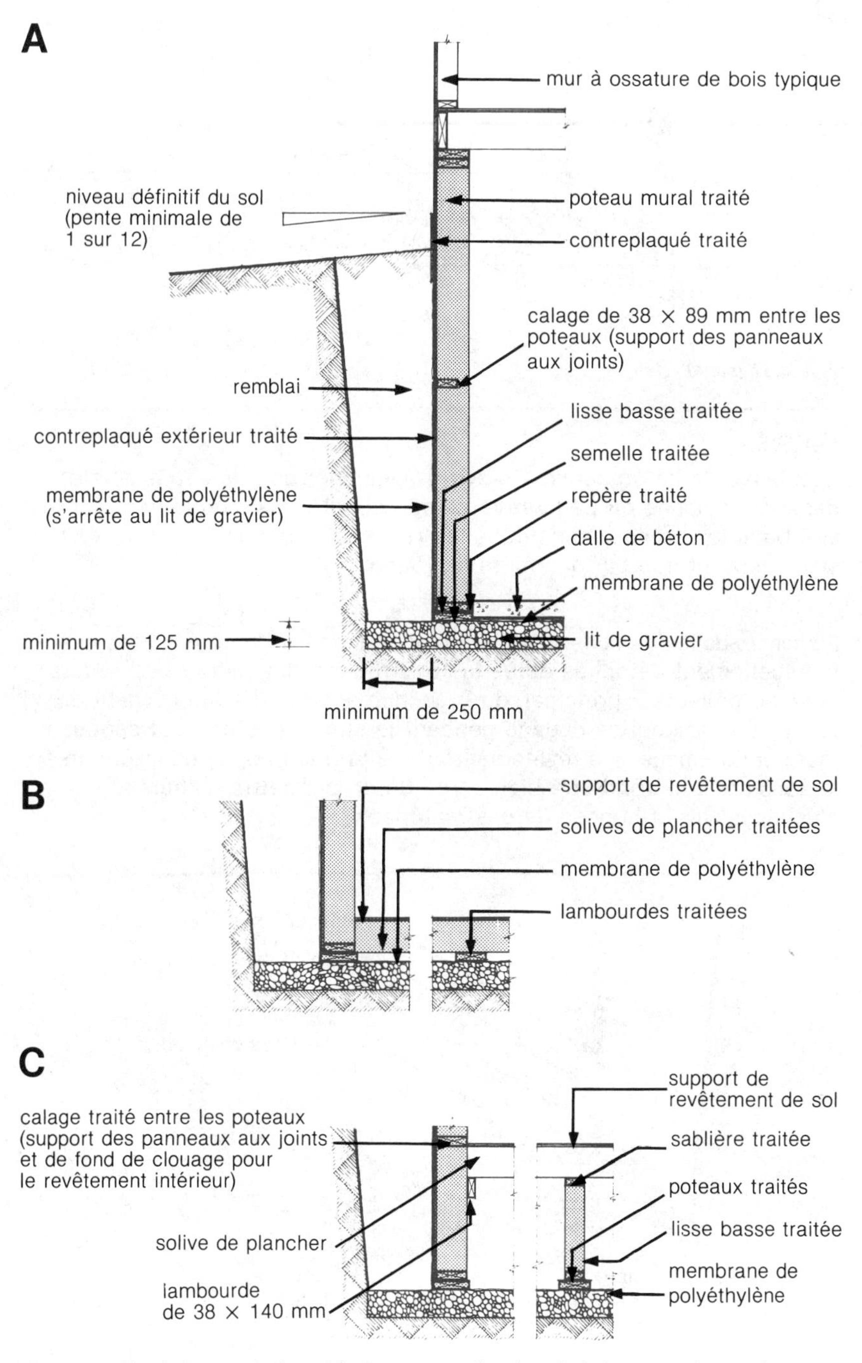

Figure 17. Fondations en bois traité; A, avec un plancher de bois suspendu par du béton; avec un plancher à lambourdes; C, avec un plancher de bois surélevé; D, sur une semelle filante en béton.

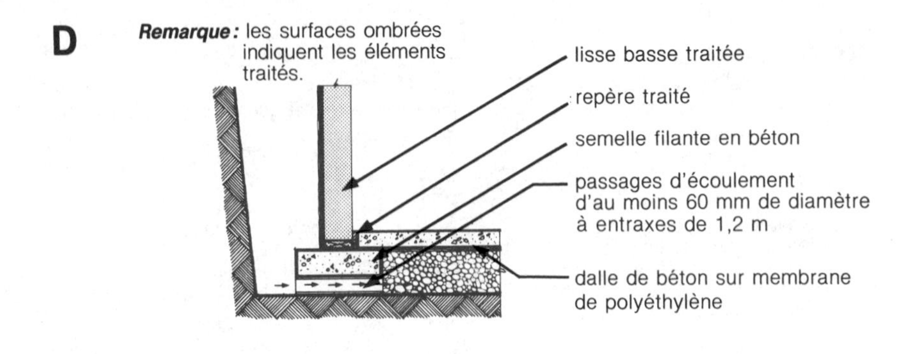

Figure 17 (suite)

Dalles

Les dalles de béton peuvent servir de plancher pour les sous-sols et dans les maisons ou parties de maison construites directement sur le sol. Dans les petits bâtiments, elles reposent habituellement sur le sol seulement, et non sur des murs de fondations.

Planchers-dalles de sous-sols Les planchers-dalles de sous-sols sont habituellement bétonnés après la construction des murs et du toit, la pose du collecteur principal, du branchement d'eau et de l'avaloir de sol. L'humidité qui se dégage pendant la cure du béton peut sérieusement endommager les revêtements de sol ou les boiseries intérieures; le sous-sol doit donc être bien aéré afin de permettre à l'humidité de s'échapper avant la pose de ces matériaux.

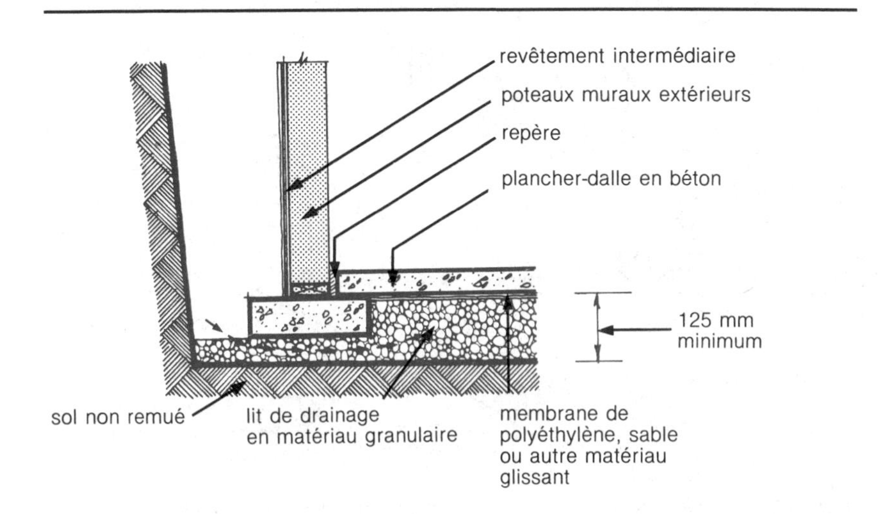

Figure 18. Semelle de béton sur lit de drainage en matériau granulaire.

Les planchers-dalles de sous-sols doivent avoir au moins 75 mm d'épaisseur et être inclinés vers l'avaloir de sol. On doit prévoir au moins un avaloir et le placer à proximité de l'aire réservée pour la lessive, de préférence.

On trouvera ci-après un rappel des exigences à respecter, une bonne façon de procéder et les étapes à suivre pour construire les planchers-dalles de béton pour sous-sols :

1. ne couler la dalle que lorsque le branchement d'eau et le collecteur principal auront été posés, et que les autres travaux souterrains auront été exécutés.
2. Prévoir un lit d'au moins 125 mm de pierre concassée ou de gravier grossier sous la dalle afin d'empêcher la remontée d'humidité du sol à la dalle par capillarité. Poser une feuille de polyéthylène de 0,15 mm ou un matériau de couverture en rouleau de type S sur le lit de matériau granulaire pour imperméabiliser le plancher. Les feuilles doivent se recouvrir d'au moins 100 mm aux joints *(Fig. 18)*. Cette précaution supplémentaire est surtout souhaitable lorsque la dalle est destinée à recevoir un revêtement de sol collé. Une telle mesure préventive ne peut être omise que si le sol est particulièrement sec. Si la nappe phréatique est assez haute, il faut isoler la dalle contre les pertes de chaleur excessives à travers le plancher du sous-sol.
3. Ne pas faire reposer le plancher-dalle du sous-sol directement sur les semelles des murs ou des poteaux, mais plutôt les isoler de ces éléments au moyen d'un coussin de sable d'au moins 25 mm, ou autrement *(Fig. 12)*.
4. Prévoir une garniture de joint préformée ou une double épaisseur de papier de revêtement *(Fig. 12)* entre la dalle et le mur ou les poteaux pour les désolidariser en prévision du retrait du béton au séchage et du tassement de la sous-couche.
5. Après la mise en place et le serrage du béton, araser le béton au niveau voulu à l'aide d'une règle. On peut déterminer ce niveau en mesurant la hauteur désirée à partir de la sous-face des solives de plancher posées de niveau. Pour éliminer les points hauts et les points bas et bien enrober les granulats grossiers, lisser la surface immédiatement à la règle ou à la planchette. La surface des outils servant au travail au béton à air occlus doit être en magnésium. On prendra soin de ne pas lisser excessivement le béton puisque ceci peut contribuer à diminuer la résistance de sa surface.
6. Lorsque le béton a perdu son lustre et durci quelque peu, l'exécution des bords, des joints et du lissage peut être entreprise. Les surfaces finies alors qu'il reste encore de la laitance peuvent être sujettes à de sérieux problèmes de farinage et d'écaillage.
7. Lorsqu'on désire éviter la fissuration aléatoire et inesthétique de la dalle, il convient de prévoir des joints de retrait appropriés. Les joints de retrait doivent être disposés vis-à-vis des poteaux et aux endroits où la largeur de la dalle change *(Fig. 19)*. Les joints de retrait ne doivent pas être écartés de plus de 4,5 à 6,0 m dans une direction ou dans l'autre. On peut exécuter les joints dans le

béton frais à l'aide d'un outil de jointoyage, ou mieux, attendre que le béton ait suffisamment durci et faire un trait à la scie électrique. La profondeur des joints doit correspondre à peu près au quart de l'épaisseur de la dalle.

8. La cure du béton doit débuter immédiatement après le finissage du plancher. Elle doit se poursuivre pendant au moins cinq jours par températures de 21°C ou plus, ou pendant sept jours par températures de 10°C à 21°C. On peut exécuter la cure en laissant de l'eau s'accumuler sur la dalle après avoir obturé les avaloirs du plancher ou en recouvrant la dalle de jute tenue continuellement humide. Si ces méthodes s'avèrent peu pratiques, on pourra pulvériser sur la surface du béton un produit de cure formant une membrane. Lorsque le plancher doit être recouvert de carreaux, on s'assurera de la compatibilité des agents de cure et des adhésifs.

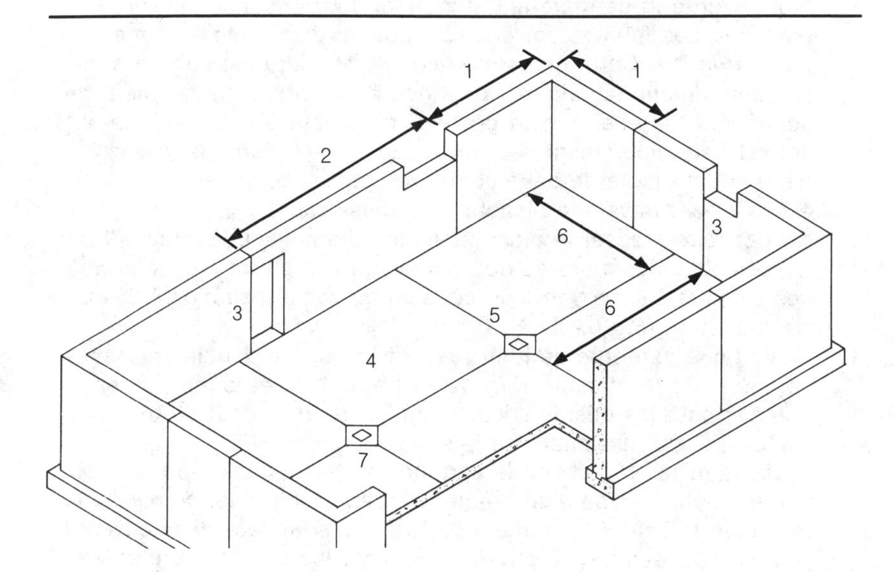

1. joints de retrait à moins de 3 m des coins
2. joints muraux espacés d'au plus 6 m
3. joints le long d'un côté de l'ouverture
4. joint périmétrique dalle-mur
5. joint de retrait dans le plancher-dalle
6. joints de ia dalle espacés de 4,5 m à 6 m
7. joint de retrait autour des semelles de poteau (Voir *Remarque*)

Remarque : les joints en forme de losange (7) ne sont pas nécessaires si les semelles de poteau se trouvent sous le plancher et si le poteau est enveloppé de deux couches de papier de revêtement ou de garniture de joint pour l'isoler de la dalle.

Figure 19. Disposition des joints de retrait.

Planchers-dalles sur le sol Les exigences relatives aux dalles sur le sol étant similaires à celles des planchers-dalles de sous-sols *(Fig. 20)*, les mêmes étapes et précautions s'imposent. La grande différence réside dans le besoin d'établir le niveau du plancher fini assez haut au-dessus du sol définitif pour que la pente de celui-ci permette de bien écarter l'eau de la maison. Le dessus de la dalle doit être à 150 mm au moins au-dessus du sol définitif.

Il convient également de signaler que les débris, souches et matières végétales excavés doivent être enlevés de façon à laisser une surface plane exempte d'endroits mous. En outre, le sol meuble doit être damé.

Le mur de fondation doit être recouvert, sur tout son périmètre, d'un isolant rigide hydrofuge. La dalle doit être armée, dans les deux sens, de barres d'environ 3,6 mm (désignation commerciale 10M) à entraxes de 600 mm. On pourra également utiliser un treillis métallique, en fil d'acier de 3,4 mm de diamètre, formant des carrés de 152 mm. Ce treillis est désigné comme suit : 152 × 152 MW9.1 × MW9.1.

Il n'est habituellement pas nécessaire de prévoir une chape puisque le lissage à la truelle mécanique procure une surface très lisse. Lorsqu'on réalise une chape, celle-ci doit consister en un mélange de 1 volume de ciment et de 2½ volumes de sable de granulométrie uniforme. On étend une couche de 20 mm lorsque le béton a pris; la chape doit être soigneusement nivelée et lissée à la truelle.

Les exigences relatives aux semelles et aux fondations des dalles sur le sol sont les mêmes que celles qui s'appliquent dans le cas des vides sanitaires. Il en est de même des techniques de construction.

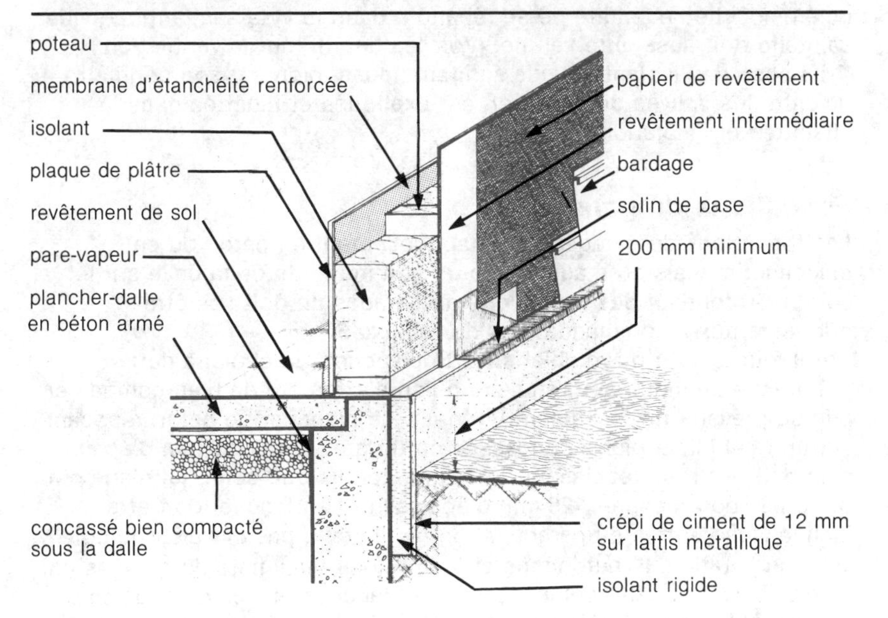

Figure 20. Plancher-dalle en béton et mur de fondation distincts. La dalle repose sur 125 mm de concassé grossier et sur une feuille ménagée dans le mur de fondation.

Semelles et fondations des vides sanitaires

Les maisons comportant un vide sanitaire reposent sur un mur de fondation qui se prolonge d'au moins 150 mm au-dessus du niveau définitif du sol.

Des tranchées sont creusées pour les murs de fondation et les semelles sont construites à une profondeur déterminée par la nature du sol et la pénétration du gel *(voir le tableau 3).* Les dimensions des semelles filantes sont habituellement les mêmes que celles des murs de sous-sol. Les murs de fondation peuvent être en béton, en éléments de maçonnerie ou en bois traité, mais puisque le sol du vide sanitaire n'est jamais beaucoup plus bas que le sol extérieur, l'épaisseur des murs de fondation est habituellement moindre que celle des murs qui entourent un sous-sol. Le *tableau 1* indique les épaisseurs de mur minimales en sols stables.

Les semelles des poteaux supportant les poutres du plancher doivent être coulées sur un sol ferme non remué, ce qui peut nécessiter une excavation. Ces poutres sont habituellement appuyées sur des poteaux de béton ou de maçonnerie et l'excavation autour des poteaux et des semelles est remblayée lors du nivellement du sol du vide sanitaire.

Lorsque le vide sanitaire se trouve sous le niveau définitif du sol extérieur, les murs de fondation doivent être imperméabilisés. On pose alors un drain autour des fondations et on le raccorde à l'égout. Le sol du vide sanitaire et les tranchées d'accès doivent être inclinés vers l'avaloir et le sol recouvert d'une pellicule de polyéthylène de type S de 15 mm dont les joints se recouvrent d'au moins de 100 mm. Cette pellicule empêche l'humidité de se répandre dans le vide sanitaire. Le vide sanitaire doit aussi être ventilé. (Voir le chapitre sur la ventilation.)

La pose de l'isolant au vide sanitaire, aussi bien sur son périmètre qu'entre les solives du plancher, est expliquée et illustrée dans le chapitre sur l'isolation thermique.

Fondations de garages

Les fondations de garages sont habituellement en béton ou en maçonnerie, mais on a aussi recours à la méthode de la dalle sur le sol. La profondeur des fondations de garages ne doit pas être inférieure aux recommandations du *tableau 3.*

S'il faut ajouter du remblai sous le plancher, on choisira de préférence un matériau granulaire qu'on s'efforcera de bien compacter afin de prévenir un tassement ultérieur. Le plancher de béton reposant sur un remblai de pierre concassée ou de gravier de 150 mm d'épaisseur doit avoir une épaisseur de 75 mm, tandis que celui qui n'en comporte pas doit mesurer 125 mm d'épaisseur. Le plancher doit être incliné vers l'entrée du garage, si on n'y installe pas d'avaloir de sol.

La préparation, le bétonnage et la cure des planchers de garages en béton doivent se faire comme pour les planchers-dalles de sous-sols. On doit prévoir des joints de retrait afin d'obtenir des panneaux aussi carrés que possible. Un seul joint transversal devrait suffire pour les garages accommodant une seule auto.

Les murs de fondation doivent avoir au moins 150 mm d'épaisseur et s'élever à 150 mm au moins au-dessus du sol.

Les lisses d'assise doivent être ancrées au mur de fondation ou à la dalle à l'aide de boulons d'ancrage scellés à entraxes d'environ 2,4 m, chaque lisse comportant au moins deux boulons. On pourra en prévoir davantage de part et d'autre de la porte principale.

Drainage près des fondations

Dans la plupart des endroits, il faut évacuer les eaux souterraines afin de prévenir l'humidité dans les sous-sols et les planchers. Pour ce faire, on dispose soit un drain de plastique ou de béton, soit une couche de matériau granulaire à l'extérieur des semelles.

Le drain doit être placé contre la semelle sur un sol ferme non remué, en s'assurant que le dessus du drain se trouve sous le niveau du plancher du sous-sol ou du sol du vide sanitaire et qu'il soit légèrement incliné vers l'égout. Le drain doit ensuite être recouvert de 150 mm de pierre concassée ou de gravier *(Fig. 21)*.

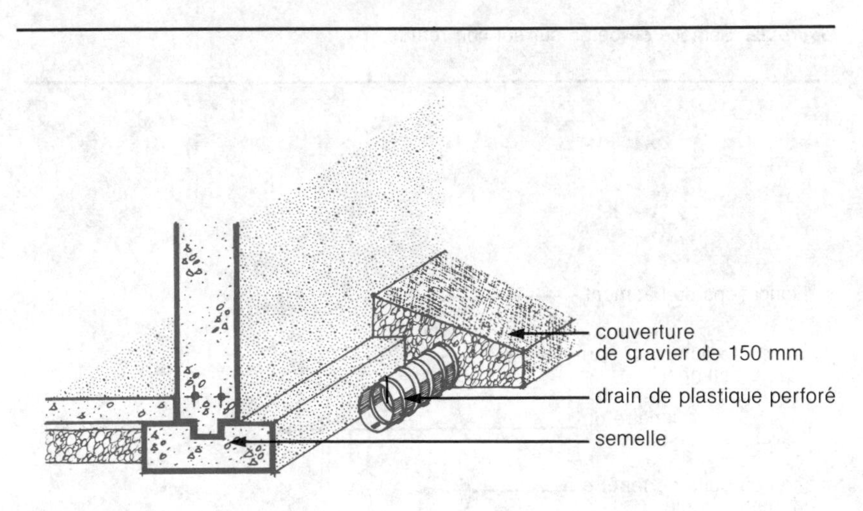

Figure 21. Drainage du sol autour des fondations.

Le drain doit être raccordé, au moyen d'un tuyau de jonction étanche, à un égout pluvial ou à tout autre conduit d'évacuation satisfaisant. Il est essentiel de réaliser un drainage approprié pour éviter l'accumulation de pression hydrostatique. Dans certains cas, il est même nécessaire de creuser un puisard. En terrains humides, il sera peut-être nécessaire de prévoir des dispositifs de drainage spéciaux, comme des drains latéraux sous la dalle, afin de prévenir les pressions hydrostatiques.

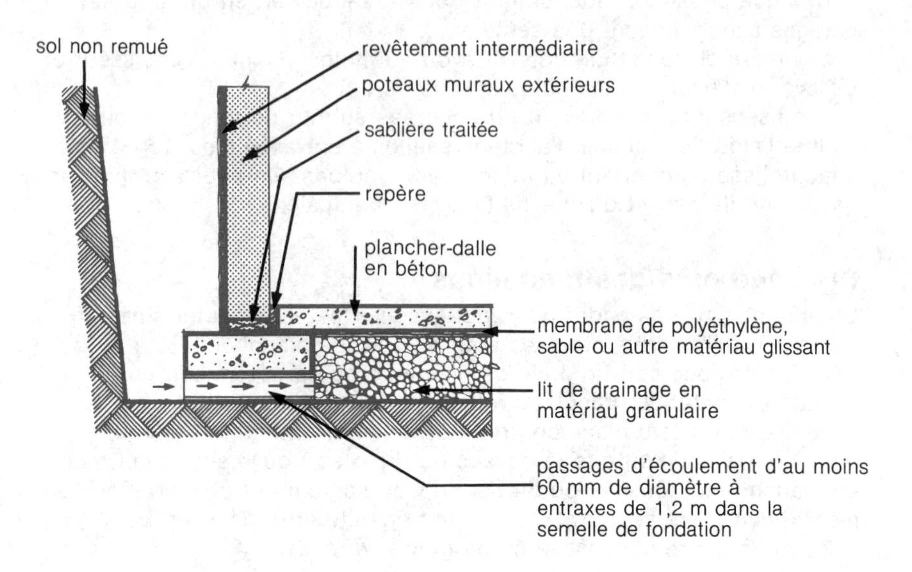

Figure 22. Semelle de béton sur sol non remué.

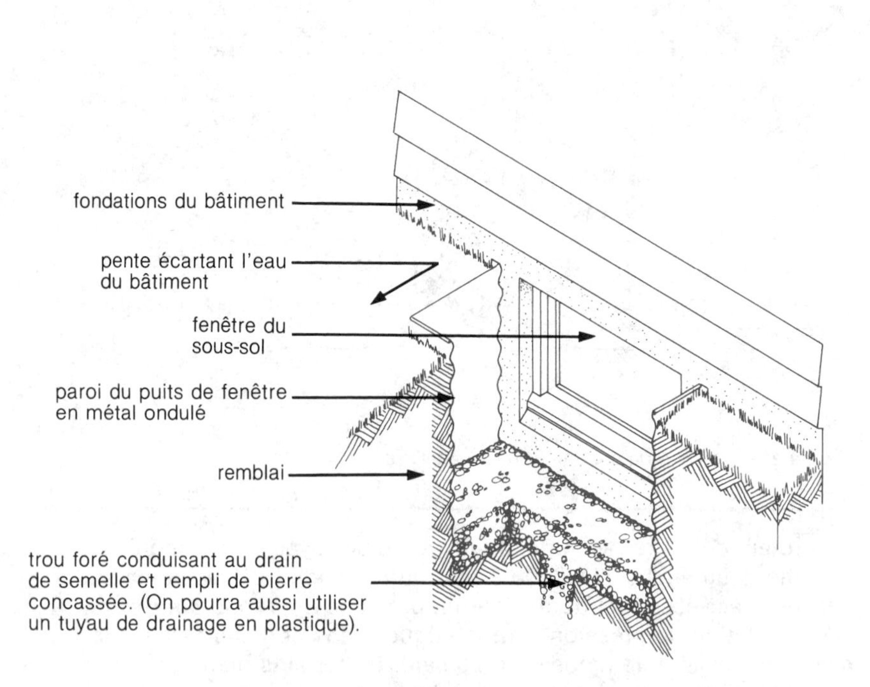

Figure 23. Puits de fenêtre au mur du sous-sol.

Dans le cas des fondations en bois traité, on doit installer à la fois un lit de drainage en matériau granulaire et un puisard. Le fond de la fouille doit être incliné de façon que l'eau s'écoule vers le puisard d'où elle sera évacuée par gravité ou pompage. Le lit de drainage granulaire doit se prolonger d'au moins 300 mm à l'extérieur de la semelle de fondation et doit être compacté lorsqu'il a plus de 200 mm d'épaisseur.

Cette technique du lit de drainage en matériau granulaire peut être appliquée à tout type de fondation. Lorsque des semelles filantes reposent sur un sol non remué, on doit prévoir, dans les semelles, des ouvertures de 60 mm de diamètre, à intervalles de 1,2 m, pour permettre à l'eau de s'écouler vers le puisard *(Fig. 22)*.

Il faut que les eaux de ruissellement soient dirigées à l'écart des fenêtres du sous-sol aussi bien que des fondations. Les fenêtres du sous-sol partiellement enfonçées dans le sol nécessitent l'installation de puits de fenêtre *(Fig. 23)*. On utilise couramment à cet effet la tôle d'acier galvanisée ondulée, plus résistante que la tôle ordinaire. Ce type de puits de fenêtre est offert en une variété de grandeurs. Dans le cas des puits de fenêtre en béton, l'installation du coffrage et le bétonnage se font une fois que le remblai a été compacté.

Lorsque le remblai n'est pas de type granulaire, le fond du puits de fenêtre doit être asséché au moyen d'un tuyau ou d'un trou de 150 mm de diamètre rempli de pierre concassée, traversant le remblai jusqu'au drain de fondation.

Ouvrage de référence

Construction des fondations en bois traité
Association canadienne de normalisation, CAN3-S406-M83

Protection des matériaux sur le chantier

La protection des matériaux de construction à leur arrivée sur le chantier et leur entreposage avant utilisation constituent deux mesures très importantes. Les matériaux non protégés contre les intempéries peuvent, en effet, subir des dommages susceptibles d'occasionner des pertes et de rendre l'entretien plus difficile.

Il est préférable que les matériaux soient livrés sur le chantier juste avant d'être utilisés; ceci est particulièrement vrai des fenêtres, des portes et des boiseries extérieures. Les matériaux de finition intérieure pourront être entreposés à l'intérieur une fois que le toit aura été achevé.

Dans une construction bien ordonnancée, le bois de construction de l'ossature et les matériaux de revêtement intermédiaire sont livrés sur le chantier après l'exécution des fondations. Les matériaux de charpente qui sont posés avant que la maison ne soit fermée peuvent être mouillés par la pluie, mais ils sèchent rapidement et sans dommage par la suite, seules les surfaces exposées ayant été vraiment atteintes.

Toutefois, le bois de construction empilé sur le chantier peut absorber l'eau, la conserver longtemps et, par conséquent, prendre beaucoup de temps à sécher. Il importe d'éviter cette situation, car l'eau peut finir par tacher le bois ou le faire pourrir. Les piles de bois doivent être dégagées du sol en reposant sur des supports et être recouvertes de bâches imperméables.

Les bardeaux du toit peuvent être livrés lorsque les travaux d'ossature ont commencé. Il faut entreposer à plat les paquets de bardeaux d'asphalte, car les bardeaux courbés ou voilés gâchent l'apparence du toit.

La pose des fenêtres et des portes suit habituellement celle de la couverture. Il faut protéger des intempéries les fermetures qui ne peuvent être posées immédiatement. Ces éléments sont coûteux et leur exposition aux intempéries pourrait compromettre la qualité de leur construction. Ceci est particulièrement vrai des fenêtres qui sont livrées avec leurs châssis déjà en place.

On peut facilement entreposer à l'intérieur de la maison l'isolant, les matériaux de finition des murs et des plafonds, les bardages en bois et les autres éléments de même nature. Les matériaux lourds comme les plaques de plâtre doivent être répartis sur l'ensemble du plancher de façon à ne pas surcharger les solives. Les charges lourdes appelées à rester longtemps au même endroit peuvent faire fléchir les solives du plancher de façon permanente.

Les bois durs de revêtement de sol et les boiseries intérieures ne doivent pas être entreposés dans la maison avant que le plancher de béton du sous-sol n'ait eu le temps de sécher, car l'humidité dégagée pourrait faire gonfler les matériaux séchés au four et les exposer à un retrait excessif une fois posés.

Bois de construction et autres produits en bois

Le bois de construction constitue l'élément principal de la construction à ossature de bois. Il forme l'enveloppe structurale qui enferme et divise les espaces et sur laquelle on applique les matériaux de finition. Outre le bois de construction, on utilise de nombreux autres produits en bois pour l'exécution de l'enveloppe et la finition de l'intérieur et de l'extérieur. Ces produits sont tous destinés à des utilisations précises et sont fabriqués selon des normes établies.

Le bois de construction que l'on utilise habituellement pour l'ossature mesure de 38 à 102 mm d'épaisseur; on utilise parfois l'expression « débits courants » pour désigner ces pièces collectivement. On appelle bois d'œuvre les éléments de plus de 114 mm d'épaisseur; il y a également des catégories de platelage, de planches et de bois de finition. Le *tableau 6* présente les qualités, les essences couramment regroupées, les principaux usages et les diverses catégories des débits courants.

Marques de qualité

Le bois destiné à la construction au Canada porte diverses marques de qualité confirmant sa conformité aux exigences de classification de la *National Lumber Grades Authority* (NLGA) pour le bois canadien. L'estampillage et la classification du bois de construction doivent également être conformes aux exigences de la norme CSA 0141-M « *Softwood Lumber* ». Les marques de qualité portent le nom ou le symbole de l'organisme de classification, le nom de l'essence ou du groupe d'essences, la qualité, la teneur en humidité au moment du sciage et le numéro de la scierie.

La mention « S-GRN » (ou R Vert) dans la marque de qualité signifie que le bois a été corroyé à une teneur en humidité de plus de 19 p. 100 et à des dimensions tenant compte du retrait naturel pendant le vieillissement. La mention « S-DRY » (ou R Sec) dans la marque indique que le bois a été corroyé à une teneur en humidité ne dépassant pas 19 p. 100, tandis que « MC 15 » indique une teneur en humidité d'au plus 15 p. 100.

Les *tableaux 7 et 8* présentent des reproductions de marques de qualité canadiennes.

Qualités du bois de construction

Chaque pièce de bois examinée reçoit une marque de qualité selon ses caractéristiques physiques. Outre le bois classifié visuellement, on peut se procurer, au Canada, du bois coté à la machine quant à sa résistance. La marque de qualité du bois de construction coté à la machine indique ses propriétés mécaniques et, pour la plupart des utilisations dans la construction à ossature de bois, ne tient pas compte de l'essence.

Au Canada, de nombreuses essences de bois tendre sont récoltées, usinées et commercialisées ensemble. Celles qui possèdent des qualités similaires leur permettant d'être facilement utilisées ensemble sont regroupées et commercialisées sous une désignation commune. Le *tableau 9* indique les noms commerciaux des groupes d'essences de bois canadien, ainsi que leurs caractéristiques.

La qualité supérieure de la plupart des essences est « *Select Structural* » qu'on n'utilise que dans les cas où l'on exige résistance, rigidité et belle apparence. La qualité marquée n° 1 contient souvent un certain pourcentage de bois « *Select Structural* », mais elle autorise des nœuds un peu plus gros. La qualité n° 2 peut compter des nœuds un peu plus gros que la qualité n° 1, mais ils sont solides; ce bois convient bien aux éléments de charpente de plancher et de toit. La qualité n° 3 comporte de plus grands défauts, mais peut servir pour les seuils, lisses et poteaux non porteurs. La dernière qualité, « *Economy* », est réservée surtout à des éléments non structuraux comme les piquets et les étais provisoires.

Les marques sur les pièces de 38 × 89 mm font état de quatre autres qualités. La qualité « *Stud* » identifie un bois raide et droit convenant aux membrures murales verticales. La qualité « *Construction* » se situe entre les qualités n° 1 et n° 2. Les qualités « *Standard* » et « *Utility* » sont encore inférieures, mais néanmoins préférables à la qualité « *Economy* ».

Les qualités minimales de bois exigées dans la construction à ossature de bois, notamment pour les ossatures murales, les charpentes de madriers et de poteaux et poutres, les revêtements intermédiaires et supports de revêtements de sol sont établies dans le Code national du bâtiment du Canada. On peut obtenir du Conseil canadien du bois des tableaux donnant les portées maximales admissibles pour le bois de construction classifié visuellement et le bois coté à la machine lorsqu'ils sont utilisés comme solives ou chevrons. Dans le présent ouvrage, les *tableaux 11 à 19* indiquent les portées maximales admissibles pour les solives de plafond, de plancher et de toit et pour les chevrons, lorsqu'on utilise les qualités de bois de construction n° 1, 2 et 3.

Le passage au système métrique n'a pas modifié les dimensions des débits courants de bois tendre au Canada. Toutefois, ce sont les dimensions réelles du bois corroyé qui sont maintenant exprimées en millimètres. Il n'y a pas de « dimensions nominales » métriques. Le *tableau 10* indique les dimensions métriques courantes en regard des dimensions impériales équivalentes réelles et nominales.

Éléments structuraux composés

Les débits courants de bois de construction sont souvent combinés à d'autres produits en bois pour la fabrication d'éléments structuraux composés au moyen de colle ou d'attaches mécaniques, ou des deux. La ferme de toit usinée constitue l'exemple le plus répandu. On utilise de plus en plus aussi la poutrelle composée, avec triangulation en métal, ou en bois, ou avec une âme en panneaux de contreplaqué ou de copeaux *(Fig. 24)*.

Ces produits procurent une plus grande souplesse au plan de la conception étant donné les plus grandes portées admissibles et la possibilité d'y faire passer les installations mécaniques et électriques. En outre, lorsqu'on les utilise pour le toit, ils permettent l'utilisation d'une plus grande quantité d'isolant thermique.

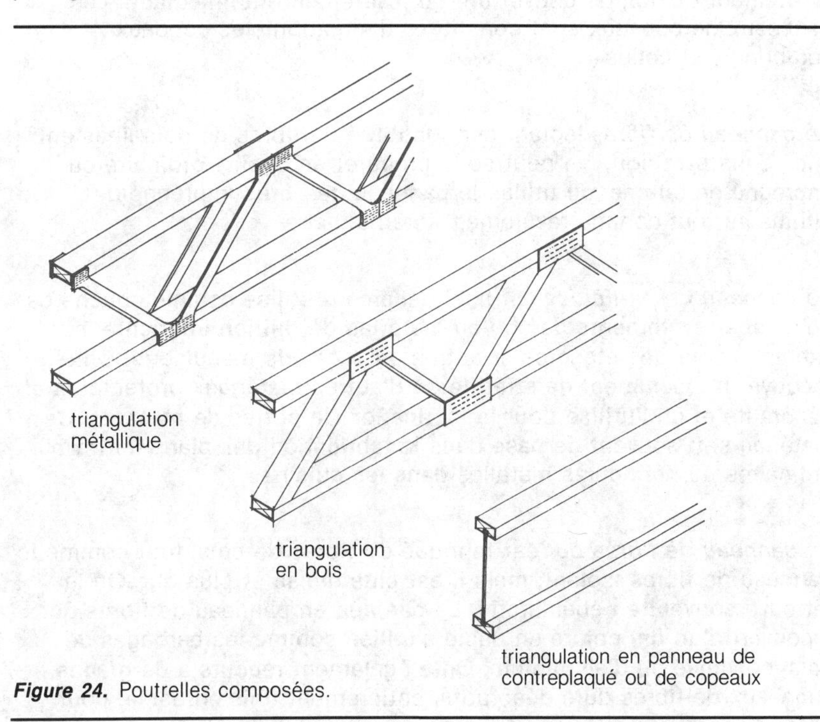

Figure 24. Poutrelles composées.

Produits en panneaux

En plus du bois de construction, la construction à ossature de bois utilise d'autres produits de bois en panneaux. Le contreplaqué et les panneaux de copeaux, par exemple, servent à raidir les éléments structuraux du toit, des murs et du plancher, en plus de procurer une surface unie pour la pose des autres matériaux. Les panneaux de fibres, les panneaux de particules et les panneaux de fibres durs sont également mis à contribution pour la finition intérieure ou extérieure.

Le contreplaqué compte parmi les produits les plus largement utilisés. On le retrouve dans la construction de l'enveloppe (support de revêtement de sol, de couverture, etc.), la finition extérieure, certains éléments de finition intérieure et de la fabrication d'armoires.

Le contreplaqué est constitué de plusieurs plis de bois collés les uns contre les autres, le fil de chaque pli étant perpendiculaire à celui du pli suivant. Les épaisseurs courantes varient de 6 à 18,5 mm.

Comme le bois de construction, le contreplaqué est classifié en fonction de certaines utilisations. Il existe des contreplaqués d'intérieur et d'extérieur; exposé à l'humidité, le contreplaqué d'intérieur peut se décoller.

Le panneau de copeaux est utilisé comme le contreplaqué : support de revêtement de sol, de couverture ou revêtement intermédiaire. Les panneaux de copeaux sont constitués d'innombrables copeaux comprimés et collés.

Le panneau de fibres isolant est constitué de fibres de bois liées entre elles sous pression. On peut se le procurer en qualité ordinaire ou imprégné de bitume; on utilise le panneau de fibres imprégné de bitume surtout comme revêtement intermédiaire.

Le panneau de particules est habituellement utilisé comme couche de pose (des revêtements de sol) ou matériau de finition intérieure, par exemple, pour des étagères et autres ouvrages de menuiserie. On le recouvre fréquemment de stratifié ou d'autres matériaux protecteurs et décoratifs et on l'utilise pour la fabrication de portes de placards. Ce matériau sert souvent de base dans la fabrication des plans de travail ordinaires ou prémoulés installés dans les cuisines.

Le panneau de fibres dur est fabriqué de fibres de bois, tout comme le panneau de fibres isolant, mais il est plus dense et plus dur. On le retrouve souvent en ébénisterie. Le bardage en panneau de fibres dur recouvert d'un fini coloré en usine s'utilise comme les bardages de bois, de vinyle ou d'aluminium. On a également recours à de grands panneaux de fibres durs décoratifs, entièrement finis en usine, pour obtenir des effets spéciaux à l'intérieur comme à l'extérieur de la maison.

Ouvrage de référence

Devis pour le bois de sciage
Conseil canadien du bois, Fiche technique WS-1, 1985

Ossature de la maison

L'enveloppe structurale d'une maison d'un ou deux étages doit être construite avant tout autre élément. L'enveloppe comprend les fondations, les planchers, les murs et le toit *(Fig. 25).* Dans certains cas, les murs intérieurs sont porteurs et doivent être montés en même temps que les murs extérieurs. L'enveloppe doit être consolidée dans toutes les directions, surtout pendant la construction alors qu'elle n'a pas encore atteint sa rigidité définitive. On doit alors installer des contreventements provisoires pour que les travaux soient exécutés sans danger.

Avant d'entreprendre le montage de l'ossature, il importe de tenir compte des niveaux d'isolation requis dans les divers composants de l'enveloppe, puisque les éléments d'ossature devront être dimensionnés en conséquence. Le *tableau 36* présente les valeurs RSI (la résistance thermique) minimales selon le nombre de degrés-jours.

La charpente d'une maison à ossature de bois peut être à plate-forme ou à claire-voie.

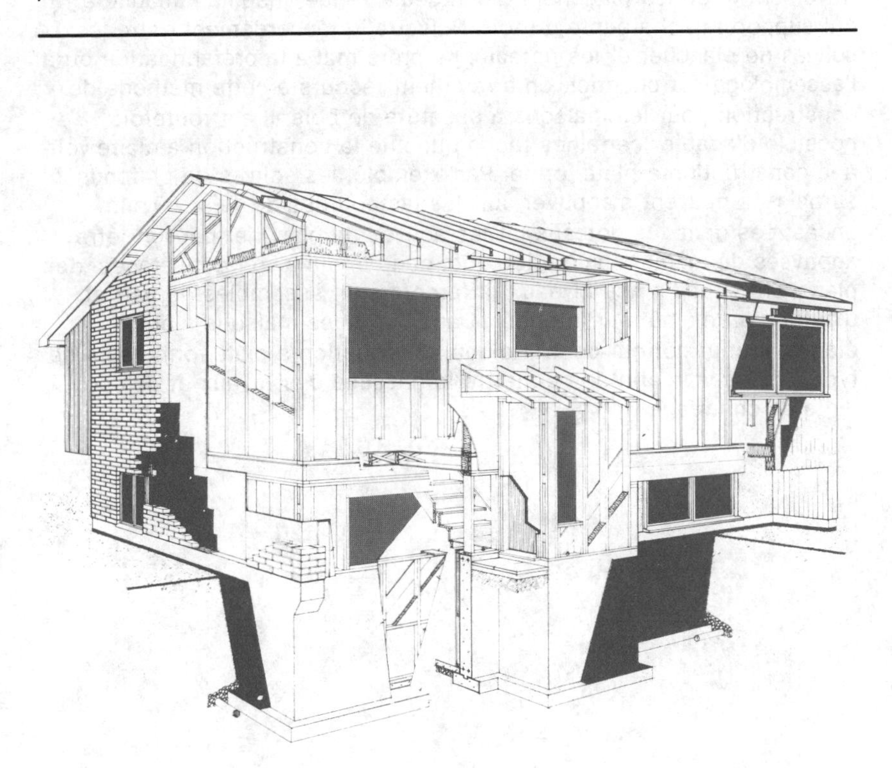

Figure 25. Écorché d'une maison à ossature de bois.

Charpente à plate-forme

La méthode de construction à plate-forme est la solution la plus fréquemment utilisée pour l'ossature des maisons. Son principal avantage réside dans le fait que le plancher est construit indépendamment des murs et constitue une plate-forme de travail sur laquelle les murs et les cloisons peuvent être assemblés et montés. Les poteaux n'ayant qu'un seul étage de hauteur, il est relativement facile de préfabriquer les murs hors chantier ou de les fabriquer sur le support de revêtement de sol par sections et sans l'aide de matériel de manutention lourd. Les lisses basses et les sablières, qui font partie intégrante des murs, servent de coupe-feu au plancher et au plafond et de fond de clouage au revêtement intermédiaire et au revêtement intérieur de finition.

Charpente à claire-voie

La charpente à claire-voie diffère de la charpente à plate-forme en ce que les poteaux des murs extérieurs et de certains murs intérieurs traversent le ou les planchers d'une seule venue, jusqu'à la sablière qui supporte la charpente du toit. Puisque le raccordement entre les solives de plancher et les poteaux se prête mal à la préfabrication ou à l'assemblage sur chantier, on a rarement recours à cette méthode de construction pour les maisons à ossature de bois. Il est toutefois possible d'adapter certaines techniques de la construction à claire-voie à la construction à plate-forme. Par exemple, les solives de plafonds surbaissés peuvent s'appuyer sur des lambourdes de 19 × 89 mm encastrées dans les poteaux, et les solives de plancher peuvent être appuyées de même manière lorsque, dans une maison à mi-étages, des planchers situés à des niveaux différents sont assemblés de part et d'autre d'un même mur intérieur. Dans certaines maisons à deux étages, le mur porteur central d'une construction à plate-forme sera de type à claire-voie afin de permettre le passage des tuyaux et des conduits de chauffage.

Charpente du plancher

La charpente de plancher d'une maison à ossature de bois se compose habituellement de lisses d'assise, de poutres et de solives. À l'intérieur, on utilise parfois des murs porteurs au lieu de poteaux et de poutres pour supporter les solives de plancher et la cloison porteuse centrale. Le bois de construction utilisé pour la charpente doit être bien sec et sa teneur en humidité ne doit pas dépasser 19 p. 100 au moment de la mise en œuvre.

Ancrage de la lisse d'assise

La lisse d'assise doit être bien de niveau. Lorsque le dessus des fondations est parfaitement de niveau, la lisse d'assise peut soit y être posée directement, en prenant soin de calfeutrer le joint ensuite, soit être placée sur une garniture de mousse synthétique à cellules fermées de 89 mm de largeur ou sur un autre matériau imperméable à l'air. Lorsque le dessus des fondations est inégal et n'est pas de niveau, on peut asseoir la lisse d'assise sur un lit de mortier; on doit ensuite l'ancrer au mur de fondation.

Poteaux et poutres

On utilise habituellement des poteaux d'acier ou de bois dans le sous-sol pour supporter les poutres qui, à leur tour, reçoivent l'extrémité intérieure des solives du rez-de-chaussée, ainsi que les charges des planchers supérieurs retransmises par les murs et les poteaux.

On utilise communément des poteaux d'acier ronds et réglables dotés de plaques d'acier aux deux extrémités. La plaque supérieure doit être au moins aussi large que la poutre qu'elle soutient et doit être boulonnée à la semelle d'une poutre d'acier ou clouée à une poutre de bois, selon le cas. Les poteaux peuvent être ajustés en longueur après installation de façon à compenser le tassement du sol ou le retrait consécutif au séchage des éléments de charpente en bois.

Les poteaux de bois d'au moins 140 × 140 mm peuvent être soit massifs, soit composés d'éléments de 38 mm. Habituellement, on assemble les éléments les uns aux autres à l'aide de clous de 82 mm à entraxes de 300 mm. Les poteaux de bois doivent être aussi larges que les poutres qu'ils supportent et coupés de façon à ne laisser aucun jeu aux points d'appui. Les poteaux doivent être cloués à la poutre supérieure et séparés de leur base en béton par un matériau étanche comme une pellicule de polyéthylène de 0,15 mm ou un matériau de couverture en rouleau de type S.

L'écartement entre axes des poteaux est habituellement de 2,4 à 3 m, selon la charge et la résistance de la poutre qu'ils supportent.

En construction résidentielle, on peut utiliser des poutres en acier ou en bois. L'acier a l'avantage d'être dimensionnellement stable. Les poutres d'acier sont habituellement en I les poutres en bois sont soit massives, soit composées. La poutre composée *(Fig. 26)* est habituellement constituée d'au moins trois pièces de bois de 38 mm placées sur leur rive et clouées ensemble, de chaque côté, au moyen de clous de 89 mm. Les deux premiers clous sont enfoncés près du bout de chacun des composants. Les autres clous sont enfoncés à 450 mm au plus les uns des autres pour chacune des rangées. Les joints d'about entre les composants doivent se trouver au-dessus d'un poteau porteur ou à moins de 150 mm du quart de la portée (voir les *tableaux 20 et 21*).

Les extrémités des poutres doivent avoir un appui d'au moins 90 mm sur les murs de maçonnerie ou sur les poteaux. Il y a toutefois risque de pourriture lorsque les poutres encastrées sont trop à l'étroit dans leurs logements et que l'air ne peut pas y circuler librement. On doit traiter contre la pourriture les extrémités des poutres de bois situées au niveau du sol ou sous celui-ci, et encastrées dans des murs de béton ou de maçonnerie; sinon, il faut que leurs logements d'appui permettent un dégagement latéral et frontal de 12 mm. Les poutres de bois non traitées situées à plus de 150 mm sous le niveau du sol doivent être isolées du béton au moyen d'une membrane imperméable.

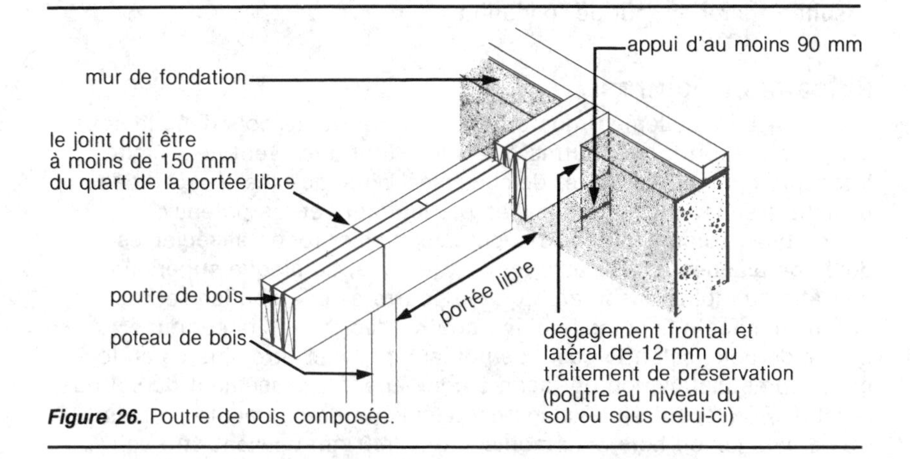

Figure 26. Poutre de bois composée.

Raccordement des solives aux poutres

Le moyen le plus simple de joindre les solives à la poutre consiste à poser les solives sur celle-ci *(Fig. 27)*. Dans un tel cas, le dessus de la poutre doit être au même niveau que le dessus de la lisse d'assise *(Fig. 26)*. On a recours à cette méthode lorsque le sous-sol est suffisamment haut pour laisser un dégagement suffisant sous la poutre.

Lorsqu'on désire une plus grande hauteur libre sous la poutre, on y fixe des lambourdes de 38 × 64 mm de chaque côté afin d'y appuyer les solives *(Fig. 28)*. Il faut ensuite réunir les solives opposées au moyen d'éclisses de 38 × 38 mm et d'au moins 600 mm de longueur clouées en leur partie supérieure, ou bien entailler les solives pour que leurs extrémités se recouvrant deux à deux au-dessus de la poutre

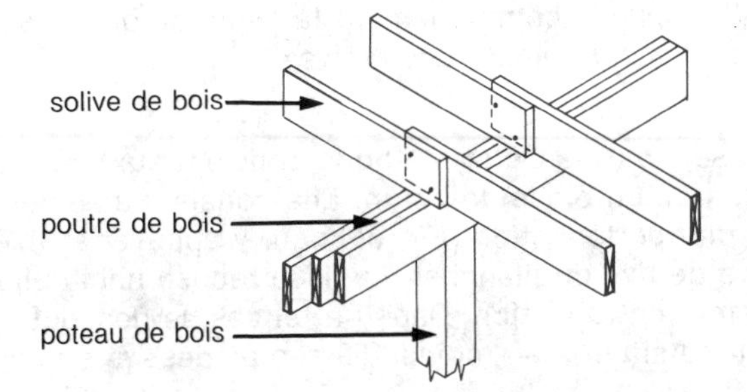

Figure 27. Solives reposant sur une poutre de bois et clouées en biais à celle-ci avec deux clous de 82 mm par solive.

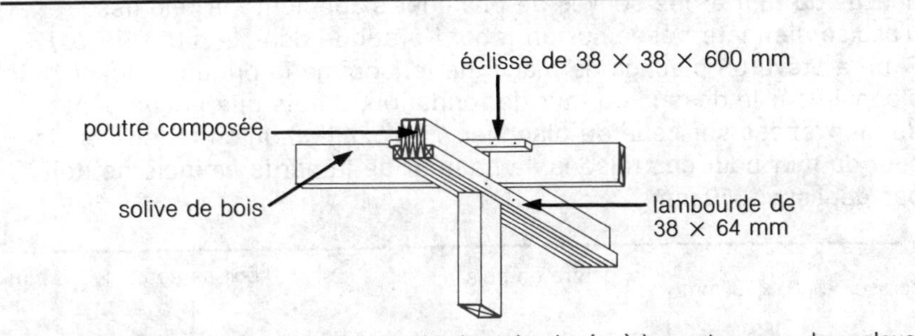

Figure 28. Solives supportées par une lambourde clouée à la poutre avec deux clous de 82 mm par solive. L'éclisse est assujettie aux solives avec deux clous de 82 mm à chaque extrémité.

puissent être clouées ensemble, afin de ménager ainsi un appui pour le support de revêtement de sol *(Fig. 29)*. Il faut veiller à ce que les solives reposent bien sur toute la largeur de la lambourde. Les solives peuvent également être supportées par des étriers ou autres organes d'assemblage fixés à la poutre.

Les solives raccordées à une poutre d'acier peuvent être appuyées sur la semelle inférieure ou sur une lambourde de 38 × 38 mm fixée à l'âme au moyen de boulons de 6,3 mm à entraxes de 600 mm. Les solives doivent être éclissées *(Fig. 28)* et un espace de 12 mm doit être laissé entre les éclisses et le dessus de la poutre pour tenir compte du retrait.

Raccordement des solives aux murs de fondation

Les deux grands types de raccordement des solives aux murs de fondation conviennent à la charpente à plate-forme comme à la charpente à claire-voie. La charpente à plate-forme est de loin la plus courante.

Dans la charpente à plate-forme, on utilise deux méthodes de raccordement qu'on appelle communément la méthode de la lisse d'assise et celle de l'encastrement des solives.

Méthode de la lisse d'assise Cette méthode convient aux murs de fondation en béton ou en blocs de béton. Elle consiste à ancrer la lisse d'assise au mur de fondation *(Fig. 30)* pour y appuyer et fixer les solives et la solive de rive du plancher. La lisse repose habituellement sur le dessus du mur de fondation. Dans un tel cas, le dessous de la lisse d'assise doit se situer à au moins 150 mm au-dessus du niveau définitif du sol.

Lorsqu'il est souhaitable d'abaisser le niveau du rez-de-chaussée, on peut ramener à 90 mm d'épaisseur la partie supérieure des murs de fondation. Si le revêtement de finition extérieure est un bardage ou un stucco, l'ossature murale repose sur la lisse d'assise ancrée sur le dessus du mur et les solives de plancher s'appuient sur une lisse d'assise distincte posée sur un rebord pratiqué dans le mur *(Fig. 31)*. Si on a prévu un placage de maçonnerie, comme la brique, celui-ci s'appuie sur le dessus du mur de fondation, tandis que la charpente du mur repose sur celle du plancher *(Fig. 32)*. Lorsqu'on réduit l'épaisseur du mur pour ces raisons, la hauteur de la partie amincie ne doit pas dépasser 350 mm.

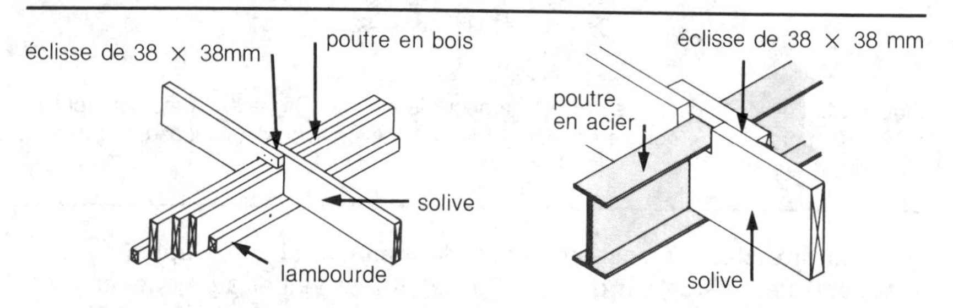

Figure 29. Solives soutenues par une lambourde fixée à la poutre avec deux clous de 82 mm par solive. Les extrémités des solives entaillées se recouvrent au-dessus de la poutre, et sont retenues ensemble avec deux clous de 82 mm. Si l'on emploie une poutre d'acier, les solives reposent sur sa semelle inférieure et sont jointes à leur sommet par une éclisse de 38 × 38 mm.

Méthode de l'encastrement des solives On ne peut utiliser cette méthode *(Fig. 33)* qu'avec les murs de fondation en béton coulé sur place. Les poutres, solives et solives de rive doivent être mises en place avant le bétonnage. La charpente du plancher s'appuie provisoirement sur le coffrage intérieur et sur les cales servant à mettre la charpente d'aplomb. Des blocs de bois placés entre les solives du plancher le long des murs d'extrémité emprisonnent le béton entre les solives. Ces blocs affleurent la face intérieure du mur de fondation. Les solives de rive et les solives de bordure jouent le rôle de paroi extérieure du coffrage. Les extrémités des poutres situées au niveau

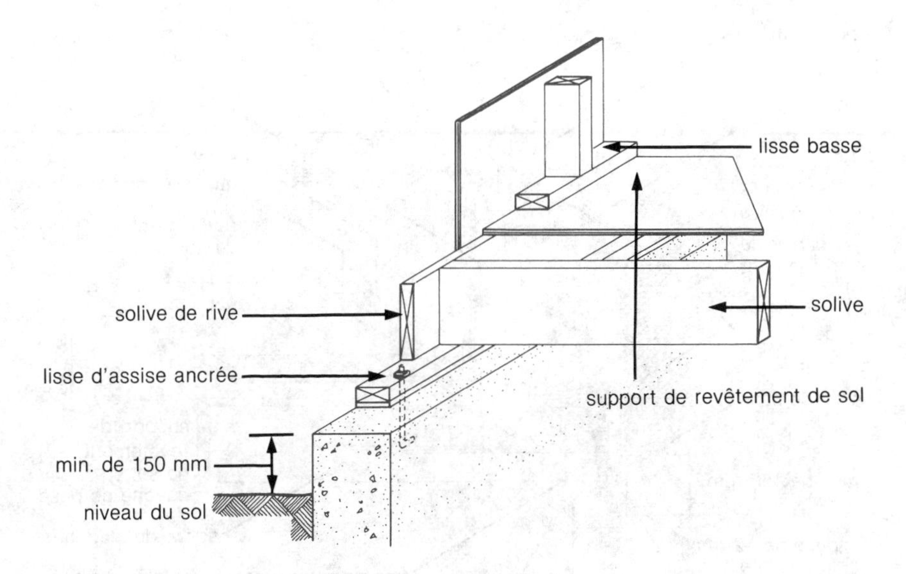

Figure 30. Méthode de la lisse d'assise, dans la charpente à plate-forme.

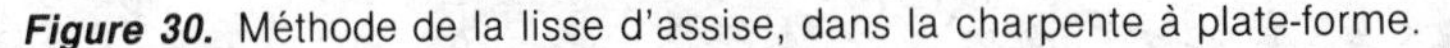

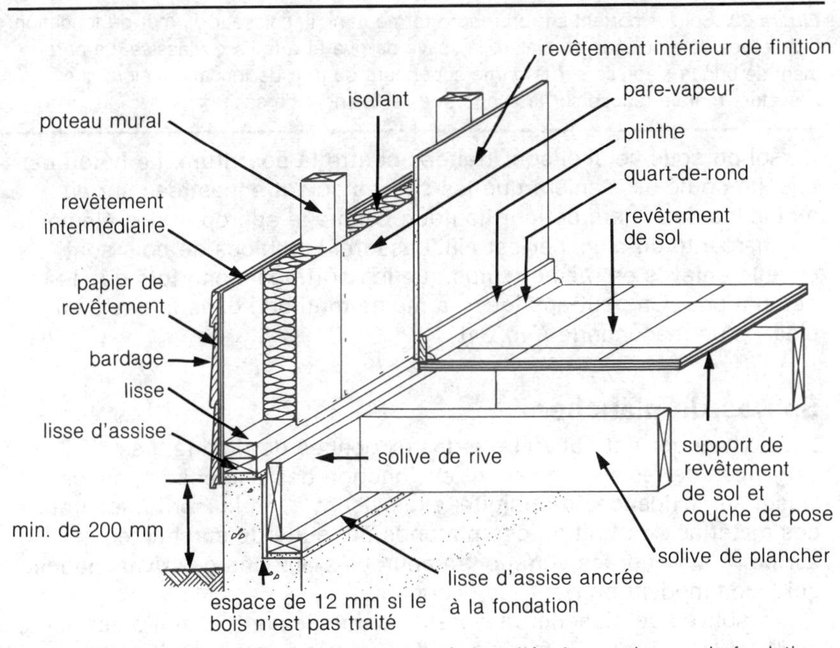

Figure 31. Solives portant sur un rebord formé dans l'épaisseur du mur de fondation. Les solives sont clouées en biais à la solive de rive et à la lisse d'assise. Cette dernière est assujettie à la partie supérieure du mur de fondation avec des boulons d'ancrage. La lisse basse de l'ossature du mur est fixée à la lisse d'assise avec des clous de 76 mm à entraxes de 400 mm.

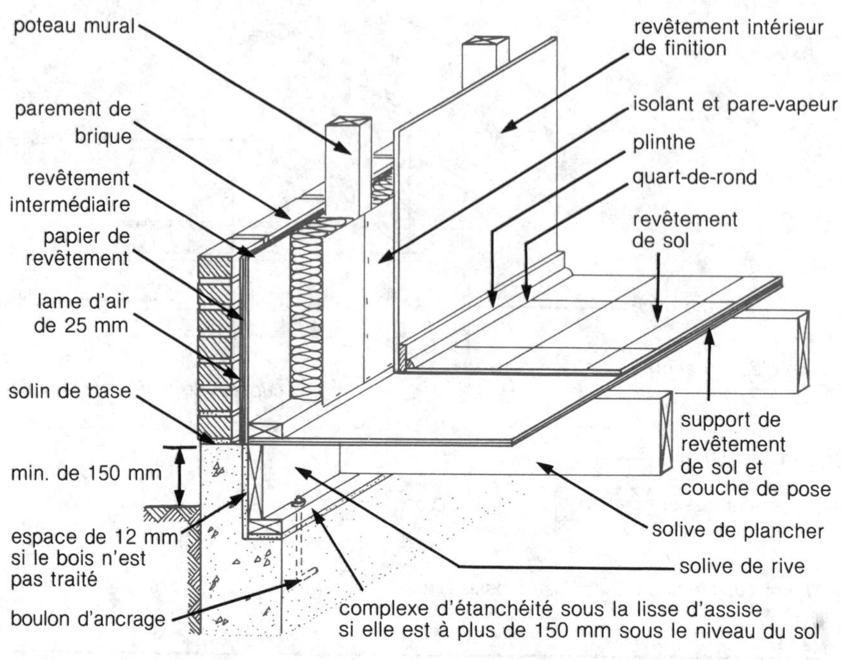

Figure 32. Solives portant sur un rebord formé dans l'épaisseur du mur de fondation. Les solives sont clouées en biais à la solive de rive et à la lisse d'assise. Le parement de brique s'appuie sur la partie supérieure du mur de fondation, alors que l'ossature murale repose sur le support de revêtement de sol.

du sol ou sous celui-ci sont traitées contre la pourriture. Le béton est ensuite coulé de manière que les solives soient encastrées sur au moins les deux tiers de leur hauteur; l'ancrage approprié des éléments de charpente du plancher est ainsi assuré. Les blocs de bois sont ensuite enlevés en même temps que les coffrages, une fois que le béton a pris. On peut appliquer la même méthode dans le cas d'un placage de maçonnerie *(Fig. 34)*.

Solives de plancher

Les solives doivent satisfaire à des exigences de rigidité. Les exigences de résistance varient en fonction des charges imposées. Quant aux exigences de ridigité, elles visent à minimiser la fissuration des matériaux de finition des plafonds par suite de surcharges et surtout à atténuer les vibrations imputables aux charges dynamiques qui incommodent souvent les occupants.

Les solives de plancher mesurent habituellement 38 mm d'épaisseur et 140, 184, 235, ou 286 mm de hauteur. Celle-ci est fonction des charges, de la portée, de l'espacement des solives, des essences et des qualités de bois utilisées et de la flexion admissible. Les *tableaux 12 et 13* indiquent les portées admissibles pour les diverses qualités et

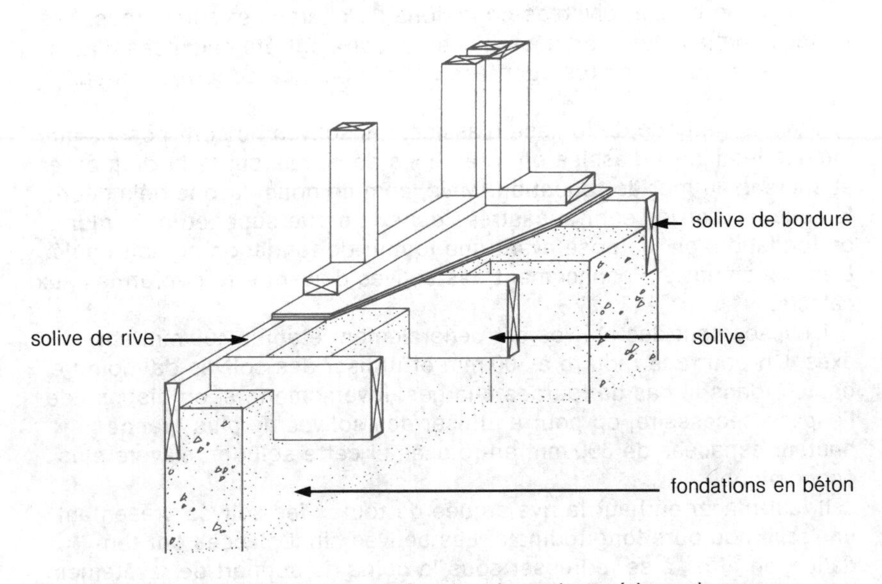

Figure 33. Solives de plancher encastrées dans la partie supérieure du mur de fondation.

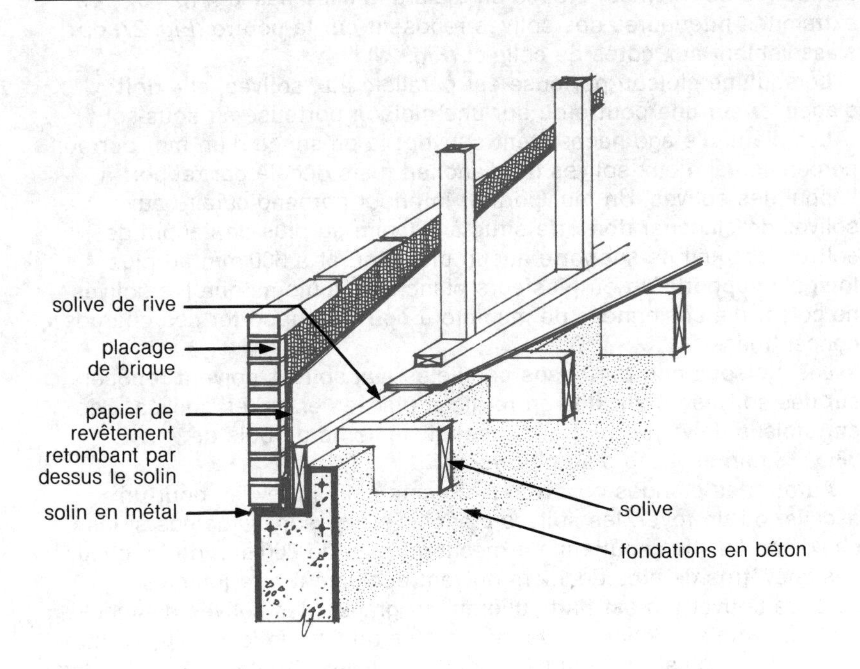

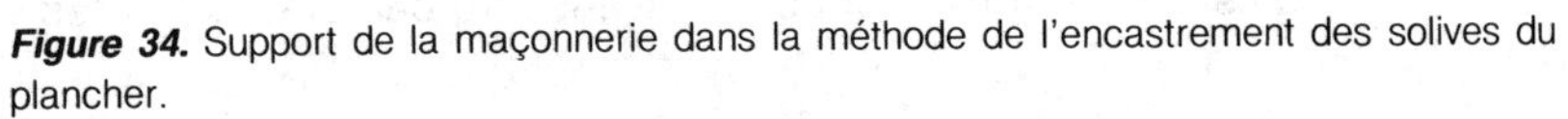

Figure 34. Support de la maçonnerie dans la méthode de l'encastrement des solives du plancher.

essences de bois et diverses conditions de charges et surcharges. Les portées admissibles indiquées à ces tableaux ont été calculées d'après les dimensions courantes adoptées pour le bois de construction au Canada.

Dans la méthode de la lisse d'assise, les solives ne sont posées que lorsque les lisses d'assise ont été mises de niveau sur le lit de mortier et ancrées au mur de fondation. Mais, comme nous l'avons déjà décrit, lorsque les solives sont encastrées dans la partie supérieure du mur de fondation, on les pose avant que le mur de fondation ne soit coulé. L'emplacement et l'espacement des solives doivent être conformes aux calculs.

L'espacement des solives est généralement établi à 400 mm entre axes. On pourra le réduire à 300 mm et utiliser des solives de moindre hauteur dans le cas de lourdes charges. Inversement, si on dispose de l'espace nécessaire, on pourra utiliser des solives de plus grande hauteur espacées de 600 mm entre axes si cette solution s'avère plus économique.

Il faut placer en haut la rive arquée de toutes les solives présentant une telle courbure longitudinale. Les solives ainsi placées ont tendance, en effet, à se redresser sous le poids du support de revêtement de sol et des charges imposées.

La solive de rive est fixée à l'extrémité de chaque solive par un clouage droit *(Fig. 35)*, ou en biais *(Fig. 31)*. Dans la construction à plate-forme, chaque solive, y compris la solive de bordure (parallèle aux autres solives), est clouée en biais à la lisse basse *(Fig. 35)*. Les extrémités intérieures des solives reposent sur la poutre *(Fig. 27)* ou s'assemblent aux côtés de celle-ci *(Fig. 28)*.

Lorsqu'une cloison porteuse est parallèle aux solives, elle doit s'appuyer sur une poutre ou sur une cloison porteuse au sous-sol.

Les plans d'étage nécessitent souvent la présence d'un mur porteur perpendiculaire aux solives de plancher, mais décalé par rapport à l'appui des solives. Un mur porteur intérieur perpendiculaire aux solives de plancher doit être situé à 900 mm au plus de l'appui des solives lorsqu'il ne supporte aucun plancher, et à 600 mm au plus lorsqu'il supporte un ou plusieurs planchers, à moins que les solives ne soient dimensionnées de manière à pouvoir supporter ces charges concentrées.

Les cloisons non porteuses parallèles aux solives doivent reposer sur des solives ou sur des entretoises placées entre les solives. Ces entretoises doivent être constituées d'éléments de bois de 38 × 89 mm espacés d'au plus 1,2 m.

Autour des grandes ouvertures, comme celles prévues pour un escalier ou un foyer, les solives d'enchevêtrure sont jumelées si les chevêtres qu'elles soutiennent mesurent plus de 800 mm de longueur. Les chevêtres de plus de 1,2 m doivent également être jumelés. Lorsque l'ouverture est particulièrement grande, les solives d'enchevêtrure assembleés à des chevêtres de plus de 2 m de longueur, et les chevêtres de plus de 3,2 m de longueur doivent être calculés selon les règles de l'art.

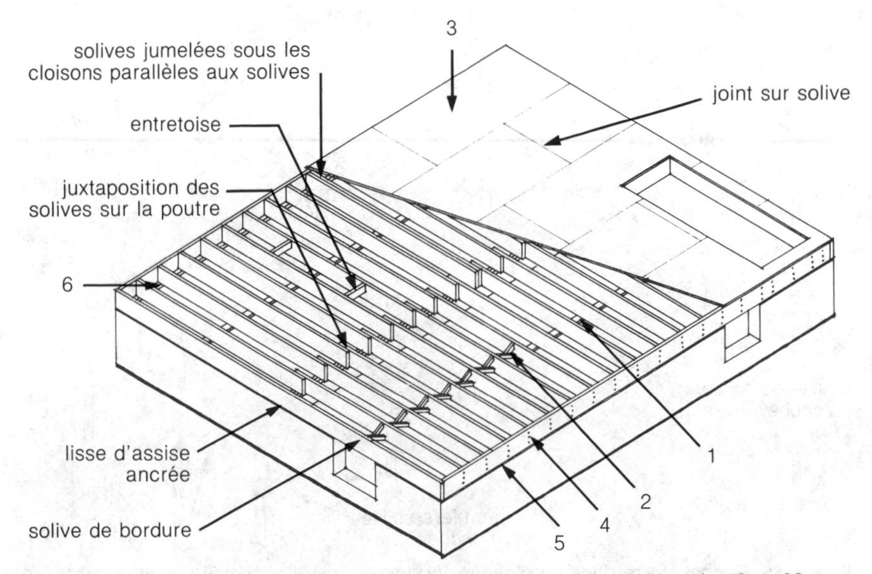

Figure 35. Charpente du plancher. (1) Latte de raidissement continue de 19 × 89 mm clouée sous les solives avec deux clous de 57 mm; ou (2) croix de Saint-André 38 × 38 mm à mi-portée clouées avec deux clous de 57 mm (lorsque la portée des solives est à moins de 460 mm de la portée maximale admissible, utiliser (1) et (2) à moins qu'un plafond ne soit prévu et que (1) ne soit alors omis); (3) support de revêtement de sol fixé aux solives avec des clous de 51 mm; (4) solive de rive clouée aux solives avec trois clous de 82 mm; (5) solive de rive clouée en biais à la lisse d'assise avec des clous de 82 mm à entraxes de 600 mm; (6) solives de plancher clouées en biais à la lisse d'assise avec deux clous de 82 mm, un de chaque côté.

La *figure 36* illustre les méthodes d'assemblage et de clouage que l'on suit habituellement pour aménager une enchevêtrure.

On utilise souvent des étriers pour l'assemblage des longs chevêtres et des solives boiteuses.

On peut prévenir la torsion des solives par l'utilisation de croix de Saint-André ou d'entretoises horizontales ou en fixant des lattes de raidissement ou un revêtement de plafond sous les solives. Lorsqu'il n'y a pas de revêtement sous les solives, on doit les contreventer à tous les 2,1 m au moins entre les appuis.

Voici les deux façons possibles d'assurer l'entretoisement intermédiaire :

1. croix de Saint-André de 19 × 64 mm ou de 38 × 38 mm ou entretoises massives de 38 mm fixées entre les solives, en plus de lattes de bois continues de 19 × 64 mm clouées sous les solives; ces lattes de raidissement ne sont pas nécessaires là où un plafond est prévu.
2. Collage et clouage du support de revêtement de sol en panneaux de contreplaqué ou de copeaux aux solives, ce qui dispense de poser des croix de Saint-André ou des lattes de raidissement.

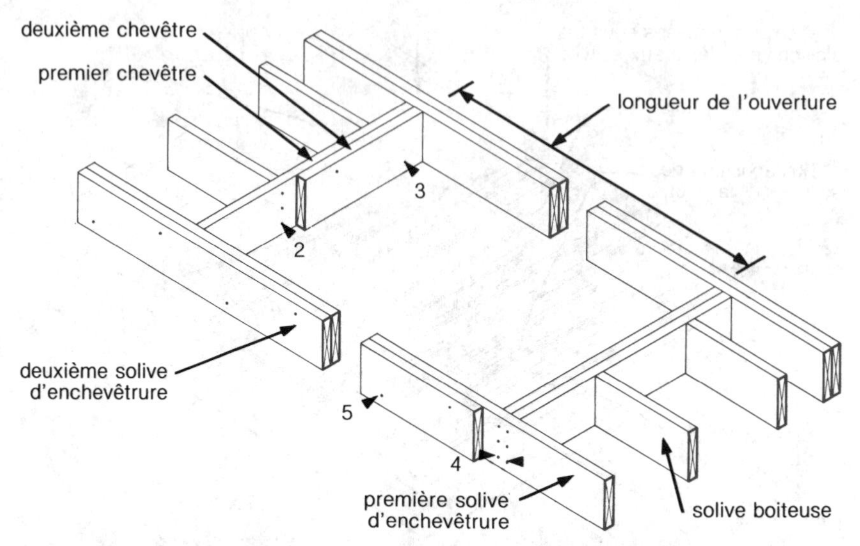

Figure 36. Enchevêtrure dans un plancher où les solives d'enchevêtrure et les chevêtres sont jumelés. (1) La première solive d'enchevêtrure est fixée au premier chevêtre avec trois clous de 101 mm ou cinq de 82 mm; (2) le premier chevêtre est assujetti aux solives boiteuses avec trois clous de 101 mm ou cinq de 82 mm; (3) le deuxième chevêtre est fixé au premier avec des clous de 76 mm, à intervalles longitudinaux de 300 mm; (4) la première solive d'enchevêtrure est fixée au deuxième chevêtre avec trois clous de 101 mm ou cinq de 82 mm; (5) la deuxième solive d'enchevêtrure est fixée à la première avec des clous 76 mm, à intervalles longitudinaux de 300 mm.

Comportement du plancher

Un plancher dont la portée des solives se situe à moins de 460 mm environ de la portée maximale admissible (indiquée aux *tableaux 12 et 13)* pourra sembler manquer de rigidité bien qu'il soit techniquement bien construit. On pourra en améliorer le comportement au moyen d'éléments de répartition transversale des charges, tels que des lattes de raidissement combinées à des croix de Saint-André ou des entretoises massives de même hauteur que les solives.

Support de revêtement de sol

Le support de revêtement de sol doit être constitué : a) de contreplaqué, b) de panneaux de copeaux, ou c) de bois de construction d'au plus 184 mm de largeur à rives équarries, bouvetées ou taillées à mi-bois. L'épaisseur minimale des panneaux de contreplaqué ou de copeaux et du bois de construction utilisés pour le support de revêtement de sol est indiquée au *tableau 22*.

On utilise souvent le contreplaqué comme support de revêtement de sol sous les parquets en lames de bois ou comme support et couche de pose sous les revêtements de sol souples, les moquettes ou les carreaux céramiques. Dans de tels cas, les joints latéraux doivent se trouver sur des appuis de 38 × 38 mm ajustés entre les solives, à moins que les rives des panneaux ne soient bouvetées.

Les panneaux de contreplaqué doivent être posés de façon que le fil du pli de face soit perpendiculaire aux solives et que les joints d'extrémité de panneaux contigus soient décalés; ils sont cloués à entraxes de 150 mm le long des rives et de 300 mm aux appuis intermédiaires. Les panneaux utilisés à la fois comme support et couche de pose de revêtement de sol doivent être cloués au moyen de clous annelés conçus pour résister efficacement à l'arrachement et au soulèvement. (Voir le *tableau 23* pour les détails de fixation des revêtements et des supports de revêtement de sol.)

Il est possible d'améliorer sensiblement la rigidité du plancher et de minimiser les craquements en posant une colle à base d'élastomère entre les solives et le support en contreplaqué. De cette façon, le contreplaqué et les solives se comportent comme une série de poutres composées rigides en T qui s'opposent au fléchissement différentiel des solives. On peut raidir davantage le plancher en posant le même type de colle dans les joints à rainure et languette des panneaux de contreplaqué.

On peut également utiliser des panneaux de copeaux comme support de revêtement de sol et les recouvrir d'une couche de pose lorsqu'on prévoit installer un revêtement de sol en vinyle. Les panneaux doivent être décalés et cloués de la même manière que le contreplaqué.

Tous les panneaux de contreplaqué et de copeaux utilisés comme support de revêtement de sol et couche de pose doivent être de type extérieur, c'est-à-dire comporter un adhésif hydrofuge.

Une couche de pose n'est pas nécessaire lorsque les bords des panneaux du support de revêtement de sol sont supportés.

Pour les supports de revêtement de sol en bois de construction, on utilise habituellement des planches de 19 mm d'épaisseur, bien que celle-ci puisse être réduite à 17 mm lorsque les solives ont un entraxe de 400 mm. Les planches doivent être posées de façon que les joints d'extrémité coïncident avec les solives. Les joints d'extrémité sont généralement tous décalés. Les planches peuvent être posées perpendiculairement aux solives ou à un angle de 45°. Lorsqu'elles sont posées perpendiculairement aux solives, les lames de parquet doivent être placées à angle droit par rapport aux planches support, à moins qu'on n'utilise une couche de pose. Mais lorsqu'elles sont posées à un angle de 45° par rapport aux solives, on peut poser les lames de parquet perpendiculairement ou parallèlement aux solives. On doit clouer les planches support à l'aide de deux clous de 51 mm à chaque appui. Tout support de revêtement de sol en bois de construction doit être recouvert d'une couche de pose en panneaux si le matériau de finition est un revêtement de sol souple.

Charpente de plancher en porte-à-faux

Les solives de plancher se prolongent parfois au-delà du mur de fondation afin de servir d'appui à une fenêtre en saillie ou accroître la surface des pièces au-dessus. La portion en porte-à-faux de la charpente de plancher ne doit pas dépasser 400 mm dans le cas de solives de 38 × 184 mm et 600 mm dans le cas de solives plus hautes. Dans un cas comme dans l'autre, la saillie ne doit pas supporter les charges d'autres planchers. Si les solives en porte-à-faux doivent supporter des charges supplémentaires, elles doivent être conçues spécialement à cette fin suivant les règles de l'art. Le support de revêtement de sol est ensuite prolongé et scié au ras des éléments de charpente extérieurs. La *figure 37* illustre le prolongement typique du deuxième étage d'une maison.

Un isolant thermique doit être soigneusement ajusté dans le plancher en porte-à-faux, sur le dessus du revêtement de sous-face et contre les solives de rive et de bordure. Le pare-vapeur doit être soigneusement ajusté et fixé du côté chaud de l'isolant.

Si la hauteur des solives le permet, on laisse habituellement ouvert l'espace entre le support de revêtement de sol et l'isolant, afin de permettre à l'air chaud du plafond de circuler entre les solives. De cette façon, la partie de plancher qui est en porte-à-faux se trouve chauffée de l'intérieur et du dessus, ce qui assure une température uniforme et confortable dans la pièce au-dessus.

Pour empêcher l'air extérieur de s'infiltrer dans le porte-à-faux, il faut ajuster et calfeutrer avec soin le revêtement de sous-face et les autres boiseries du porte-à-faux, ou bien y installer un pare-air.

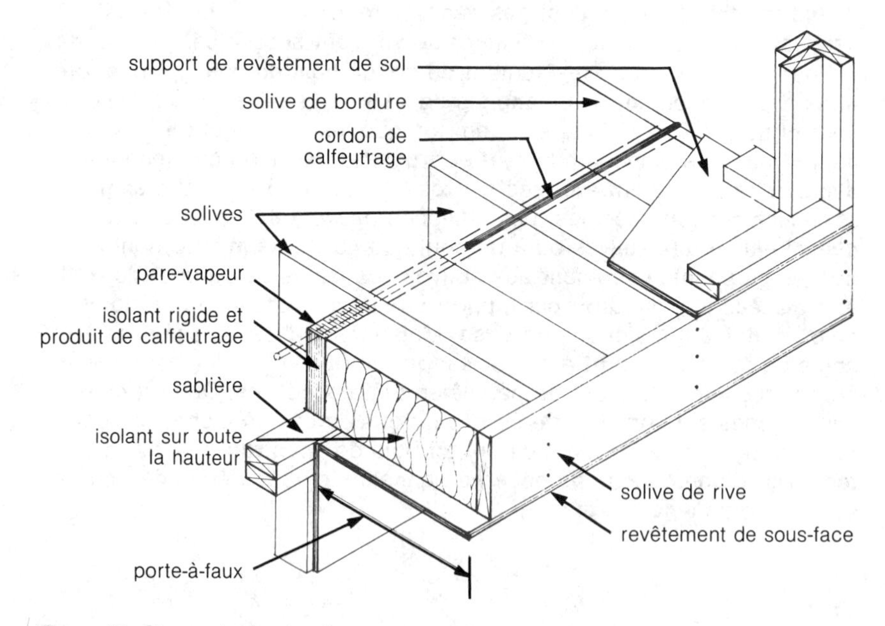

Figure 37. Charpente de plancher en porte-à-faux.

Ossature murale

Par « ossature murale », on entend les éléments verticaux et horizontaux des murs extérieurs et des cloisons intérieures. Ces éléments sont les poteaux, les lisses, les sablières et les linteaux; ils servent de fond de clouage aux matériaux de revêtement et portent les étages supérieurs, le plafond et le toit. Le bois de construction utilisé à cette fin doit être bien sec et sa teneur en humidité ne doit pas dépasser 19 p. 100. (Voir le *tableau 24* pour le clouage.)

Les poteaux des murs extérieurs sont les éléments verticaux sur lesquels sont fixés le revêtement intermédiaire et le bardage. Ils s'appuient sur la lisse basse ou sur la lisse d'assise et supportent à leur tour la sablière. Les poteaux sont habituellement en bois de construction de 38 × 89 mm et posés à entraxes de 400 mm. Cet espacement peut être modifié à 300 mm ou 600 mm, selon la charge et les restrictions imposées par le type et l'épaisseur des matériaux de revêtement mural (voir le *tableau 25).* On pourra utiliser des poteaux plus profonds (38 × 140 mm) pour recevoir un isolant plus épais. On peut accroître l'isolation réalisable dans une ossature de 89 mm, en ajoutant un isolant rigide ou un isolant du type matelas entre des fourrures horizontales de 38 × 38 mm ou en utilisant un isolant rigide comme revêtement d'ossature.

Les poteaux sont surmontés d'une sablière et reposent sur une lisse basse qui sont toutes deux en bois de construction de 38 mm et de même largeur.

Les linteaux sont des éléments horizontaux que l'on place au-dessus des fenêtres, des portes et des autres ouvertures afin de transmettre les charges verticales aux poteaux adjacents. Les linteaux sont habituellement constitués de deux pièces de 38 mm, espacées par des cales à la profondeur des poteaux, et clouées ensemble. La cale idéale est un isolant rigide. La hauteur du linteau est proportionnée à la largeur de l'ouverture et aux charges verticales à supporter (voir le *tableau 26).* On peut utiliser partout des linteaux de plus grande hauteur par commodité ou pour accélérer la construction.

Charpente à plate-forme

Cette technique, qui consiste à assembler des sections de murs horizontalement sur le support de revêtement de sol, est très courante. Les sablières et les lisses basses sont assemblées par clouage droit aux poteaux à l'aide de deux clous d'au moins 82 mm. Les poteaux sont jumelés aux ouvertures, les poteaux intérieurs étant coupés de façon à porter les linteaux qui sont posés entre les poteaux extérieurs et cloués à angle droit à travers ceux-ci.

Le revêtement intermédiaire est habituellement posé avant de dresser l'ossature en position verticale, éliminant ainsi le besoin d'échafaudages pour cette opération. Certains types de revêtement intermédiaire, comme le panneau de fibres imprégnées d'asphalte, le contreplaqué et le panneau de copeaux procureront au mur un contreventement suffisant pour résister aux charges latérales et demeurer d'aplomb; d'autres types, comme le panneau de fibre de verre, le polystyrène ou le polyuréthane rigides ne sont pas assez solides pour cela. Dans ce cas, on doit renforcer le mur à l'aide de contreventements diagonaux appelés écharpes, en bois ou en métal, encastrés dans les poteaux. Les sections murales sont ensuite levées et mises en place, puis assujetties à l'aide d'étais provisoires et les lisses basses sont clouées à l'ossature du plancher à travers le support de revêtement de sol *(Fig. 38)*. Ces étais doivent être posés sur chant et permettre la mise d'aplomb du mur.

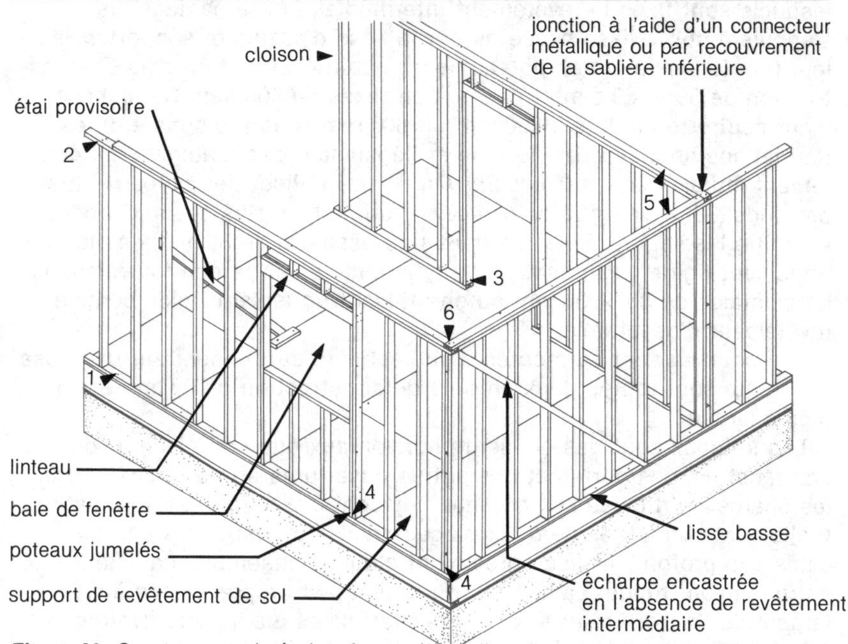

Figure 38. Ossature murale à plate-forme. (1) La lisse basse se fixe à la solive de bordure ou de rive avec des clous de 82 mm à entraxes de 400 mm. (2) La sablière est clouée en extrémité aux poteaux avec deux clous de 82 mm. (3) Les poteaux sont cloués en biais avec quatre clous de 63 mm ou à angle droit à la lisse basse avec deux clous de 82 mm. (4) Les poteaux jumelés aux ouvertures et les poteaux composés aux angles et au droit des cloisons s'assemblent avec des clous de 76 mm, à entraxes de 750 mm. (5) Les sablières sont assujetties l'une à l'autre avec des clous de 76 mm, à entraxes de 600 mm. (6) Aux angles et au droit des cloisons porteuses, les sablières sont assemblées à recouvrement et retenues ensemble avec deux clous de 82 mm, ou reliées par un connecteur métallique fixé avec trois clous de 63 mm enfonçés de part et d'autre du joint. (7) Encastrer un contreventement diagonal s'il y a lieu.

Une fois que les sections montées sont verticales, on les cloue ensemble aux intersections et aux coins. On ajoute ensuite une seconde sablière dont les joints sont décalés d'au moins un poteau par rapport à la première. Cette seconde sablière recouvre habituellement la première aux coins et aux intersections avec les cloisons et, lorsqu'elle est clouée, procure aux murs un raidissement supplémentaire. Lorsque la seconde sablière ne déborde pas la sablière sous-jacente aux coins et aux intersections avec les cloisons, on peut assembler les deux sablières supérieures avec des plaques d'acier galvanisé de 0,91 mm, d'au moins 75 mm sur 150 mm, et au moins trois clous de 63 mm à chaque mur.

Les cloisons intérieures qui portent les charges du plancher, du plafond ou du toit sont appelées murs porteurs; les autres sont appelées murs non porteurs ou tout simplement cloisons. Les murs porteurs intérieurs sont construits comme les murs extérieurs. Les poteaux sont habituellement en bois de construction de 38 × 89 mm à entraxes de 400 mm. Cet espacement peut être modifié à 300 mm ou 600 mm, selon les charges à porter, le type et l'épaisseur du revêtement de finition (voir le *tableau 25).*

Les cloisons peuvent être constituées de poteaux de 38 × 64 mm ou de 38 x 89 mm à entraxes de 400 ou 600 mm, selon le type et l'épaisseur du revêtement de finition. Lorsque la cloison ne comporte pas de porte battante, on utilise parfois des poteaux de 38 × 89 mm à entraxes de 400 mm, la face large du poteau étant parallèle au mur. Cette façon de faire ne s'applique généralement qu'aux placards et aux penderies et vise à économiser l'espace. Puisque les cloisons ne supportent pas de charge verticale, ou n'a pas besoin de doubler les poteaux situés de part et d'autre des ouvertures de porte.

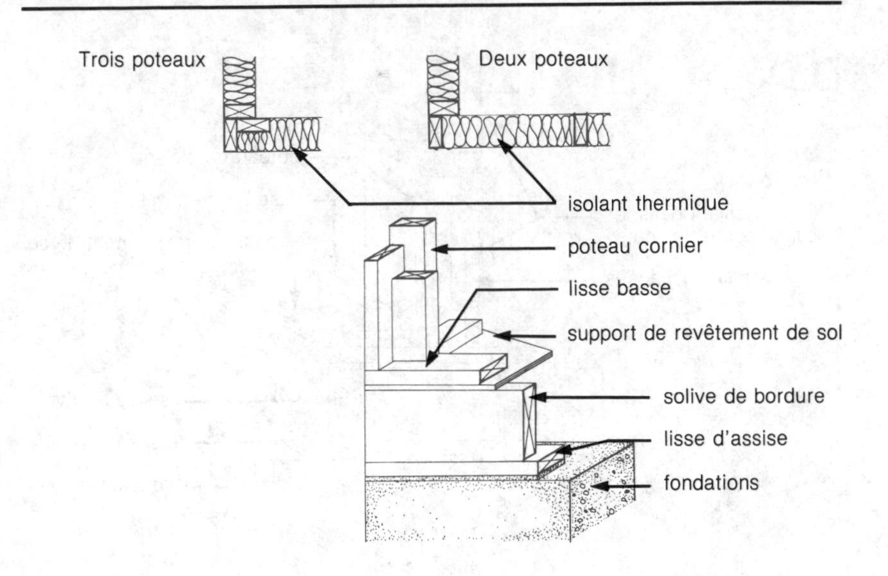

Figure 39. Poteaux corniers multiples à un angle extérieur. Dans le cas d'un assemblage de poteaux jumelés, une agrafe à placoplâtre est fixée à l'angle comme point d'appui.

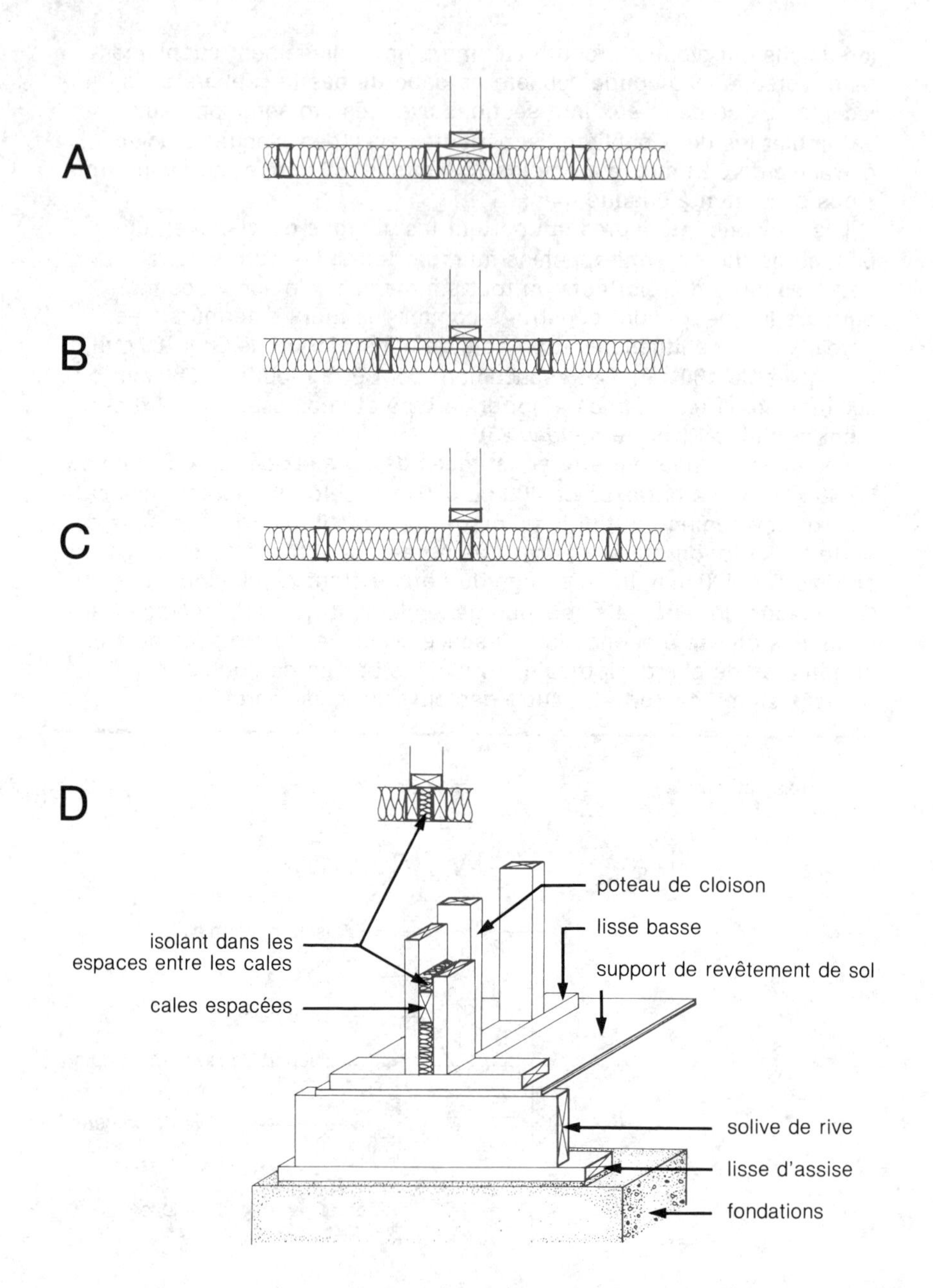

Figure 40. Raccordement d'une cloison au mur extérieur. (A) Utilisation de deux poteaux. (B) Utilisation d'entretoises. (C) La cloison est fixée au mur extérieur après installation du revêtement de finition. (D) L'isolant doit être posé avant le revêtement intermédiaire.

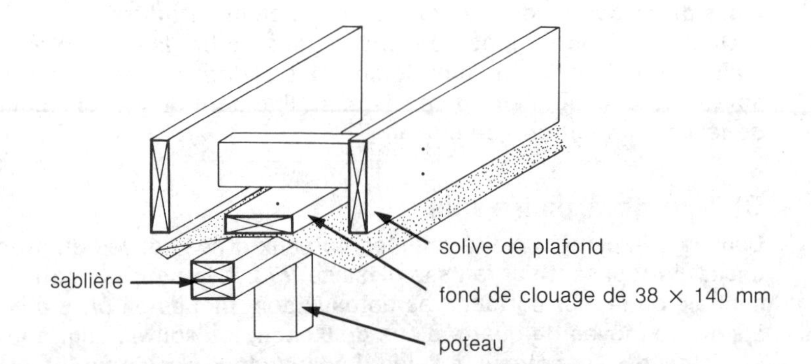

Figure 41. Fond de clouage horizontal pour le revêtement de finition. Le fond de clouage est assuré par des pièces de 38 mm, fixées à la sablière avec des clous de 76 mm, à entraxes de 300 mm.

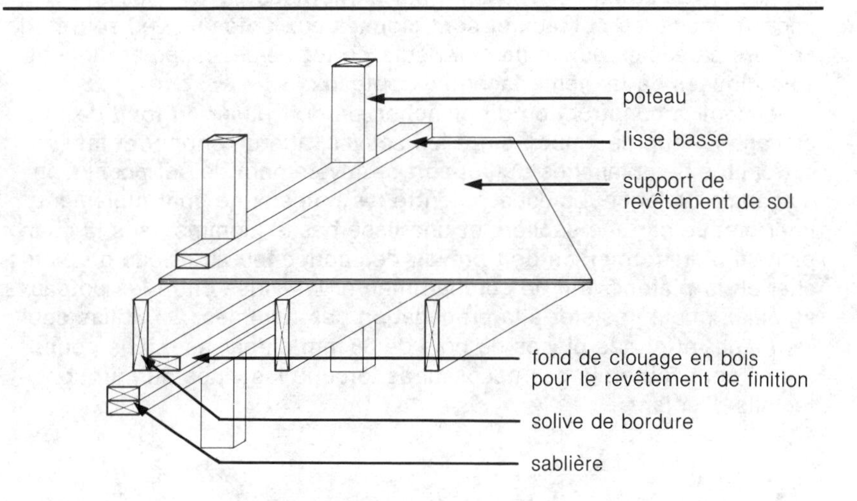

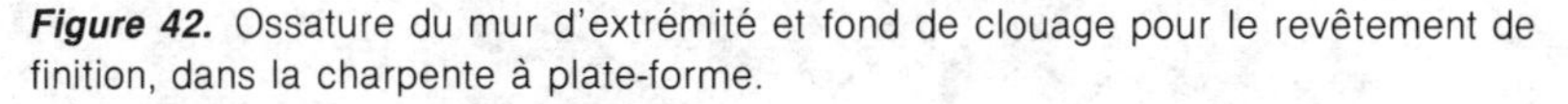

Figure 42. Ossature du mur d'extrémité et fond de clouage pour le revêtement de finition, dans la charpente à plate-forme.

Le dessus de l'ouverture peut n'être renforcé que d'une simple pièce de bois de 38 mm, de la même profondeur que les poteaux. Ces éléments servent également de fond de clouage au revêtement de finition, aux bâtis de portes et aux boiseries.

Aux coins extérieurs et aux intersections, on utilise habituellement un poteau cornier composé d'au moins trois éléments afin d'assurer un bon raccordement avec les murs adjacents et d'établir un fond de clouage pour le revêtement de finition intérieure et le revêtement intermédiaire. Les coins et les intersections doivent toujours compter au moins deux poteaux.

Les *figures 39 et 40* illustrent des poteaux corniers et quelques types de raccordements de cloisons couramment utilisés.

On doit prévoir un fond de clouage pour les bords du revêtement de plafond, à la jonction du mur, lorsque les cloisons sont parallèles aux solives du plafond. Les *figures 41 et 42* illustrent des façons courantes de réaliser un tel fond de clouage.

Charpente à claire-voie

Dans la charpente à claire-voie, les poteaux et les solives du rez-de-chaussée reposent sur la lisse d'assise *(Fig. 43)* et sur la poutre centrale ou le mur porteur. Les poteaux sont cloués en biais à ces appuis au moyen de quatre clous de 63 mm; les solives sont à leur tour clouées aux poteaux à l'aide de deux clous de 76 mm. Lorsqu'un support de revêtement de sol en planches est posé en diagonale, l'extrémité de celles-ci doit être fixée, le long des murs, sur des appuis en bois posés entre les solives.

Les solives de l'étage reposent sur un corbeau de 19 × 89 mm encastré dans les poteaux et sont clouées aux poteaux. Les solives de bordure parallèles aux murs extérieurs du rez-de-chaussée et de l'étage sont clouées de la même façon aux poteaux.

Pendant la construction du plancher, on doit poser du fond de clouage le long des murs, entre les solives, afin de supporter les extrémités des planches du support de revêtement de sol posées en diagonale. Puisque les espaces entre les poteaux ne sont nullement interrompus par une sablière et une lisse basse (comme dans la charpente à plate-forme), on doit prévoir des coupe-feu au niveau du plancher et du plafond afin de compartimenter les vides entre les poteaux et, ainsi, mieux résister à la propagation des flammes. On utilise souvent à cet effet des pièces de bois de 38 mm d'épaisseur. Les coupe-feu ne sont toutefois pas nécessaires lorsque les vides du mur sont remplis d'isolant.

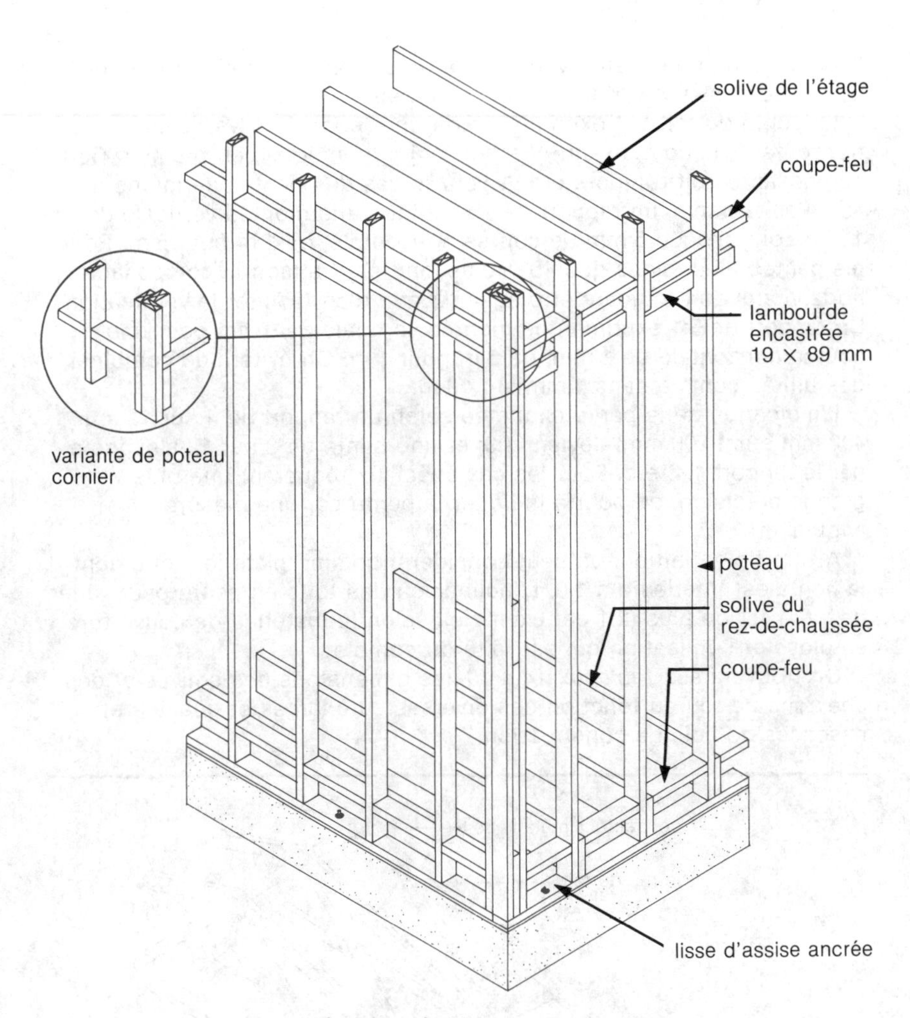

Figure 43. Ossature murale à claire-voie.

Charpente du plafond et du toit

Il existe deux principaux types de toits, les toits plats et les toits en pente, et plusieurs variantes à chacun d'eux.

La pente du toit est exprimée selon un rapport V/H (verticale / horizontale), la composante V étant toujours indiquée en premier. Cette composante doit toujours être 1 pour le cas des pentes de moins de 45°. Par exemple, un rapport de 1:5 indique une montée verticale de 1 mm pour chaque 5 mm de course horizontale, ou 1 m pour 5 m. Pour les pentes plus raides que 45°, le second chiffre (soit la composante horizontale) doit toujours être égal à 1 afin d'en faciliter la vérification. Un rapport de 5:1 exprime une montée verticale de 5 mm pour une course horizontale de 1 mm, ou 5 m pour 1 m. On évitera de combiner des unités comme dans 1 mm sur 10 m.

L'indication de la pente exprimée selon un rapport de 4 sur 12 (ou 400 mm sur 1 200 mm) devient 1:3; et une pente de 3 sur 12 s'exprime par le rapport 1:4, etc. Pour les cas spéciaux requérant une plus grande précision, on pourra indiquer la pente par une mesure angulaire.

À titre de définition, on peut considérer comme plats les toits dont la pente est inférieure à 1:6. L'inclinaison des toits en pente peut varier de 1:6 à 1:1 ou plus (2:1 par exemple), selon le matériau de couverture employé et l'utilisation qui est faite du comble.

On trouvera aux *tableaux 14 à 19*, les dimensions des solives et des chevrons de toit en fonction des diverses surcharges et qualités et essences de bois de construction.

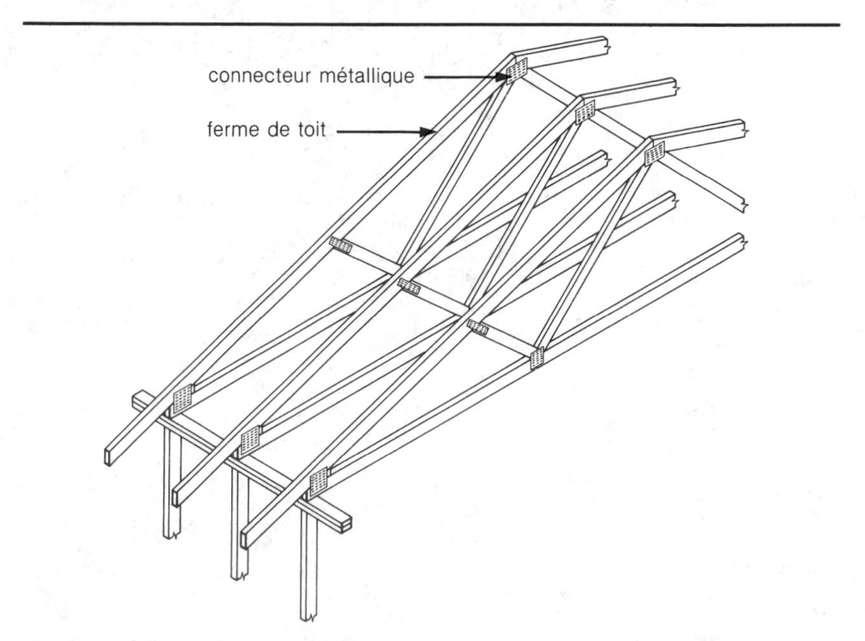

Figure 44. Charpente d'un toit à deux versants utilisant des fermes légères.

Toits en pente

Les fermes de toit sont le plus souvent préfabriquées en usine, bien qu'elles puissent parfois l'être à pied d'œuvre. L'annexe B présente certains modèles qui peuvent être construits sur place. Les toits inclinés peuvent également être construits pièce par pièce, bien que cette méthode soit très fastidieuse. Le toit à deux versants est le plus facile à réaliser de tous les toits en pente, surtout lorsqu'on utilise des fermes de toit légères *(Fig. 44)*. D'autres types de toits plus compliqués, comme les toits à croupes et les toits en L peuvent également être construits au moyen de fermes *(Fig. 45)*.

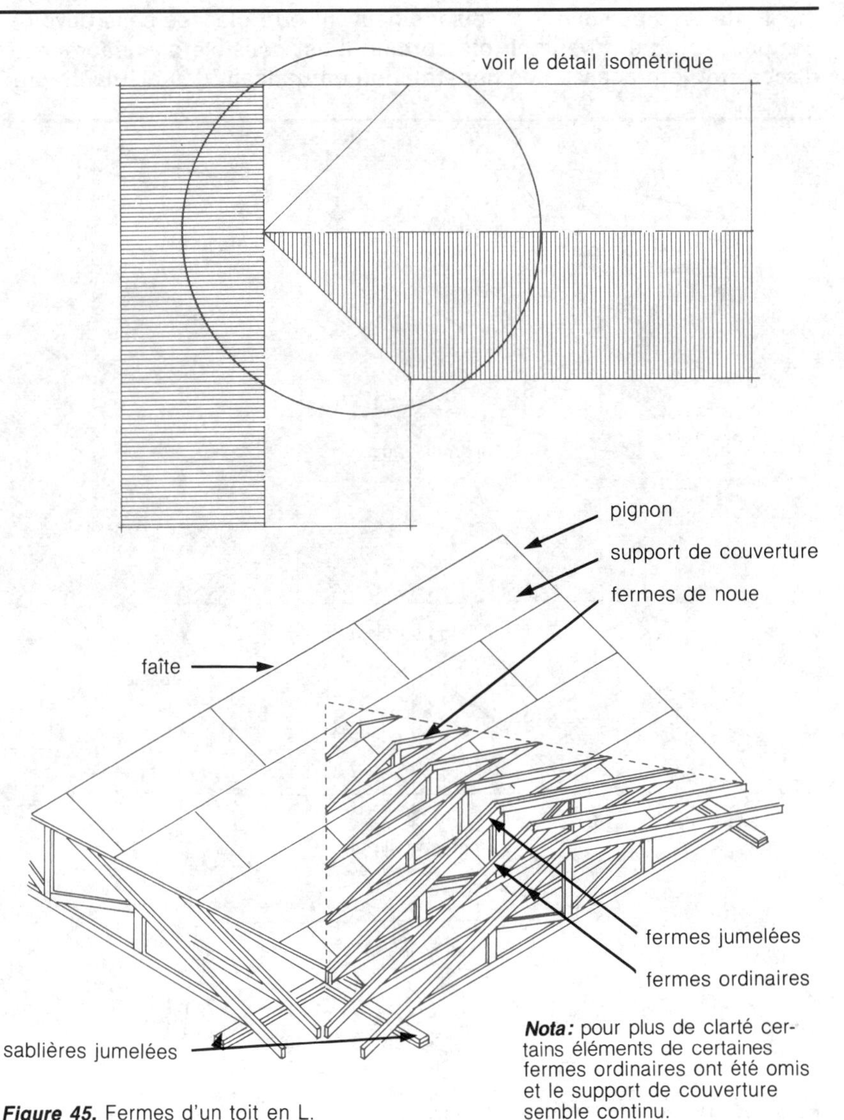

Figure 45. Fermes d'un toit en L.

Nota: pour plus de clarté certains éléments de certaines fermes ordinaires ont été omis et le support de couverture semble continu.

Fermes de toit préfabriquées Les fermes de toit préfabriquées possèdent plusieurs avantages en ce qu'elles permettent d'économiser les matériaux et de couvrir la maison plus rapidement. Elles procurent, en une seule étape, un appui pour le support de converture et le revêtement du plafond et un vide pour poser l'isolant. Il est facile d'assurer la ventilation du comble par les pignons, les débords de toit et le faîte. Dans la plupart des cas, les fermes sont conçues pour couvrir la maison d'un mur extérieur à l'autre, sans murs porteurs intermédiaires pour supporter les charges du toit *(Fig. 46)*. La totalité du plancher de la maison peut ainsi servir d'aire de travail pendant la construction. Ceci accroît la marge de manœuvre dans la planification de l'aménagement intérieur, puisque les cloisons peuvent être placées sans devoir composer avec un éventuel rôle porteur. Il est possible d'améliorer et d'accélérer le processus de construction en utilisant des éléments pré-

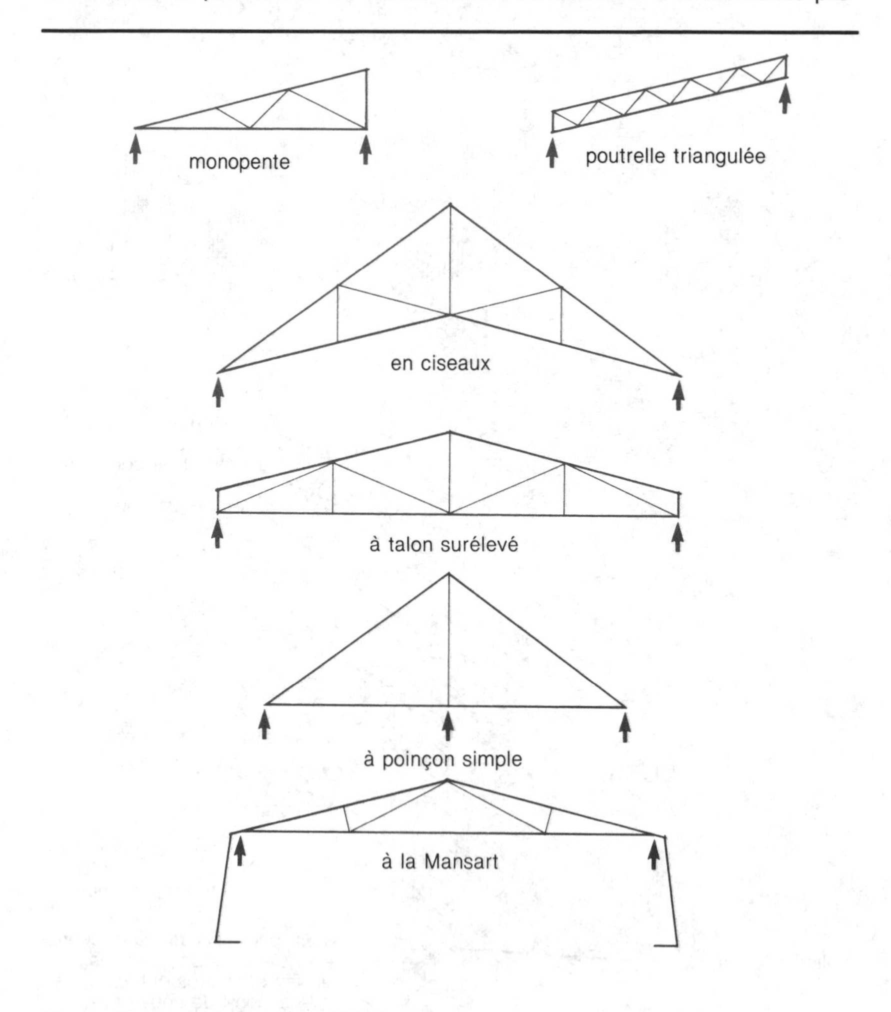

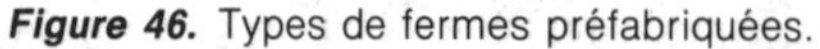
Figure 46. Types de fermes préfabriquées.

fabriqués pour divers ajouts ou caractéristiques architecturales comme les fermes de toits de garages, toits de porches, fausses-mansardes et marquises de fenêtres.

Les fermes assemblées à l'aide de connecteurs métalliques peuvent être livrées sur le chantier et posées à plat, dans un endroit propre. Les fermes de moins de 6 m de portée sont habituellement mises en place à la main. Les fermes de plus de 6 m requièrent des appareils de levage spéciaux pour éviter les dommages.

Les fermes doivent être soulevées avec soin pour éviter le fléchissement latéral excessif. La ferme du pignon doit être montée en premier lieu et immobilisée au moyen d'étais prenant appui au sol et sur le mur. Les autres fermes sont ensuite mises en place, habituellement à entraxes de 600 mm, puis clouées en biais aux sablières et étayées provisoirement *(Fig. 47)*. Lorsque toutes les fermes ont été mises en place, on les contrevente en permanence *(Fig. 48)*. Le support de couverture vient ensuite accroître la rigidité du toit.

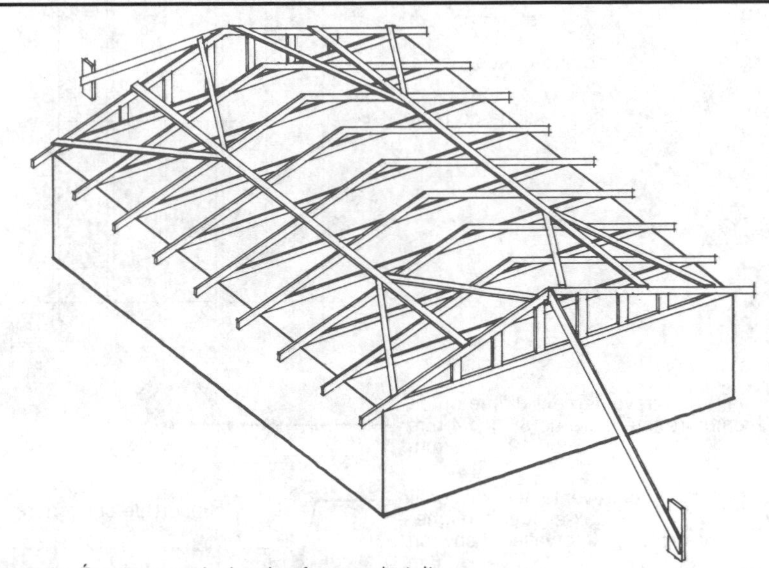

Figure 47. Étayage provisoire des fermes de toit.

Montage en chantier des toits en pente Le toit à deux versants est le plus simple à réaliser en chantier *(Fig. 49 A)*. Les chevrons sont tous identiques et coupés de la même longueur et leur mise en place est relativement simple. Le toit à deux versants peut également comporter une ou plusieurs lucarnes pour améliorer l'éclairage et la ventilation des pièces de l'étage *(Fig. 49 B)*. La lucarne rampante est toutefois la plus intéressante du point de vue de l'éclairage, de l'espace de plancher et de la hauteur libre *(Fig. 49 C)*. Toutefois, les fenêtres ouvrantes et les lanterneaux fixes qu'on peut installer sur la pente du toit entre les chevrons procureront l'éclairage et la ventilation voulus sans la complexité et le coût inhérents à la construction d'une lucarne. Dans le cas des toits à croupes *(Fig. 49 D)*, les chevrons sont fixés à la planche faîtière, tandis que les arêtiers servent de point d'appui aux empannons.

L'isolation et l'étanchéité à l'air et à la vapeur d'eau sont des considérations importantes relativement à un comble habitable; ces sujets sont traités dans le chapitre sur l'isolation thermique. Les éléments d'ossature choisis uniquement selon les critères structuraux des *tableaux 14 et 19* pourraient ne pas être suffisamment hauts pour le degré d'isolation et la ventilation requis. Il faudra peut-être avoir recours à des éléments plus hauts ou à une autre méthode de charpente pour respecter les normes en vigueur.

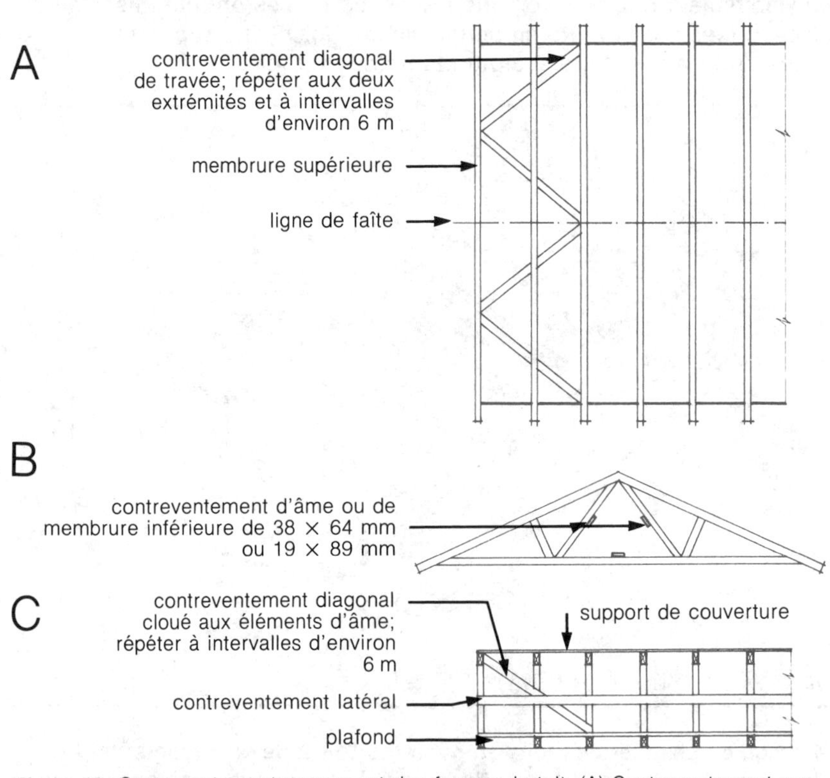

Figure 48. Contreventement permanent des fermes de toit. (A) Contreventement permanent dans le plan de la membrure supérieure. (B et C) Contreventement latéral permanent fixé aux éléments d'âme ou dans le plan de la membrure inférieure.

Les solives de plafond servent de fond de clouage au revêtement de finition du plafond et d'entraits entre les murs extérieurs et, parfois, entre les chevrons opposés. Elles peuvent aussi supporter les charges du toit retransmises par les murs nains qui servent d'appuis intermédiaires aux chevrons; dans ce cas, elles doivent être dimensionnées en conséquence. (Voir le *tableau 11* pour les portées des solives de pla-

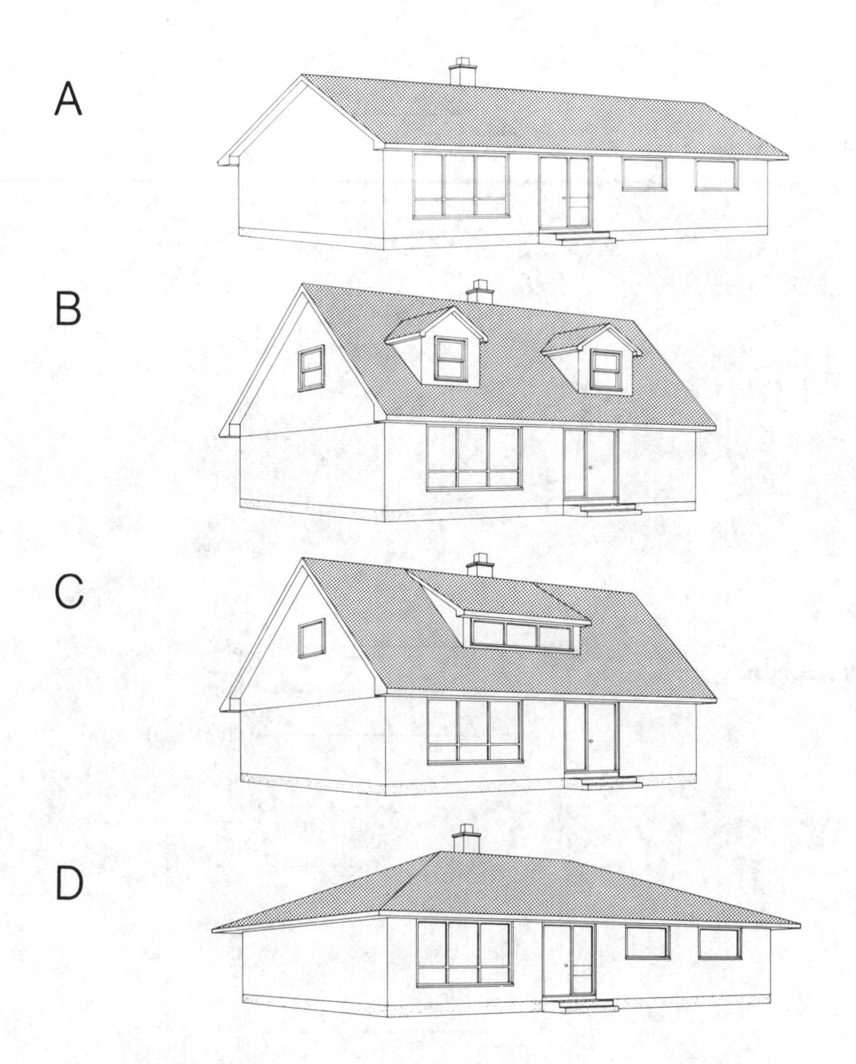

Figure 49. Toits en pente. (A) À deux versants. (B) À deux versants et lucarne à versants. (C) À deux versants et lucarne rampante. (D) À croupes.

fond.) Lorsque les solives du plafond supportent également les charges d'un plancher, leur section doit être déterminée à partir des tableaux des solives de plancher (voir les *tableaux 12 et 13*).

Les solives de plafond des toits en pente sont clouées sur place une fois que l'ossature des murs intérieurs et extérieurs est terminée et avant le montage des chevrons, puisque la poussée exercée par ces derniers pourrait déplacer les murs vers l'extérieur. Ce sont habituellement les solives de plafond qui retiennent les extrémités inférieures des chevrons dans les toits en pente de 1:3 ou plus. Pour ce faire, les pieds des chevrons opposés sont cloués latéralement à l'extrémité

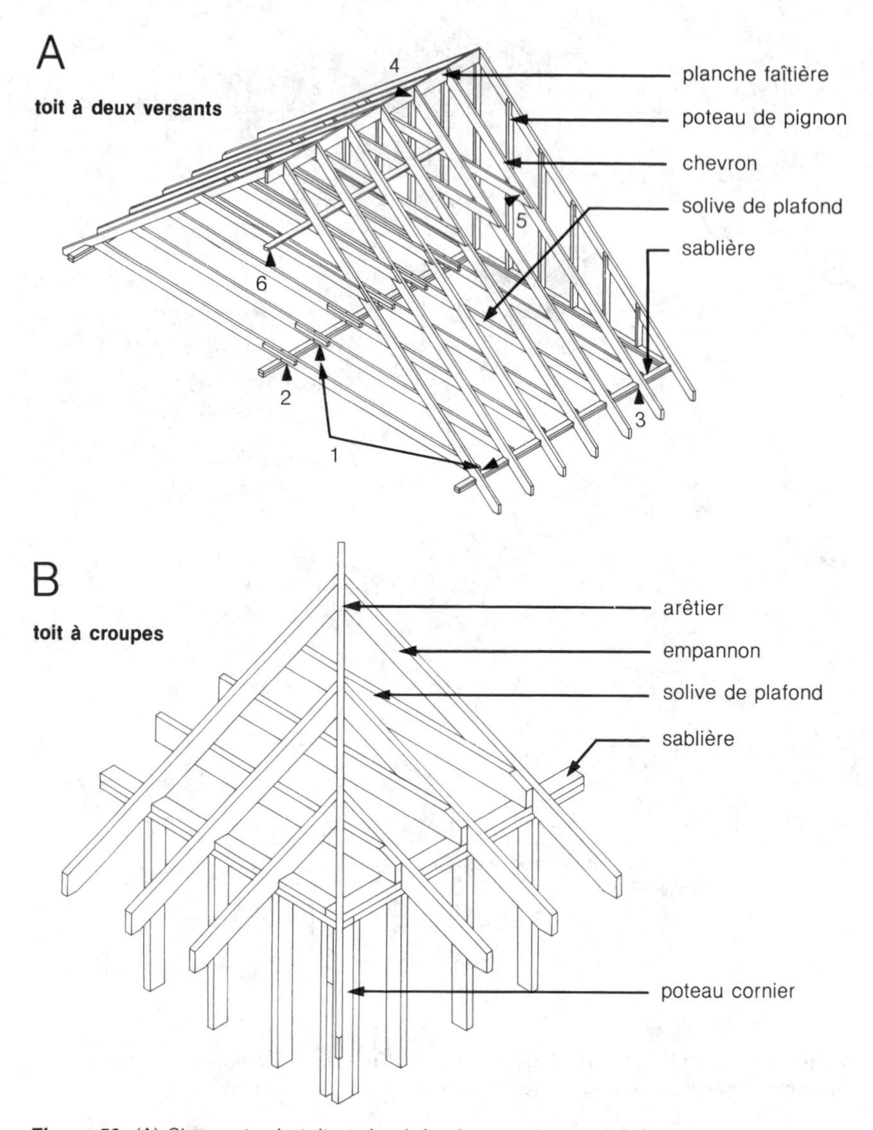

Figure 50. (A) Charpente de toit et de plafond avec planche faîtière. (1) Les solives du plafond se clouent en biais à la sablière avec deux clous de 82 mm, soit un de chaque côté. (2) Les solives sont aboutées et assemblées à l'aide d'une éclisse au-dessus de la cloison porteuse centrale, et clouées à chaque paire de chevrons (voir le *tableau 27* concernant le clouage). (3) Les chevrons s'assemblent aux sablières avec trois clous de 82 mm. (4) Chaque chevron est assemblé à la planche faîtière par clouage en biais avec quatre clous de 57 mm ou par clouage droit avec trois clous de 82 mm (5) Un faux entrait est fixé à chaque paire de chevrons, avec trois clous de 76 mm à chaque extrémité. (6) Un contreventement de 19 × 89 mm se cloue sur les faux entraits, au centre, avec deux clous de 57 mm si les entraits mesurent plus de 2,4 m de longueur. En (B), les empannons se fixent à l'arêtier avec deux clous de 82 mm.

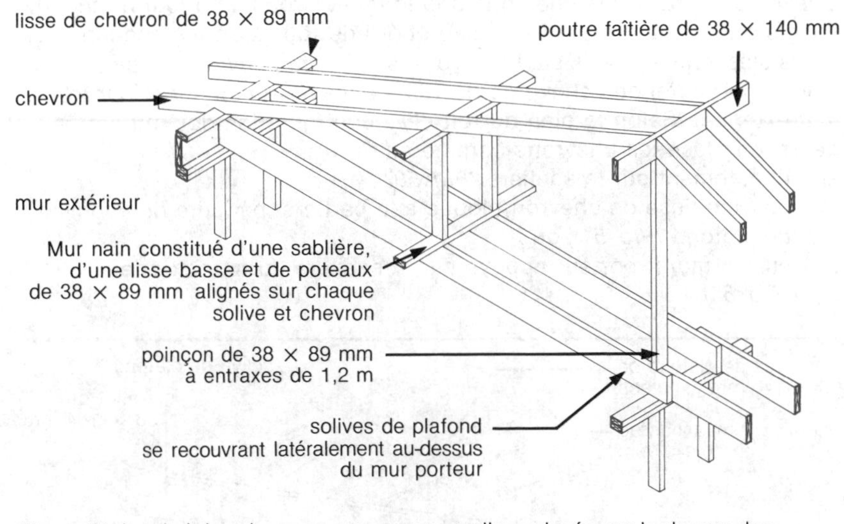

Figure 51. Le pied des chevrons repose sur une lisse clouée sur le dessus des solives de plafond à l'aide de deux clous de 101 mm.

extérieure des solives *(Fig. 50 A)*. De plus, les solives sont assemblées au droit du mur porteur central par recouvrement et clouage, ou par éclissage, afin de relier deux à deux les chevrons à leur base. Le nombre de clous de ces assemblages dépend de la pente du toit, de l'espacement des chevrons, de la surcharge de neige et de la largeur de la maison. (Voir le t*ableau 27* pour le clouage minimal des chevrons aux solives.)

Le dimensionnement des solives doit tenir compte de la charge de toit additionnelle retransmise par les murs nains qui sont perpendiculaires aux solives de plafond *(Fig. 51)*. Le choix de la hauteur de solive standard suivante suffira probablement à procurer la résistance additionnelle requise lorsque la pente du toit est supérieure à 1:4. Si la pente du toit est de 1:4 ou moins, la hauteur des solives de plafond sera déterminée à partir des tables de portées admissibles (voir les *tableaux 14 à 17*).

Les arêtiers ayant environ 55 mm de plus en hauteur que les chevrons ordinaires ou les empannons, ils réduisent l'espace le long des murs d'extrémité au point où, dans les toits à faible pente, il n'est pas possible de poser la solive extérieure à la distance habituelle du mur. Dans un tel cas, on jumelle la solive qui peut être être posée le plus près du mur *(Fig. 52)*. Des solives boiteuses sont ensuite clouées en biais à la sablière du mur extérieur et clouées en bout aux solives jumelées. L'espacement de ces solives boiteuses est habituellement le même que celui des solives de plafond principales.

Chevrons On taille les chevrons à la longueur voulue en leur donnant l'angle qui convient au faîte et au débord de toit et on les encoche là où ils s'assemblent à la sablière ou à la lisse de chevron. Le pied (partie inférieure) des chevrons devrait s'appuyer directement sur le mur extérieur. Selon le plan du toit et la configuration des murs extérieurs, on place les chevrons comme suit :

a) directement sur la sablière *(Fig. 50)*;
b) sur une lisse de chevron clouée à la partie supérieure des solives de plafond *(Fig. 51)*; ou
c) sur un muret porteur appuyé sur la sablière du mur extérieur *(Fig. 53)*.

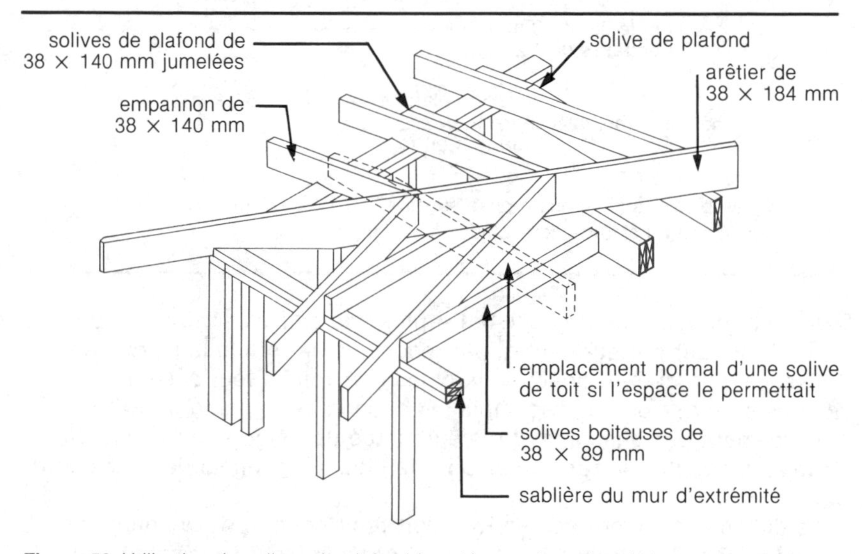

Figure 52. Utilisation de solives de plafond jumelées et de solives boiteuses lorsqu'un arêtier réduit l'espace libre près du mur d'extrémité.

On utilise cette dernière méthode lorsqu'une partie du mur extérieur est en retrait. Dans un tel cas, on prolonge les solives de plafond au-delà du mur extérieur et on les cloue sur le côté des chevrons. Ceci permet au muret porteur de bénéficier d'un appui latéral et de s'opposer au déplacement vers l'extérieur et vers le bas du pied des chevrons.

On utilise une planche faîtière *(Fig. 50)* ou une poutre faîtière *(Fig. 51)* pour assurer l'horizontalité du faîte et faciliter le montage et l'alignement des chevrons. Les chevrons sont montés par paires et sont cloués à la planche ou poutre faîtière et leurs pieds sont cloués en biais à la sablière. Les chevrons sont habituellement montés face à face; toutefois, on peut les décaler de leur propre épaisseur au faîte. Ce décalage permet de maintenir l'alignement vertical des chevrons lorsque leurs pieds sont fixés aux solives de plafond qui se recouvrent latéralement (plutôt que d'être aboutées) sur le mur porteur central *(Fig. 51)*.

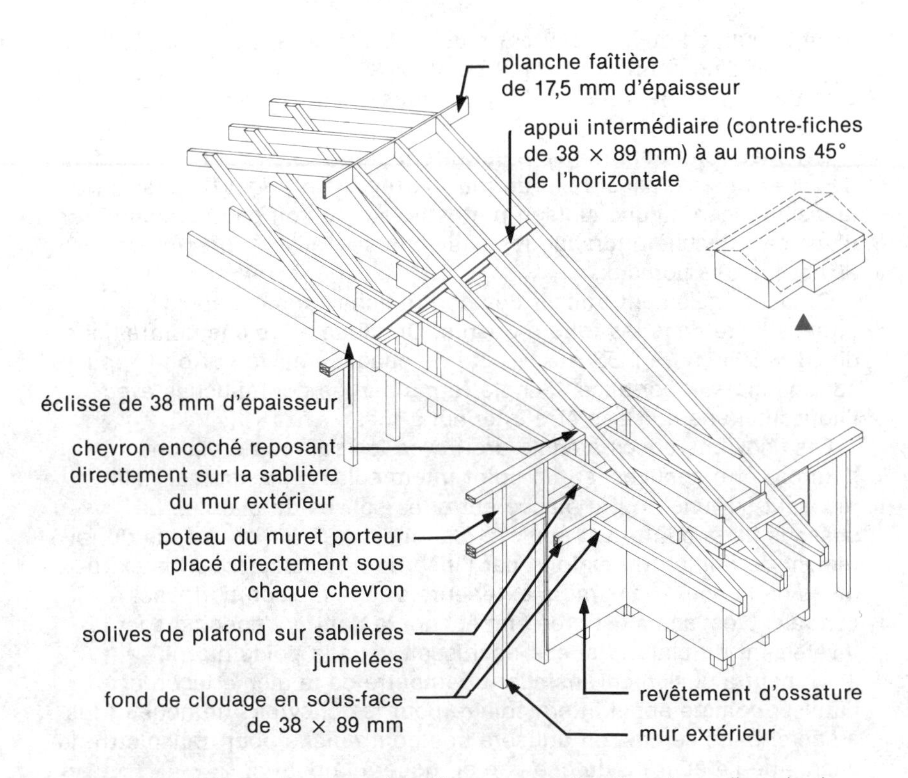

Figure 53. Le pied des chevrons est porté par un muret porteur. Les solives de plafond font saillie sur le mur et sont clouées aux chevrons (voir *tableau 27* concernant le clouage). Les contre-fiches de 38 × 89 mm (servant d'appuis intermédiaires aux chevrons) sont fixées sur le côté des chevrons avec trois clous de 82 mm, et clouées en biais à la cloison porteuse avec deux clous de 82 mm.

Le faîte des toits dont la pente est inférieure à 1:3 doit être appuyé verticalement par une poutre faîtière de 38 × 140 mm, soutenue à intervalles de 1,2 m par des poinçons de 38 × 89 mm *(Fig. 51).* On pourra remplacer la poutre faîtière par un mur porteur. Puisque ces méthodes d'appui contribuent à réduire les poussées du toit qui s'exercent vers l'extérieur, il n'est pas nécessaire de prévoir un lien continu entre les pieds des chevrons opposés.

Appuis intermédiaires des chevrons On supporte habituellement les chevrons en un point situé entre le faîte et les murs extérieurs de façon à réduire leur portée. Ceci permet de réduire la hauteur des chevrons puisque la portée se mesure à partir de ce point intermédiaire jusqu'au faîte ou au mur extérieur.

Dans les toits dont la pente est de 1:3 ou plus, l'appui intermédiaire prend habituellement la forme d'un faux entrait cloué sur le côté de chaque paire de chevrons. Puisque ces faux entraits sont en compression et exposés au flambage, on doit les renforcer contre le fléchissement latéral lorsqu'ils mesurent plus de 2,4 m, en les réunissant tous au moyen d'un contreventement de 19 × 89 mm fixé par clouage droit près de leur centre, à l'aide de trois clous de 76 mm pour chaque faux entrait *(Fig. 50)*.

Dans les toits dont la pente est inférieure à 1:3, l'appui intermédiaire des chevrons est assuré par un mur porteur nain *(Fig. 51)* construit de la même façon qu'une cloison porteuse, sauf qu'on peut se contenter d'une seule sablière lorsque les chevrons se trouvent directement au-dessus des poteaux.

On peut également utiliser des contre-fiches comme appui intermédiaire dans les toits en pente. On cloue alors une contre-fiche de 38 × 89 mm *(Fig. 53)* sur le côté de chaque chevron et on l'appuie sur une cloison porteuse. L'angle formé par les contre-fiches avec l'horizontale ne doit pas être inférieur à 45°.

Les chevrons posés à angle droit avec les solives de plafond pourront être appuyés, en un point intermédiaire, par un mur nain reposant sur une poutre placée entre les solives du plafond. Le dessous de la poutre est soulevé d'au moins 25 mm au-dessus du revêtement de finition du plafond par l'insertion de cales sous les extrémités de la poutre aux murs extérieurs et à la cloison porteuse centrale. L'espace ainsi créé empêchera la poutre d'endommager le revêtement du plafond si elle fléchissait sous le poids du toit.

On pourra également installer une poutre de la même façon et l'utiliser comme appui intermédiaire pour les chevrons de noue et les arêtiers. Dans ce cas, on utilisera une contre-fiche pour transmettre la charge de l'arêtier ou du chevron de noue à la poutre.

Lorsque quelques chevrons à l'extrémité d'un toit à croupes requièrent un appui intermédiaire, on peut utiliser une pièce de renfort constituée de deux éléments de 38 × 89 mm cloués l'un à l'autre, posés sur leur rive et cloués sous les chevrons. Ce renfort repose à son tour en certains points de sa longueur sur des contre-fiches de 38 × 89 mm rayonnant d'un point d'appui commun situé sur le mur porteur central. L'angle des contre-fiches ne doit pas être inférieur à 45° de l'horizontale. Les extrémités sont taillées selon l'angle choisi et sont solidement clouées.

Arêtiers et chevrons de noue Ces éléments doivent avoir environ 50 mm de plus en hauteur que les chevrons ordinaires *(Fig. 50 B et 54)*.

Cette hauteur additionnelle leur assure un plein appui sur l'extrémité en biseau des empannons. Dans les toits à croupes, les empannons sont cloués aux arêtiers et à la sablière. Les empannons d'une noue sont cloués au chevron de noue et au faîte.

Lucarnes Les lucarnes à deux versants sont construites de sorte que leurs murs latéraux et chevrons de noue sont portés par des chevrons jumelés. L'extrémité supérieure des chevrons de noue s'appuie sur un chevêtre *(Fig. 55)*. La méthode de construction la plus courante consiste à poser le support de couverture avant de monter la charpente de

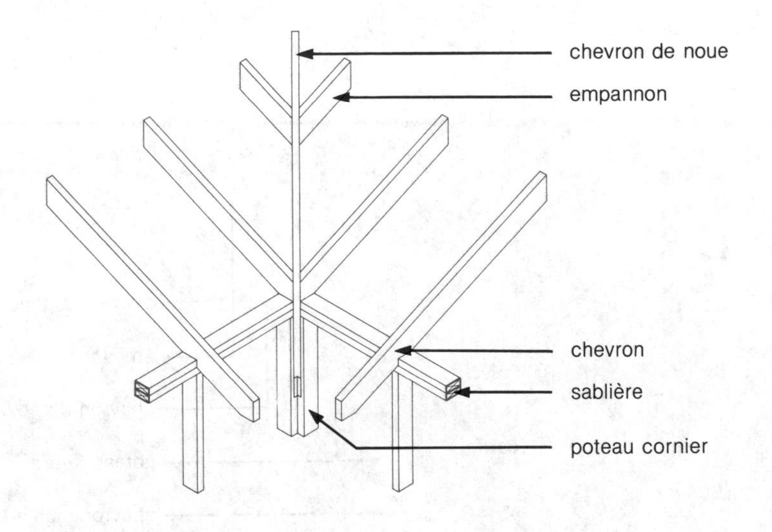

Figure 54. Ossature d'une noue.

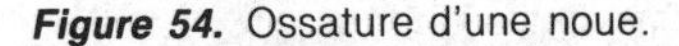

la lucarne, puis à le scier le long de la face interne de l'enchevêtrure. Une lisse basse posée sur le support de couverture sert alors d'appui aux poteaux de chaque côté de la lucarne, ainsi que de fond de clouage pour le revêtement d'ossature. Si on prévoit agrandir le vide sous comble ou lui ajouter des chambres, il serait bon, au moment de construire la maison, de concevoir la charpente du toit en pensant aux futures lucarnes qui y seront aménagées.

Ossature du pignon et de son débord de toit Une fois que la charpente du toit a été montée, les poteaux du pignon sont coupés à la longueur voulue et cloués en place. Si le comble ne doit pas être aménagé, ils peuvent être posés avec leur face la plus large parallèle au mur. Les extrémités supérieures des poteaux sont taillées selon l'angle des chevrons, puis les poteaux sont cloués en biais à la sablière et à la rive inférieure du chevron à l'aide de quatre clous de 63 mm à chaque bout *(Fig. 56)*.

Les *figures 56 et 57* illustrent deux façons courantes de construire le débord de toit au pignon. Comme pour celui de l'égout, la sous-face est recouverte d'un contreplaqué poncé de 6 mm ou d'un revêtement d'aluminium ou de vinyle; la bordure de toit est fixée le long de l'élément de charpente extérieur.

Les toits qui se prolongent de moins de 400 mm au-delà du mur pignon se terminent habituellement par un élément de charpente qu'on appelle chevron de bordure *(Fig. 57)*. On cloue une fourrure de 19 mm au chevron situé en partie supérieure du mur pignon. Des entretoises à intervalles de 600 mm servent de support au revêtement de la sous-face du débord de toit; ces entretoises sont assemblées par clouage

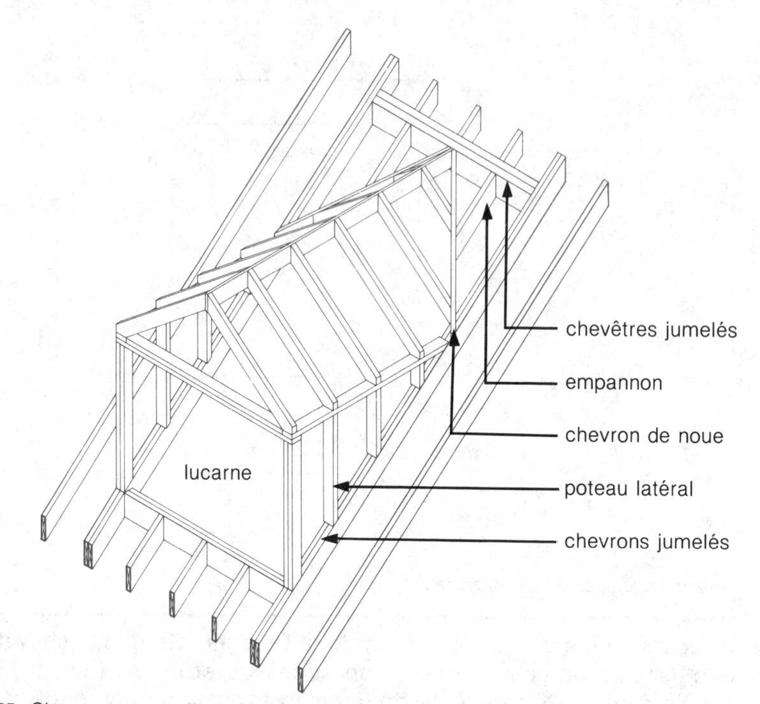

Figure 55. Charpente type d'une lucarne. Après la pose du support de couverture, des fourrures sont insérées entre les poteaux latéraux au niveau du toit pour constituer un fond de clouage pour le revêtement intermédiaire.

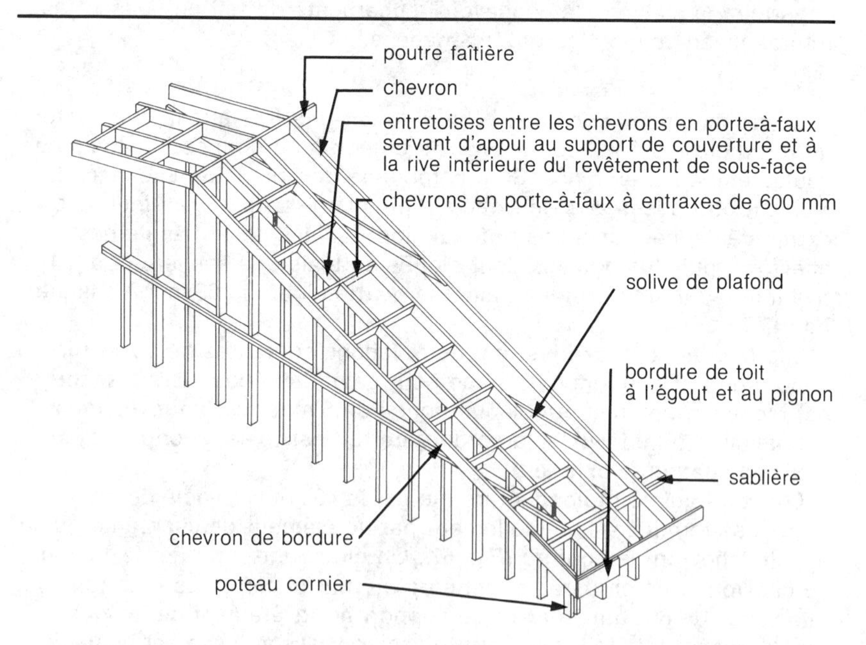

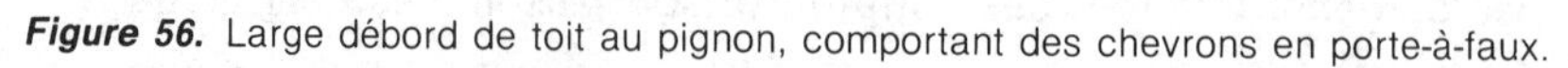

Figure 56. Large débord de toit au pignon, comportant des chevrons en porte-à-faux.

en biais à la fourrure et par clouage droit au chevron de bordure. Le revêtement de sous-face est ensuite cloué à ces supports. On ajoute enfin une bordure de toit comme indiqué précédemment.

Les toits qui se prolongent de plus de 400 mm au-delà du mur comportent habituellement des chevrons en porte-à-faux *(Fig. 56).* Les poteaux du pignon sont placés de façon que leur côté étroit soit parallèle au revêtement d'ossature, et s'assemblent en partie supérieure à une sablière. Les chevrons en porte-à-faux, habituellement de même section que les chevrons ordinaires, sont posés à entraxes de 600 mm. Leurs extrémités sont assemblées par clouage droit au premier chevron et au chevron de bordure et par clouage en biais à la sablière. Des entretoises sont ensuite fixées entre les chevrons en porte-à-faux le long du mur afin de servir d'appui au support de couverture et à la rive intérieure du revêtement de sous-face. Ce dernier est fixé par clouage et une bordure de toit est ensuite ajoutée comme indiqué précédemment. La longueur des chevrons en porte-à-faux doit être égale à environ deux fois la largeur du débord de toit au pignon. On utilise des chevrons jumelés pour supporter l'extrémité intérieure des chevrons en porte-à-faux lorsque ceux-ci se prolongent vers l'intérieur sur une distance supérieure à l'entraxe des chevrons.

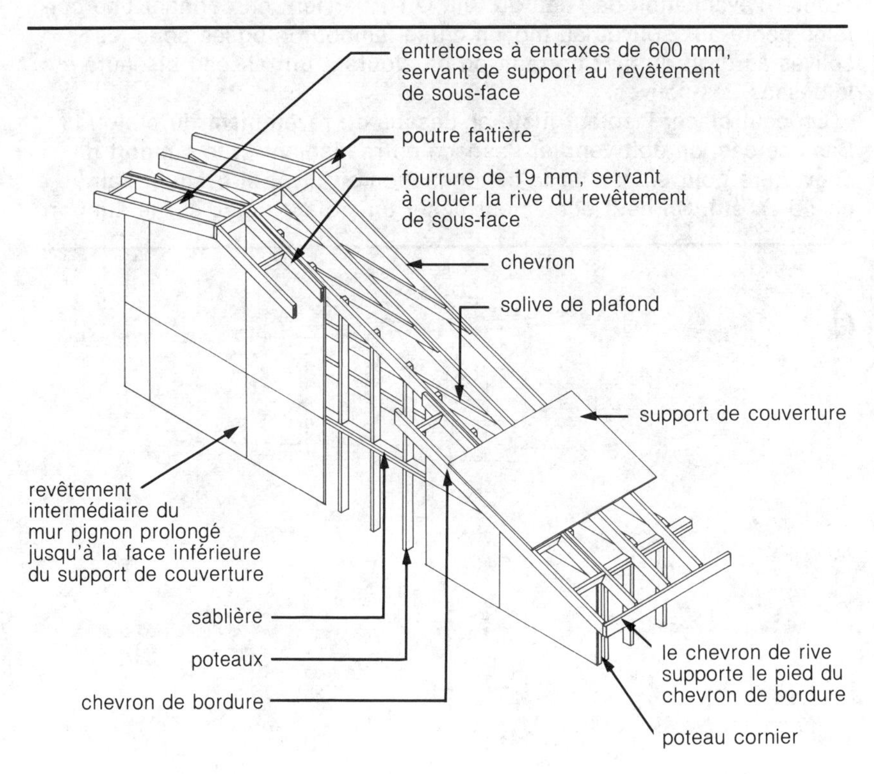

Figure 57. Débord de toit étroit au pignon. Chevron de bordure fixé à la poutre faîtère, au chevron de rive, aux entretoises et au support de couverture.

Toits plats

Les toits plats sont habituellement moins pratiques et moins durables que les toits en pente, surtout dans les régions caractérisées par de fortes chutes de neige. On les utilise parfois pour couvrir des agrandissements de la maison, et ils peuvent servir en même temps de toiture-terrasse. Le modèle de maison pourra nécessiter que le toit se prolonge en porte-à-faux au-delà du mur ou qu'il soit surmonté d'un mur de parapet. Il arrive souvent que les abris d'autos et les garages soient couverts d'un toit plat.

On appelle « solives de toit » les chevrons de toits plats qui jouent également le rôle de solives de plafond. Ces solives sont dimensionnées en fonction des charges du toit et du plafond (Voir les *tableaux 14 à 17*). Toutefois, des solives choisies strictement en fonction de critères structuraux pourraient s'avérer trop peu profondes pour recevoir la quantité d'isolant voulue tout en permettant une ventilation suffisante du vide sous toit. Il importe alors de choisir des éléments structuraux de plus forte section ou de modifier les détails de la charpente.

Les solives des toits plats sont habituellement posées de niveau et supportent la couverture et son revêtement. Le plafond est fixé sous les solives de toit. On doit prévoir une pente d'au moins 1:50 pour assurer l'évacuation de l'eau du toit. On y parvient en donnant une certaine pente aux solives au moyen d'une lambourde posée sous les solives au droit du mur porteur, on en ajoutant un tasseau biseauté sur le dessus des solives.

On peut placer l'isolant juste au-dessus du revêtement du plafond. Dans ce cas, on doit ventiler l'espace entre l'isolant et le support de couverture pour empêcher la condensation en hiver et évacuer l'air chaud en été. On peut également poser un isolant rigide sur le support

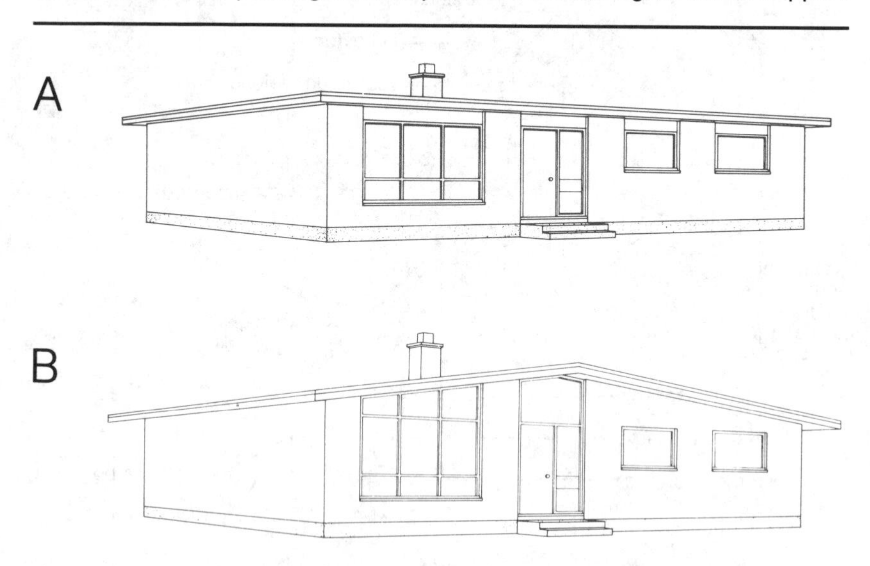

Figure 58. Deux toits plats. Les chevrons peuvent aussi tenir lieu de solives de plafond.

de couverture et recouvrir l'isolant du matériau de couverture. Dans un tel cas, le vide sous toit ne doit pas être ventilé. La *figure 58 A* illustre un type de toit plat simple dont les solives de toit sont de niveau, ce qui élimine la nécessité de solives de plafond distinctes.

Lorsque le toit déborde les quatre murs de la maison, on utilise généralement des chevrons en porte-à-faux *(Fig. 59).* Ces chevrons en porte-à-faux qui mesurent habituellement le double de l'avancée du toit sont cloués en biais à la sablière et cloués droit à la première solive de toit. Lorsque les chevrons en porte-à-faux se prolongent vers l'intérieur sur une longueur supérieure à l'entraxe des solives, on cloue deux solives de toit ensemble pour y fixer l'extrémité intérieure des chevrons en porte-à-faux. On assemble ensuite par clouage droit un chevron de rive à l'extrémité des chevrons en porte-à-faux et des solives de toit.

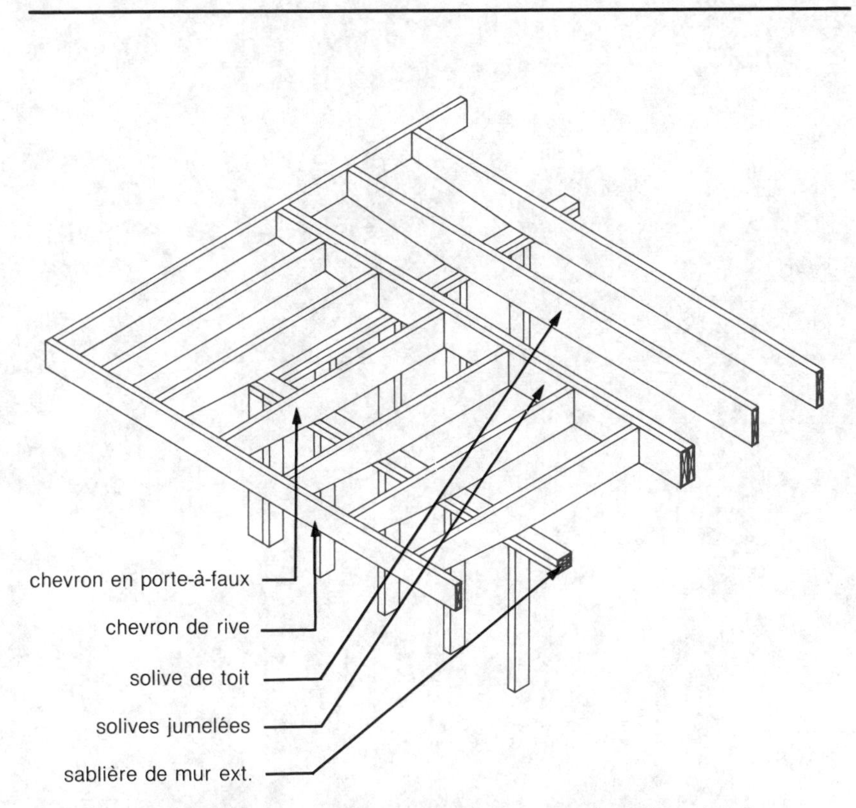

Remarque : l'isolant thermique se place habituellement entre les solives de toit. Il faut ménager un espace d'au moins 63 mm entre le dessus de l'isolant et la face inférieure du support de couverture, pour la ventilation. Pour ce faire, on pose des pannes de 38 × 38 mm clouées à angle droit sur les solives de toit; on peut ajouter des cales à ces pannes pour donner la pente voulue au toit. La *figure 107* montre une vue en coupe du toit terminé.

Figure 59. Charpente type d'un toit plat avec porte-à-faux.

Cet assemblage sert de fond de clouage au support de couverture à la bordure d'avant-toit et au revêtement de la sous-face. Le débord de toit mesure généralement de 400 mm à 600 mm, sans jamais dépasser 1,2 m. Dans le cas des toits dits plats mais ayant une certaine pente (près de 1:6), comme celui de la *figure 58 B*, on peut fixer le plafond directement contre les solives, de sorte qu'il suive la pente du toit. C'est ce qu'on appelle communément un plafond « cathédrale ».

Support et matériaux de couverture

Support de couverture

Le support de couverture se pose sur les fermes ou les chevrons du toit et est habituellement constitué de contreplaqué, de panneaux de copeaux ou de planches. Ce support sert de fond de clouage pour le matériau de couverture et de contreventement pour l'ossature du toit.

Pose Le contreplaqué utilisé comme support de couverture doit être posé de façon que le fil du pli de face forme un angle droit avec la charpente *(Fig. 60)*. On utilise habituellement un contreplaqué de qualité à revêtement intermédiaire (non poncé) à cet effet. Les joints d'extrémité des panneaux contigus doivent être décalés afin de mieux contreventer la charpente. On doit ménager des joints d'au moins 2 à 3 mm entre les panneaux afin de prévenir le bombement attribuable à la dilatation qui se produit par temps humide.

L'épaisseur du contreplaqué ou des panneaux de copeaux utilisés comme support de couverture dépend, dans une certaine mesure, de l'espacement des chevrons, solives ou fermes de toit, ou du fait que les rives sont supportées ou non. Pour que la couverture ne s'endommage pas lorsqu'elle est posée sur un contreplaqué mince, les joints perpendiculaires à la charpente doivent reposer sur des entretoises de 38 × 38 mm solidement clouées entre les éléments de charpente du toit, ou être retenus par des attaches métalliques en H insérées entre les panneaux. Cette dernière méthode est très populaire car elle est simple et peu coûteuse. Le *tableau 28* indique les épaisseurs mini-

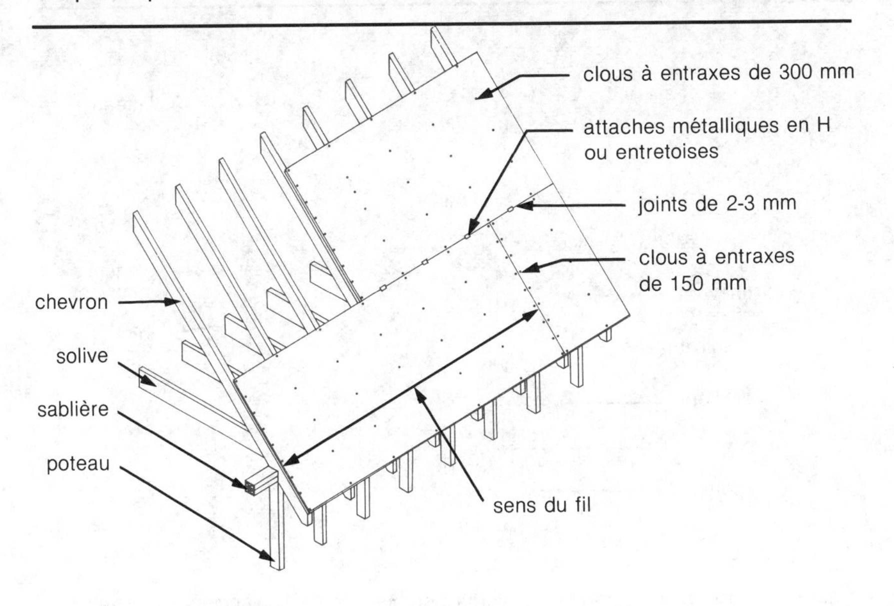

Figure 60. Pose d'un support de couverture en contreplaqué.

males du support de couverture en contreplaqué ou en panneaux de copeaux. Les agrafes utilisées pour fixer un support de couverture de 9,5 mm doivent mesurer 1,6 mm d'épaisseur, 38,1 mm de longueur, avoir une couronne de 9,5 mm et être enfoncées de façon que la couronne soit parallèle aux éléments de charpente (Voir le *tableau 29*). Les couvertures multicouches sur toits plats utilisés comme toitures-terrasses nécessitent un support d'au moins 15,5 mm.

Les planches utilisées comme support doivent être jointives si la couverture prévue requiert un appui continu, comme les bardeaux d'asphalte et les couvertures multicouches *(Fig. 61 B)*. Les planches ont habituellement 19 mm d'épaisseur, mais celle-ci peut être réduite à 17 mm lorsque les appuis sont à entraxes de 400 mm. Les planches de 184 mm de largeur ou moins sont clouées aux éléments de charpente à l'aide de deux clous de 51 mm par appui, et celles de plus de 184 mm avec trois clous de 51 mm par appui. On ne devrait pas utiliser des planches de plus de 286 mm comme support de couverture. Pour une couverture en bardeaux de bois l'entraxe des planches peut être égal au pureau des bardeaux. On utilise couramment cette méthode dans les régions humides car elle permet la circulation de l'air autour des planches et sous les bardeaux, réduisant ainsi les risques de pourriture.

Détails d'assemblage Lorsque la charpente du toit comporte une trémie pour le passage d'un cheminée, le support de couverture et les éléments d'ossature devraient s'arrêter à 50 mm au moins de la maçonnerie par mesure de protection contre l'incendie *(Fig. 62)*. Ce

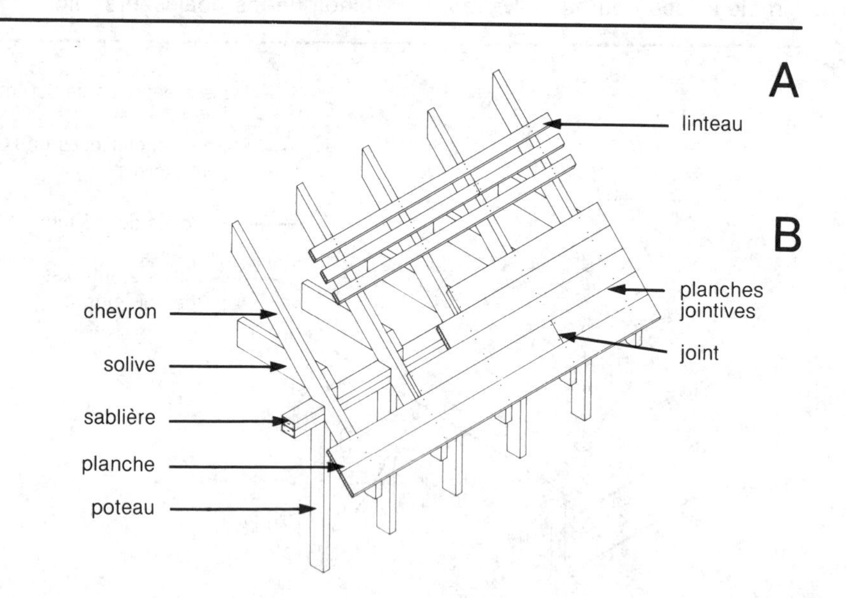

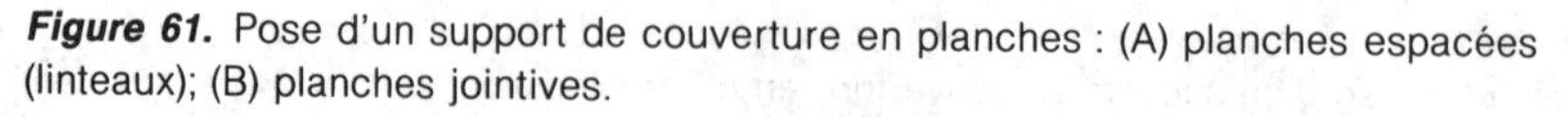

Figure 61. Pose d'un support de couverture en planches : (A) planches espacées (linteaux); (B) planches jointives.

dégagement peut être réduit à 12 mm dans le cas d'une cheminée extérieure. Le support de couverture doit être solidement fixé aux chevrons et chevêtres bordant la trémie.

Aux noues et aux arêtes, le support de couverture doit être posé à joints serrés et cloué solidement au chevron de noue ou à l'arêtier *(Fig. 62)*. On obtient ainsi une assise solide et lisse pour poser les solins.

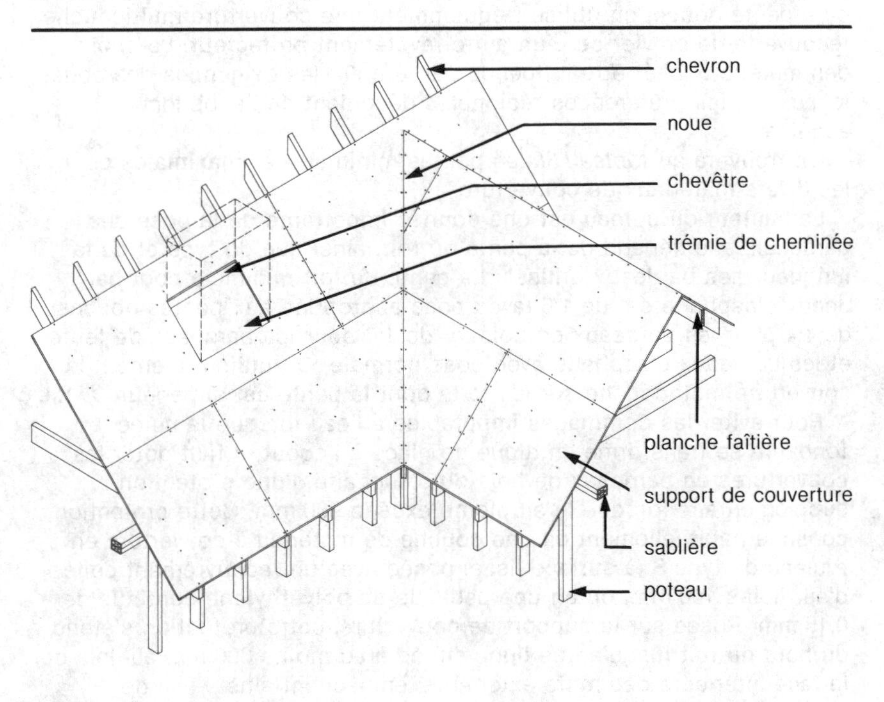

Figure 62. Pose du support de couverture à la noue et autour de la trémie de cheminée.

Matériaux de couverture

La couverture est posée dès que la charpente et le support de couverture sont mis en place et avant tout autre travail de finition intérieure ou extérieure. Cet ordre permet d'obtenir, au tout début de la construction, une aire de travail à l'abri des intempéries où les autres corps de métier pourront entreprendre leurs travaux; de plus, le bois de construction et les panneaux de revêtement intérieur y seront protégés contre l'humidité excessive.

La couverture doit assurer un revêtement étanche et durable qui protégera la maison et son contenu de la pluie et de la neige. De nombreux produits se sont avérés très résistants dans diverses conditions.

Le bardeau d'asphalte est de loin le matériau le plus couramment utilisé comme couverture de toit en pente. Dans certaines régions, on utilise couramment aussi les tôles d'acier galvanisé ou d'aluminium. En général, les couvertures métalliques à pente normale ne retiennent pas la neige, caractéristique souhaitable, particulièrement dans les régions qui connaissent de fortes précipitations de neige. On utilise aussi les matériaux de couverture en rouleaux, les bardeaux de bois (de sciage ou de fente), la tôle métallique et les tuiles de béton ou d'argile, selon les diverses situations particulières. Sur les toits plats ou à pente douce, on utilise fréquemment une couverture multicouche recouverte de gravier ou d'un autre revêtement protecteur. Le choix des matériaux peut être influencé par le coût, les exigences des codes locaux, ou les préférences régionales découlant de l'expérience acquise.

On trouvera au *tableau 30* les pentes minimales et maximales pour les divers matériaux de couverture.

La hauteur du pureau est une donnée importante de la pose des bardeaux; elle dépend de la pente du toit, ainsi que du type et de la longueur des bardeaux utilisés. La pente de toit minimale pour bardeaux d'asphalte est de 1:6 (avec pose appropriée aux pentes douces), de 1:4 pour les bardeaux en bois, et de 1:3 pour les bardeaux de fente et les bardeaux d'asphalte avec pose normale. On utilise rarement la couverture multicouche sur les toits dont la pente est supérieure à 1:4.

Pour éviter les dommages imputables à l'eau lorsque la neige fondante se transforme en digue de glace à l'égout, il faut doter les couvertures en bardeaux de bois ou d'asphalte d'une protection supplémentaire lorsque le surplomb excède 900 mm. Cette protection consiste habituellement en une couche de matériau à couverture en rouleau de type S (à surface lisse) posée avec un recouvrement collé d'au moins 100 mm, ou en une pellicule de polyéthylène continue de 0,15 mm. Posée sur le support de couverture, cette protection s'étend du bord du toit jusqu'à une ligne située à au moins 300 mm au-delà de la face intérieure des murs extérieurs, empêchant ainsi l'eau de s'infiltrer à travers les joints du support de couverture *(Fig. 63 A et B)*.

La pose des solins contre les cheminées, aux noues et aux intersections de murs, dans le cas de couvertures en bardeaux, est expliquée dans le chapitre sur les solins.

Bardeaux d'asphalte sur pentes de 1:3 ou plus La catégorie minimale de bardeau d'asphalte recommandée est le n° 210. Les bardeaux à bouts carrés mesurent habituellement 310 × 915 mm ou 335 × 1 000 mm, comprennent trois pattes et doivent être posés avec un pureau de 130 ou 145 mm. Puisqu'un paquet comprend de 21 à 26 bardeaux, un paquet couvre environ 3 m^2.

Les paquets de bardeaux doivent être rangés à plat de façon que les bardeaux soient bien droits au moment de l'utilisation. On prendra soin de ne pas empiler trop de bardeaux au même endroit sur le toit afin de ne pas surcharger la charpente.

La pose des bardeaux d'asphalte est illustrée à la *figure 64*. La protection de l'égout est assurée comme indiqué précédemment. Une bande de départ d'au moins 300 mm de large est posée en bordure du

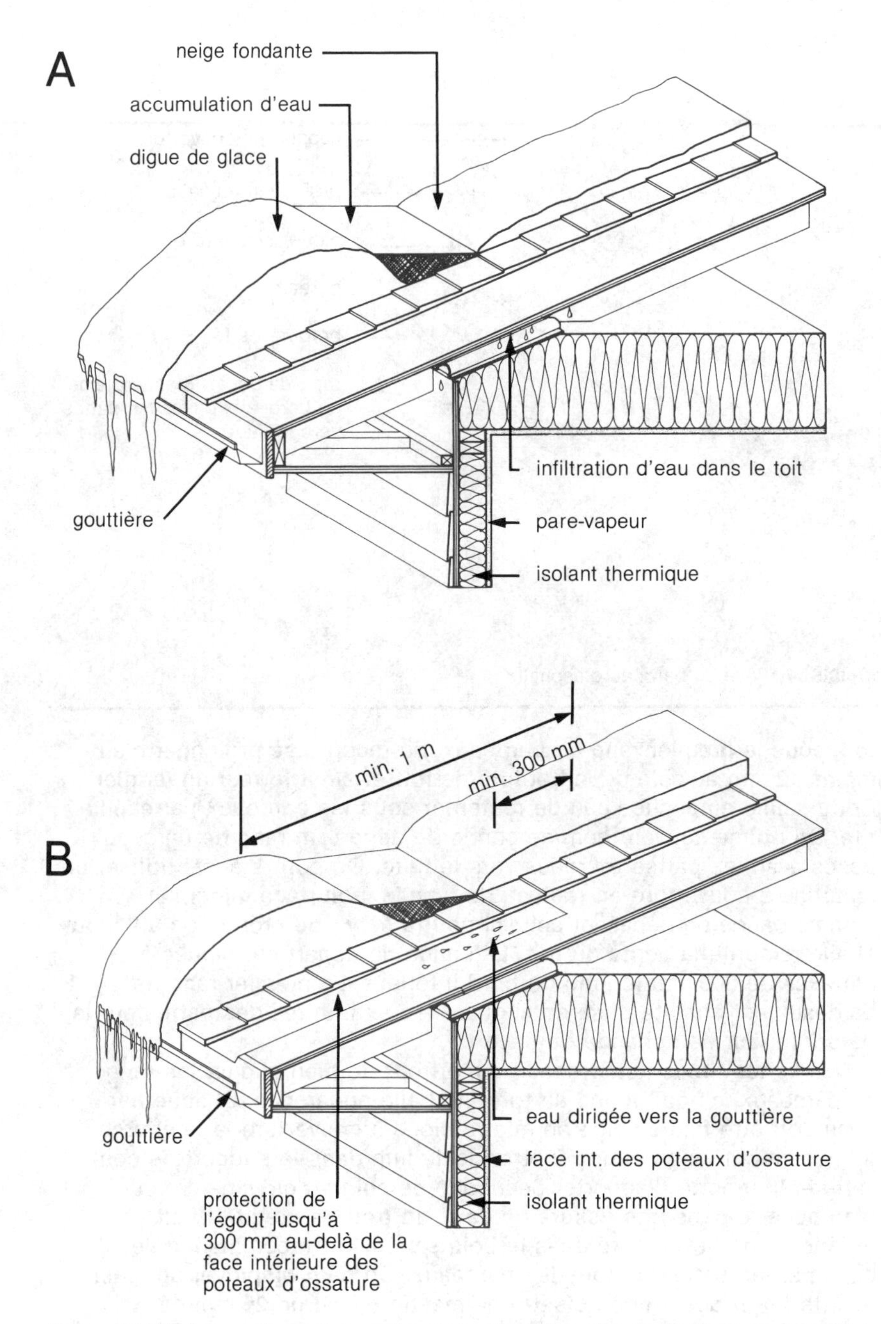

Figure 63. (A) Amoncellement de neige et de glace. Des digues de glace se forment souvent sur le débord de toit et dans les gouttières; l'eau provenant de la neige fondante y est emprisonnée et, en s'accumulant, remonte sous les bardeaux. (B) Le fait de protéger l'égout empêche l'eau retenue par la glace de s'infiltrer dans le toit.

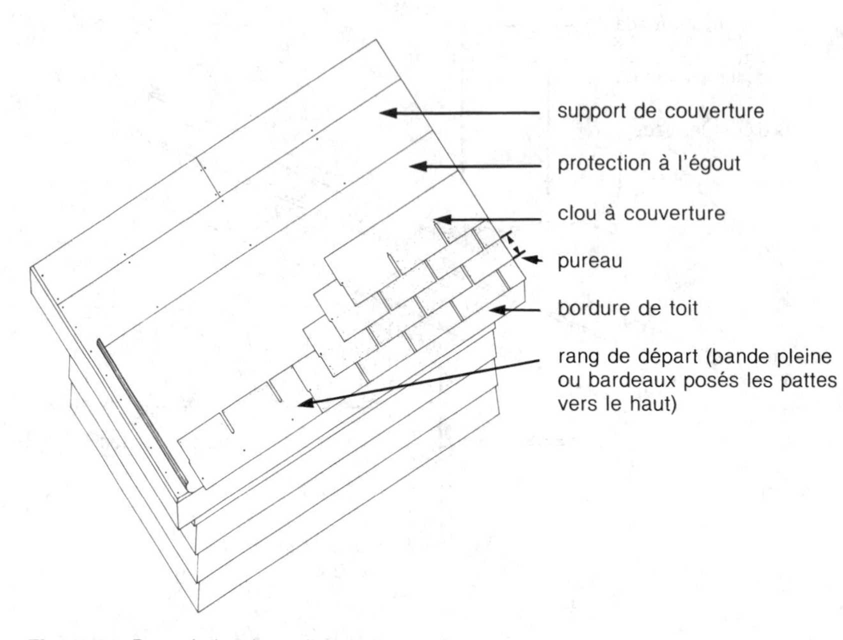

Figure 64. Pose du bardeau d'asphalte.

toit, sous le premier rang de bardeaux, de façon à se prolonger d'au moins 12 mm au-delà de la bordure de toit et ainsi former un larmier. Cette saillie empêche l'eau de remonter sous les bardeaux par capillarité. On utilise souvent comme bande de départ un rang de bardeaux posés avec les pattes tournées vers le faîte. On pourra aussi utiliser un matériau à couverture en rouleau de type M (à surface minérale) comme bande de départ et celle-ci pourra servir de protection à l'égout si elle remonte la pente du toit. La bande de départ est clouée à entraxes de 300 mm le long du bord inférieur. Le premier rang de bardeaux est ensuite posé en alignant les extrémités des pattes sur le bord inférieur de la bande de départ.

Des lignes tirées au cordeau permettront de bien aligner les rangs de bardeaux, ce qui donne au toit une belle apparence. Chaque bardeau doit être fixé à l'aide de quatre clous à couverture, à tête large, suffisamment longs pour pénétrer de 12 mm dans le support de couverture. Il importe d'apporter beaucoup de soin au clouage. Lorsqu'un clou pénètre dans une fissure ou dans un trou de nœud, il faut en enfoncer un autre à côté dans le bois sain. Il est recommandé de cimenter les pattes de tous les bardeaux. On peut employer du mastic à cette fin et poser une noisette de mastic d'environ 25 mm de diamètre sous le centre de chacune des pattes. La plupart des bardeaux sont pourvus d'une bande adhésive sous les pattes. Les bardeaux à emboîtement ou de type particulier doivent être posés conformément aux directives du fabricant.

Bardeaux d'asphalte sur pentes de 1:6 à moins de 1:3 Il convient de prendre des précautions supplémentaires pour assurer l'étanchéité des toits à pente douce. Exception faite des deux premiers rangs, la totalité du toit doit comporter trois épaisseurs de bardeaux, y compris les arêtes et le faîte. Pour y arriver, il faut que le pureau ne soit pas plus grand que le tiers de la hauteur du bardeau. On commence d'abord par poser une bande de départ de la même façon que pour les toits plus inclinés, cette fois sur un lit continu de mastic d'au moins 200 mm de largeur. Le premier rang de bardeaux est ensuite collé à la bande de départ à l'aide d'une bande de mastic qui est au moins 100 mm plus large que le pureau du bardeau. On utilisera par exemple une bande de mastic de 250 mm de large pour un pureau de 150 mm. Les rangs de bardeaux suivants sont posés sur une bande de mastic de 50 mm plus large que le pureau, soit une bande de 200 mm pour un pureau de 150 mm.

Pour éviter de maculer de mastic la partie exposée des bardeaux, on pose cette bande de mastic entre 25 et 50 mm au-dessus de la ligne de pureau de chaque rang de bardeaux. Chaque bardeau doit être fixé au moyen de quatre clous.

Si on utilise un mastic se posant à froid, on l'appliquera à raison d'environ 0,5 L/m² de joint collé. Le mastic se posant à chaud doit être appliqué à raison d'environ 1 kg/m² de joint. Cette technique ne vaut que pour les pentes de moins de 1:4 puisqu'on peut se procurer des bardeaux spéciaux suffisamment longs pour donner les trois épaisseurs requises pour les pentes de 1:4 à 1:6.

Bardeaux de sciage Les bardeaux de sciage communément utilisés pour les maisons sont des catégories nº 1 et nº 2. Le cèdre rouge et le cèdre blanc sont les deux essences de bois utilisées pour les bardeaux parce que leur bois de cœur est particulièrement résistant à la pourriture et peu sujet au retrait. La largeur des bardeaux de sciage varie 75 à 350 mm.

La *figure 65* illustre la bonne façon de poser les bardeaux de sciage. Comme pour les bardeaux d'asphalte, il n'est habituellement pas nécessaire d'installer une couche de pose ou un feutre à couverture. On doit toutefois prévoir une couche de protection à l'égout, comme décrit précédemment. On trouvera au *tableau 31* le pureau maximal des bardeaux de sciage.

Le premier rang doit comporter deux épaisseurs de bardeaux placés de manière que les bardeaux supérieurs recouvrent les joints du rang d'en dessous et que les deux épaisseurs débordent d'environ 25 mm la bordure de toit. De cette façon, l'eau ne pourra remonter sous les bardeaux. Les bardeaux doivent être posés à 6 mm les uns des autres afin de tenir compte du gonflement lorsqu'ils sont humides. Les joints entre bardeaux doivent être décalés d'au moins 38 mm d'avec ceux du rang sous-jacent. Les joints des rangs successifs doivent également être décalés de façon qu'un joint d'un rang ne soit pas vis-à-vis les joints des deux rangs inférieurs.

On fixe chaque bardeau avec deux clous seulement, à 38 mm

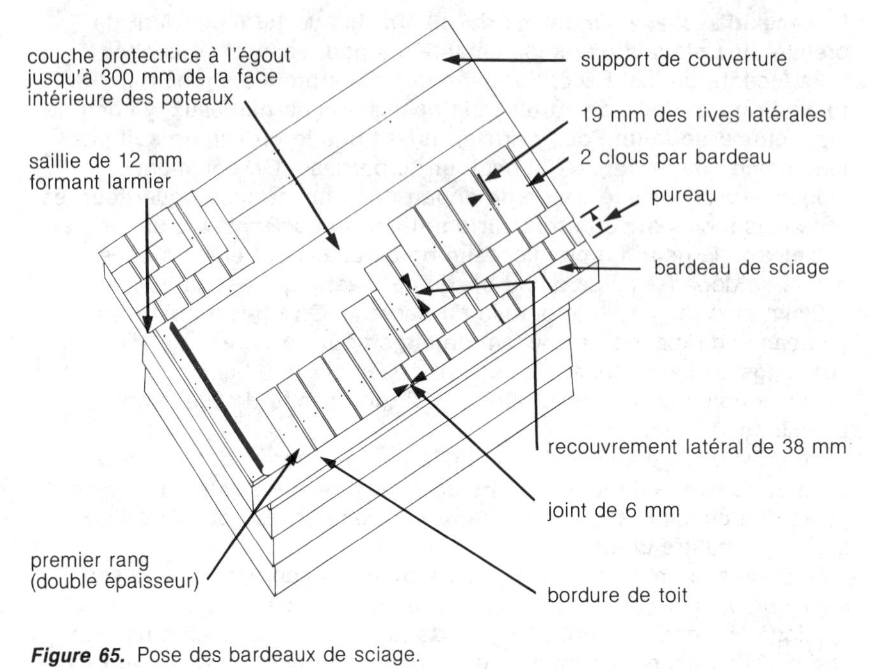

Figure 65. Pose des bardeaux de sciage.

au-dessus de la ligne de pureau et à 19 mm des rives latérales. Par exemple, pour un pureau de 125 mm, les clous doivent être enfoncés à 163 mm du bord inférieur du bardeau. Les bardeaux sont fixés à l'aide de clous galvanisés par immersion à chaud ou protégés autrement contre la corrosion. Les bardeaux débités sur dosse de plus de 200 mm de largeur sont souvent fendus et cloués comme s'il s'agissait de deux bardeaux, de façon à prévenir les problèmes de voilement.

Bardeaux de fente Les bardeaux de fente en cèdre se posent sur un support de couverture jointif ou non. Comme support non jointif *(Fig. 61 A)*, on utilise des liteaux de 19 × 89 mm ou plus larges dont l'entraxe est égal au pureau, sans toutefois dépasser 250 mm. Dans les régions sujettes aux rafales de neige, il est recommandé d'utiliser un support de couverture jointif.

La longueur de pureau a son importance. En règle générale, il est recommandé de prévoir un pureau de 190 mm pour les bardeaux de 450 mm et un pureau de 250 mm pour les bardeaux de 600 mm. La pente minimale recommandée pour les bardeaux de fente est 1:3.

Une bande de feutre à couverture n° 15 de 900 mm de largeur doit être posée sur le support de couverture à l'égout. Le rang de départ doit être doublé; on pourra le tripler pour accentuer la texture de la couverture. Le rang inférieur peut être constitué de bardeaux de 380 mm ou de 450 mm, les premiers étant faits spécifiquement à cette fin.

Après avoir posé un rang de bardeaux, on doit en recouvrir la partie supérieure d'une bande de feutre à couverture nº 15 de 450 mm de largeur, qui se prolonge donc sur le support de couverture. Le bord inférieure de cette bande doit se trouver au-dessus du bord inférieur du bardeau à une distance égale au double du pureau. Par exemple, dans le cas de bardeaux de 600 mm posés avec un pureau de 250 mm, ce feutre doit être posé à partir de 500 mm au-dessus du bord inférieur des bardeaux. Ainsi, le feutre recouvrira les bardeaux sur une largeur de 100 mm à leur partie supérieure et se prolongera d'environ 350 mm sur le support le couverture *(Fig. 66).* Les bardeaux doivent être espacés d'environ 6 mm. Les joints latéraux doivent être décalés de 40 mm par rapport à ceux des rangs adjacents. Si on utilise des bardeaux à faces parallèles, on doit poser vers le faîte l'extrémité à partir de laquelle le fendage s'est fait, parce qu'elle est plus lisse.

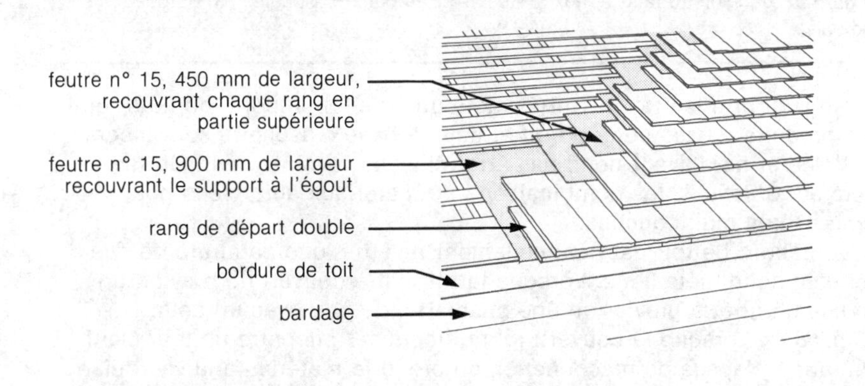

Figure 66. Pose des bardeaux de fente.

Finition au faîte et aux arêtes Le mode de finition le plus courant est illustré à la *figure 67 A.* Des carrés de bardeaux d'asphalte (le tiers d'un bardeau ordinaire) sont posés au faîte ou sur les arêtiers, puis fixés par clouage dissimulé. Les bardeaux se recouvrent comme pour le reste du toit. Il est bon d'orienter les bardeaux de façon s'assurer la protection maximale contre les vents dominants.

Dans le cas des bardeaux de bois, on pose des bardeaux de 150 mm de largeur qui se recouvrent alternativement à leur rive latérale supérieure. Le clouage est également dissimulé *(Fig. 67 B).* Un solin est parfois utilisé sous les bardeaux de bois, ou faîte.

Couvertures multicouches Les couvertures multicouches sont posées par des entreprises spécialisées. Elles peuvent compter trois couches ou plus de feutre à couverture. Chacune de ces couches est enduite de goudron ou d'asphalte posé à la vadrouille, la surface définitive étant recouverte du même matériau. La surface est ensuite recouverte de gravillons noyés dans le goudron ou l'asphalte, ou d'un revêtement de protection. Ce recouvrement donne du poids à la couverture et la

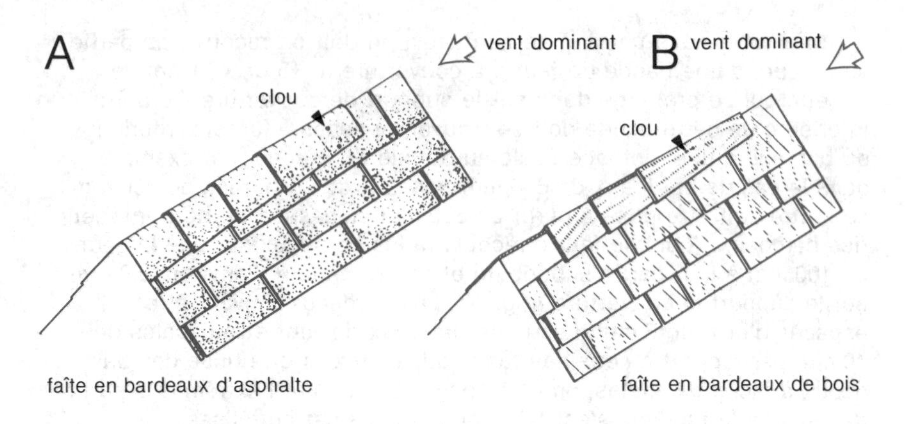

Figure 67. Finition au faîte et aux arêtes. (A) Bardeaux d'asphalte. (B) Bardeaux de bois.

protège contre les rayons ultraviolets du soleil. Il importe de noter que les produits à base de goudron et ceux à base d'asphalte sont incompatibles et ne doivent donc pas être utilisés conjointement. On trouvera au *tableau 32* les combinaisons de matériaux autorisées pour les couvertures multicouches.

Le débord de toit est habituellement revêtu d'une garniture de rive ou d'un solin métallique. Lorsque le toit est recouvert de gravier, on utilise un arrêt à gravier ou une chanlatte, de pair avec un solin *(Fig. 68 A)*. Lorsque la couverture multicouche rencontre un mur (sauf un mur à placage de maçonnerie), on étend le matériau à la vadrouille sur la chanlatte en remontant jusqu'à 150 mm au moins sur le mur. Le papier de revêtement mural et le bardage viennent ensuite recouvrir la membrane d'étanchéité *(Fig. 68 B)*.

Lorsque la couverture multicouche rencontre un mur à parement de maçonnerie, la membrane d'étanchéité doit remonter de la même façon sur le mur. Un contre-solin doit être encastré d'au moins 25 mm dans les joints de mortier et descendre sur au moins 150 mm le long du mur, en recouvrant la membrane d'étanchéité d'au moins 100 mm.

On peut également utiliser des membranes monocouches sur les toits plats. Celles-ci sont habituellement constituées de divers matériaux synthétiques qui résistent bien aux cycles gel-dégel et aux effets nocifs de l'ozone et des rayons ultraviolets. Ces membranes sont relativement simples à mettre en œuvre, mais sont rarement utilisées sur les petits toits caractéristiques de la construction à ossature de bois.

Couvertures métalliques Les tôles à couverture sont fabriquées en largeurs de 762 mm à 914 mm, selon le profil des ondulations et selon les longueurs exigées par le constructeur. Elles sont vendues avec tous les accessoires nécessaires à l'exécution des divers détails du toit, comme les couvre-joints d'arêtier, solins de noue, bandes de

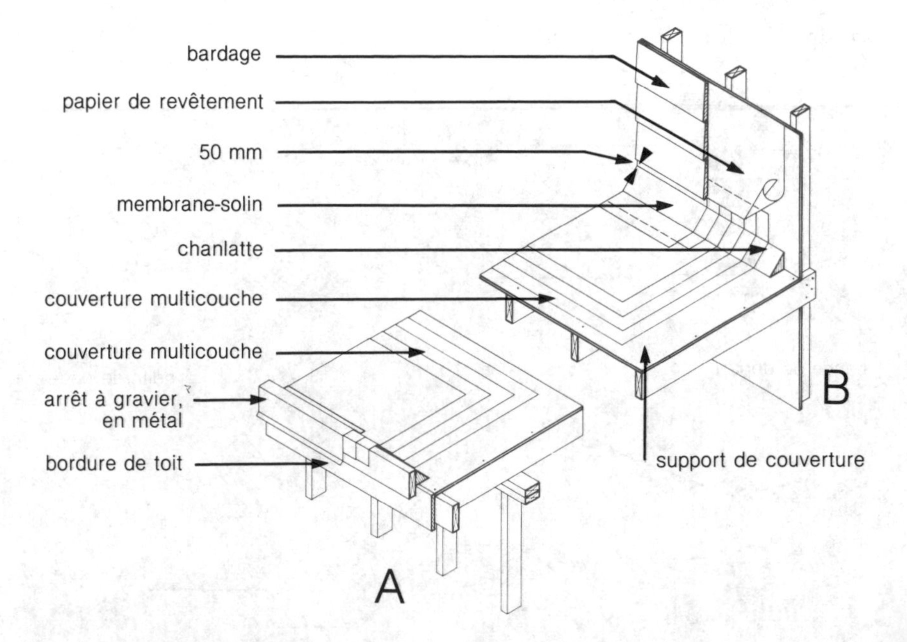

Figure 68. Couverture multicouche. (A) Solin et larmier au débord de toit. (B) Jonction d'une couverture multicouche et d'un mur couvert d'un bardage.

---

départ et bordures *(Fig. 69)*. La méthode de pose classique comporte l'utilisation de liteaux en bois de 19 × 89 mm posés perpendiculairement aux chevrons à au plus 400 mm entre axes. On peut aussi utiliser des pannes jointives de 38 × 89 mm qui procurent une meilleure fixation et un fond de clouage plus solide. Chaque joint d'extrémité doit être supporté. L'épaisseur des tôles, d'aluminium ou d'acier, dépend des surcharges de neige applicables, mais ne doit pas être inférieure à 0,33 mm pour l'acier galvanisé et 0,48 mm pour l'aluminium. On trouvera dans la documentation des fabricants l'épaisseur requise selon certaines surcharges de neige spécifiques.

Couvertures en tuiles de béton ou d'argile Si l'on songe à faire usage de tuiles de béton ou d'argile, il importe de se rappeler qu'elles sont considérablement plus lourdes que les autres matériaux de couverture et qu'on doit en tenir compte dans le calcul des chevrons ou des fermes destinés à en supporter le poids. On consultera un ingénieur qui fera les calculs nécessaires. Les imitations de tuiles de couverture ne requièrent pas normalement d'éléments de charpente particuliers.

linteaux d'une couverture métallique.

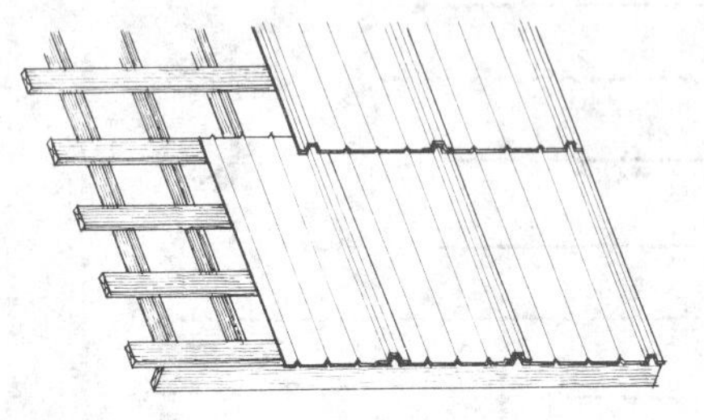

bande de départ

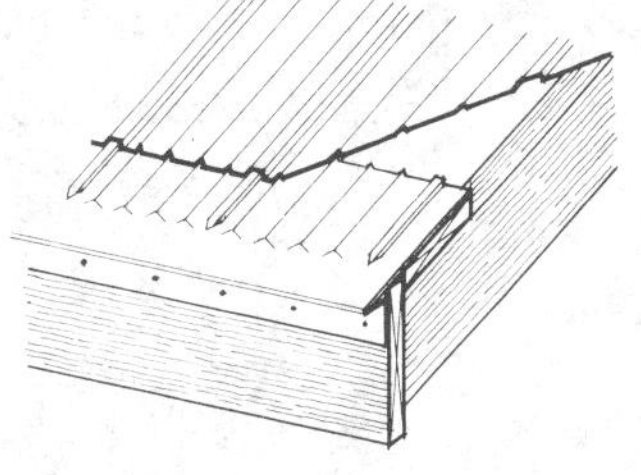

solin de noue

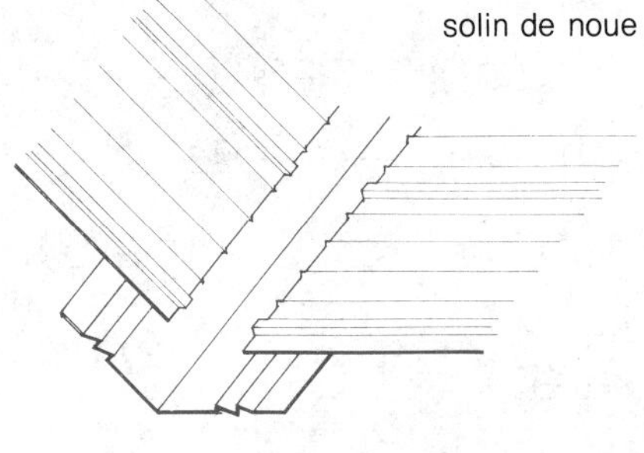

faîtage

couvre-joint d'arêtier

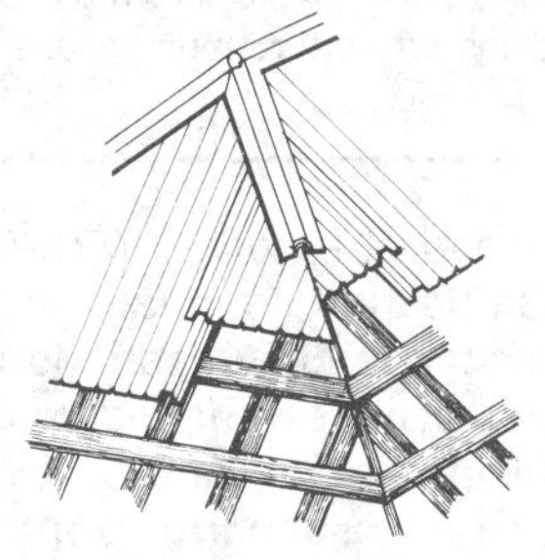

solin mural d'extrémité

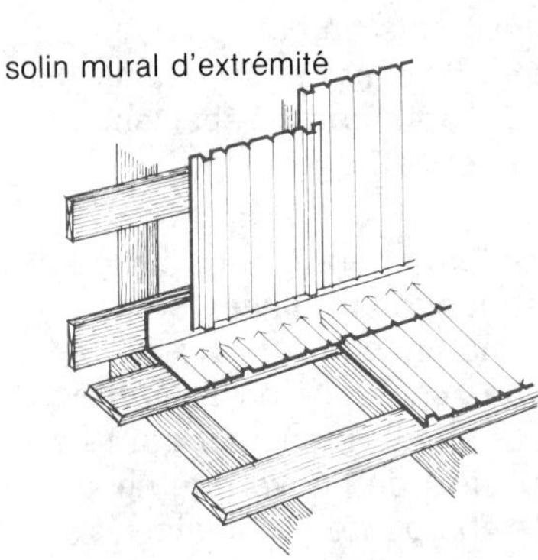

solin mural latéral

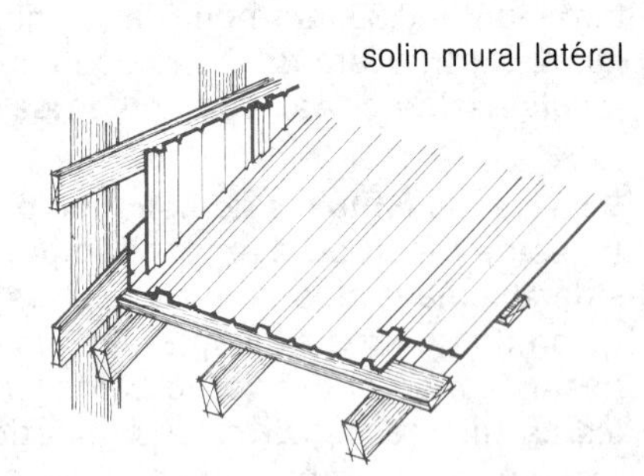

Figure 69. Détails d'une couverture métallique.

Revêtement intermédiaire et bardage

Le revêtement intermédiaire est posé directement sur la face externe des éléments structuraux. Ce revêtement procure un fond de clouage pour certains types de bardage et un appui pour d'autres. Il contribue également à raidir l'ossature, bien que dans la plupart des cas, les revêtements intérieurs de finition suffisent à cet égard. Les revêtements intermédiaires isolants ne procurent pas un raidissement satisfaisant; il faut, dans ces cas, utiliser des écharpes de bois ou de métal encastrées dans les éléments d'ossature. On doit poser un revêtement intermédiaire sur les murs pignons et les autres murs dont le bardage nécessite un appui continu.

Il existe plusieurs types de revêtement intermédiaire : panneaux de fibres, plaques de plâtre, contreplaqué, panneaux de copeaux, isolant rigide et bois de construction. Le *tableau 33* précise les divers types de revêtements intermédiaires et l'épaisseur minimale qu'ils doivent avoir pour assurer un appui suffisamment solide pour la pose des matériaux de finition extérieure.

Types et pose des revêtements intermédiaires

Les *panneaux de fibres* doivent avoir au moins 11,1 mm d'épaisseur si les poteaux sont posés à entraxes de 600 mm, et 9,5 s'ils sont posés à entraxes de 400 mm. On les trouve en feuilles de 1,2 m de largeur sur 2,4 m de longueur habituellement. Ils sont généralement imprégnés d'un produit bitumineux hydrofugeant.

Les *plaques de plâtre* consistent en une âme de plâtre recouverte sur ses deux faces d'un revêtement de papier traité. Elles doivent avoir au moins 12,7 mm d'épaisseur si les poteaux sont posés à entraxes de 600 mm, et 9,5 mm s'ils sont posés à entraxes de 400 mm. On trouve les plaques de plâtre en panneaux de 1,2 m × 2,4 m. Les plaques se clouent à l'horizontale sur les éléments de charpente.

Le *contreplaqué* doit être de type extérieur, c'est-à-dire dont les plis sont collés à l'aide d'un adhésif hydrofuge. Le type le plus courant, la qualité « revêtement intermédiaire », n'est pas poncé et peut contenir quelques nœuds. Il doit mesurer au moins 7,5 mm d'épaisseur si les poteaux sont posés à extraxes de 600 mm, et 7,5 mm (ou 6 mm en qualité « poncé ») s'ils sont posés à entraxes de 400 mm au plus. Les feuilles mesurent 1,2 m de largeur et habituellement 2,4 m de longueur.

Les *panneaux de copeaux* sont constitués de copeaux de bois collés les uns aux autres à l'aide d'un adhésif. Les feuilles mesurent 1,2 m de largeur et habituellement 2,4 m de longueur. L'épaisseur minimale doit être de 7,9 mm si les poteaux sont posés à entraxes de 600 mm au plus, et de 6,35 mm s'ils sont posés à entraxes de 400 mm au plus. Les panneaux de copeaux se posent exactement comme le contreplaqué.

Les revêtements intermédiaires en panneaux, comme les panneaux de fibres, le contreplaqué et les panneaux de copeaux se posent généralement à la verticale. Ils sont cloués aux sections d'ossature murale au moment où celles-ci sont assemblées à l'horizontale. De cette façon, les panneaux contreventent les sections de mur, et la maison se trouve fermée, sans échafaudages, dès que l'ossature est terminée. Il arrive même souvent que les baies de fenêtres soient recouvertes par les panneaux et qu'elles ne soient découpées qu'après l'arrivée des fenêtres sur le chantier.

On peut aussi poser les panneaux à l'horizontale. Les joints verticaux doivent alors être décalés dans la mesure du possible.

On doit laisser un jeu d'au moins 2 à 3 mm entre les feuilles afin de leur permettre de se dilater sans bombement. Les panneaux sont cloués à l'ossature à entraxes de 150 mm aux rives et de 300 mm aux appuis intermédiaires *(Fig. 70)*.

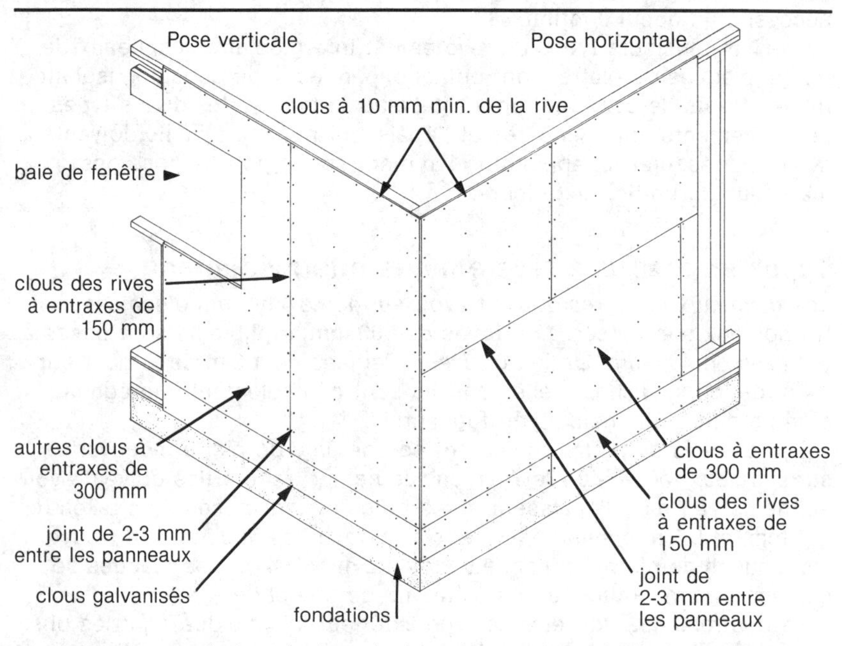

Figure 70. Pose verticale et horizontale du revêtement intermédiaire en panneaux.

Les *revêtements isolants* sont offerts en cinq types. Le premier type est un panneau de fibre de verre semi-rigide, à membrane extérieure hydrofuge mais perméable à la vapeur d'eau. Les quatre autres types sont des panneaux rigides en polystyrène expansé, polystyrène extrudé, polyuréthane ou en résines phénoliques. On les fabrique en différentes épaisseurs et leur valeur isolante par millimètre d'épaisseur varie d'un produit à l'autre.

Les revêtements intermédiaires isolants se posent comme tout autre revêtement en panneaux, en utilisant toutefois des clous spéciaux à tête large. On préfère les poser avant de mettre les sections murales en position verticale à cause de leur légèreté et, pour certains types de panneaux, de leur fragilité; même un vent relativement léger peut en rendre la pose difficile en position verticale. On ne doit pas obturer les joints entre panneaux de mousse rigide; toutefois, le revêtement en panneaux de fibre de verre rigides à membrane perméable à la vapeur d'eau peut s'avérer un pare-air efficace lorsque les joints sont recouverts d'un ruban adhésif approprié.

Il existe deux façons de poser un revêtement intermédiaire jusqu'à la lisse d'assise des fondations. Ou bien l'on descend les panneaux jusqu'à la lisse d'assise et l'on remplit ensuite le vide ainsi laissé à la partie supérieure, ou bien l'on utilise de grands panneaux de 2,74 m de longueur, s'il est possible d'en trouver chez son fournisseur, afin de recouvrir tout le mur jusqu'à la lisse d'assise d'un seul tenant. Cette dernière façon de procéder a l'avantage d'accroître la rigidité de l'ossature tout en réduisant les infiltrations d'air.

Le *revêtement intermédiaire en bois de construction*, qui ne doit pas mesurer moins de 17,5 mm d'épaisseur, est habituellement fait de planches de 140 à 286 mm de largeur. Les planches ont leurs champs (faces étroites) simplement dressés, ou alors feuillurés pour un assemblage à mi-bois, ou encore bouvetés pour un assemblage à rainure et

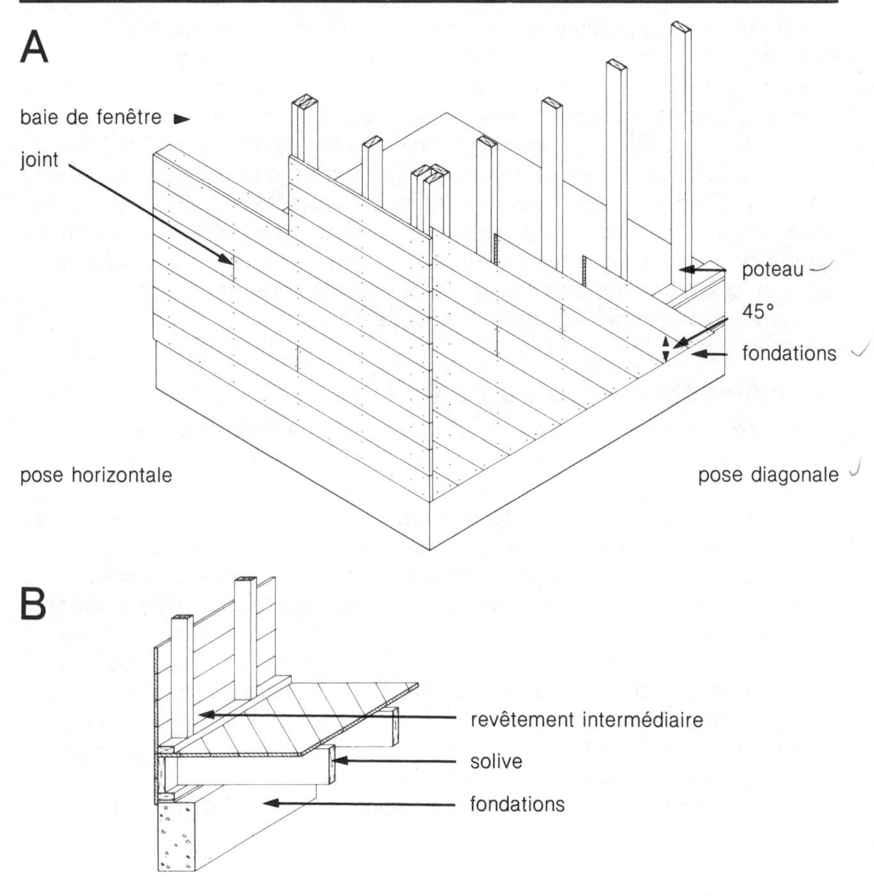

Figure 71. Pose du revêtement intermédiaire en bois de construction. (A) horizontale et diagonale; (B) en partant du mur de fondation.

languette. Elles sont fixées à chacun des poteaux à l'aide de deux clous si elles ont 140 ou 184 mm de largeur et de trois clous si elles ont 235 ou 286 mm. Les joints d'extrémité doivent coïncider avec le centre des appuis et doivent être décalés. Le revêtement intermédiaire en bois de construction peut être posé horizontalement ou en diagonale *(Fig. 71 A)* et doit descendre plus bas que le support de revêtement de sol, jusqu'à la lisse d'assise *(Fig. 71 B)*. La pose en diagonale requiert plus de temps et de matériaux.

Papier de revêtement

Le papier de revêtement doit être hydrofuge mais perméable à la vapeur d'eau. Il sert à opposer une seconde barrière au vent et à la pluie qui pourraient réussir à traverser le parement. Il doit cependant être suffisamment perméable pour que la vapeur d'eau qui aurait pu pénétrer dans le mur à partir de l'intérieur de la maison, à travers les défauts du pare-vapeur et du pare-air, puisse s'échapper. On utilise habituellement une seule épaisseur de papier de revêtement que l'on pose à l'horizontale ou à la verticale, avec recouvrement de 100 mm aux joints. Aux solins horizontaux, la feuille supérieure doit recouvrir la feuille inférieure de façon à diriger l'humidité vers l'extérieur.

Lorsqu'on n'utilise pas de revêtement intermédiaire, il faut prévoir deux couches de papier de revêtement, à moins d'utiliser un bardage constitué de grands panneaux, comme le contreplaqué. On pose les deux couches verticalement, avec recouvrement de 100 mm aux joints qui doivent se faire sur les poteaux. Les deux couches sont fixées solidement aux éléments d'ossature, la couche supérieure avec des agrafes à entraxes de 150 mm le long des rives.

Revêtements extérieurs de finition

Le revêtement extérieur de finition a une grande influence sur l'apparence extérieure de la maison et le coût d'entretien. Il convient donc de le choisir avec soin. Les matériaux les plus courants sont, pour les bardages en forme de planches : le métal, le vinyle, les fibres comprimées et le bois de construction; pour les bardages en panneaux : le contreplaqué et les fibres comprimées. Sont également répandus les bardeaux de sciage et de fente, le stucco et les placages de maçonnerie (brique d'argile ou de béton, blocs de béton et pierre).

Les revêtements susceptibles d'être affectés par l'humidité, comme les planches, le contreplaqué, les panneaux de fibres durs et le stucco doivent être arrêtés à 200 mm au-dessus du sol et à 50 mm de la surface d'un toit adjacent. On trouvera dans le chapitre sur les solins les méthodes recommandées pour la pose des solins au-dessus des fenêtres et des portes et entre les divers types de revêtements extérieurs de finition.

Bardages en métal ou en vinyle On utilise très largement les bardages en métal ou en vinyle. Ceux-ci ne nécessitent à peu près aucun entretien puisqu'ils reçoivent un fini en usine. On les fabrique en formes et modèles variés, plusieurs d'entre eux simulant l'apparence du bardage à clin en bois ou du bardage vertical en planches et couvre-joints verticaux. Les bardages sont conçus et fabriqués de telle façon que seule la partie supérieure d'une planche est clouée et que sa partie inférieure s'emboîte dans la planche inférieure *(Fig. 72 A)*. Les angles intérieurs et extérieurs et les jonctions avec la sous-face du débord de toit, les portes et les fenêtres sont tous finis à l'aide de menuiseries conçues spécialement à cet effet. La mise en œuvre se fait habituellement comme pour les autres types de bardages de 150 à 200 mm de largeur.

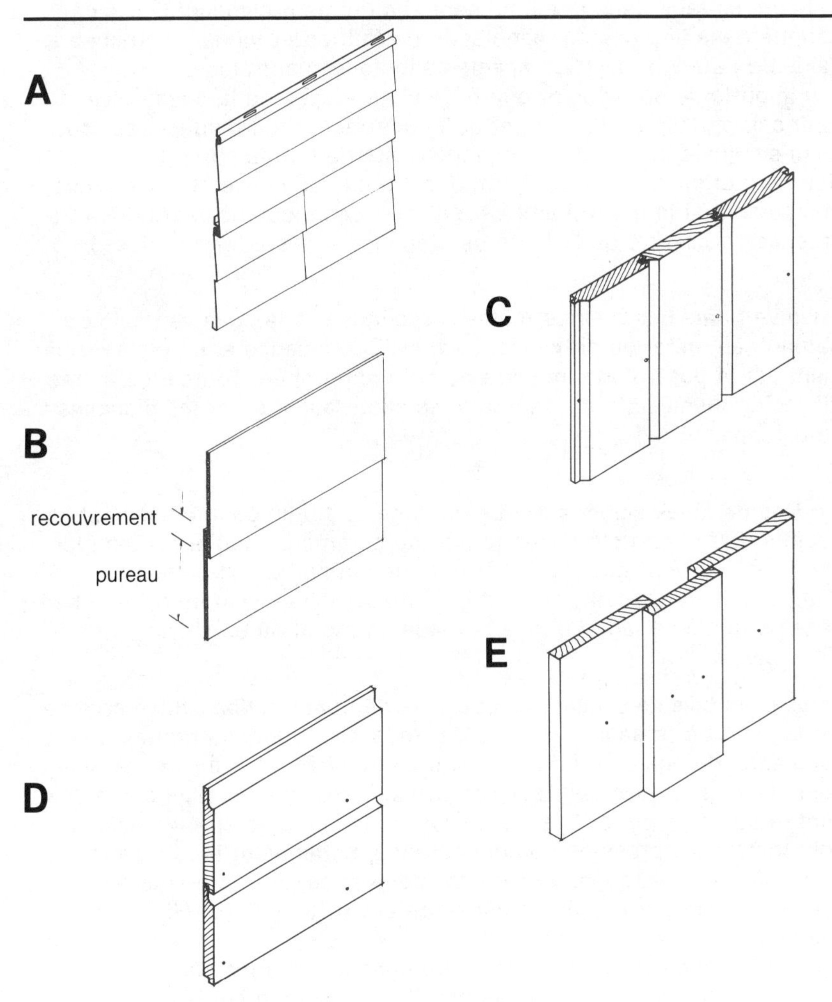

Figure 72. Types de bardages. (A) Aluminium ou vinyl; (B) à clin; (C) à rainure et languette, avec joints en v; (D) à mi-bois; (E) planche-sur-planche.

Pose horizontale On recouvre le mur d'un papier de revêtement comme décrit précédemment. Dans les régions côtières humides, il est recommandé de poser des fourrures sur le mur afin de ménager ainsi une protection contre la pluie, en laissant une lame d'air qui facilite le séchage. On commence par tirer une ligne horizontale au cordeau autour de la maison pour déterminer l'emplacement de la bande de départ que l'on place habituellement à au moins 150 à 200 mm au-dessus du niveau définitif du terrain. Les menuiseries de finition des angles, fenêtres, portes et ouvertures sont d'abord posées et les bandes de départ sont ensuite fixées. On applique enfin le bardage en rangs successifs jusqu'à la sous-face du débord de toit.

Les joints à recouvrement des planches consécutives doivent être décalés de plus de 600 mm d'un rang à l'autre et le recouvrement doit toujours se faire dans le même sens. La dernière planche d'un rang pénètre dans la pièce de menuiserie de finition et lui est accrochée à l'aide de pattes de fixation spéciales installées sur place.

Il importe de se rappeler que toutes les étapes de la pose doivent tenir compte de la dilatation et de la contraction du bardage, surtout celui en vinyle, à la suite de changements de température. La dilatation peut atteindre de 6 à 12 mm dans le cas du vinyle; il y aura alors bombement si le mouvement est entravé. Les clous doivent donc être enfoncés au centre de la fente de clouage, et pas à fond.

Pose verticale Les mêmes règles s'appliquent à la pose verticale du bardage en métal ou en vinyle. Le travail commence à un angle du bâtiment par la pose d'une moulure de coin appropriée. Toutes les autres pièces de menuiserie de finition s'installent aussi avant les planches de bardage.

Bardage de fibres comprimées Le bardage de fibres comprimées est apprêté ou fini en usine dans toute une gamme de couleurs. Les planches sont souvent munies, à l'arrière, de languettes de plastique *(Fig. 73)* qui leur servent de dispositif d'accrochage. On installe ce bardage de la même façon que le bardage en métal ou en vinyle.

Bardage en bois de construction Le bois de construction utilisé comme bardage doit être sain et exempt de trous de nœuds, de nœuds non adhérents, de gerces ou de fentes. Il est souhaitable qu'il se travaille bien et ne gauchisse pas facilement. Les essences les plus courantes sont le cèdre, le pin et le séquoia. On utilise de plus en plus aussi le bois traité sous pression comme bardage, notamment le pin. La teneur en humidité du bardage, au moment de la pose, doit être équivalente à celle qu'il aura par la suite, c'est-à-dire entre 12 et 18 p. 100, selon le climat.

Dans les climats humides, tels que dans les régions côtières du Canada, on laisse souvent une lame d'air derrière le bardage afin de prévenir la pénétration de l'eau et d'écarter l'humidité du mur par venti-

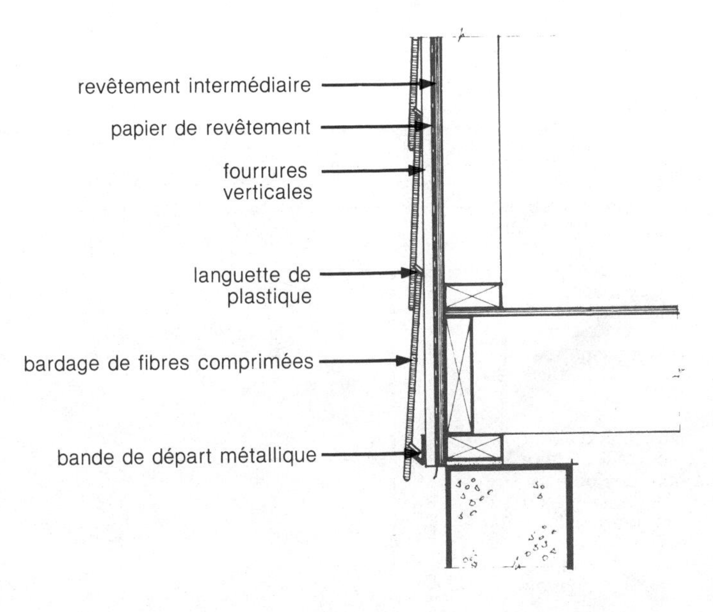

Figure 73. Bardage horizontal de fibres comprimées.

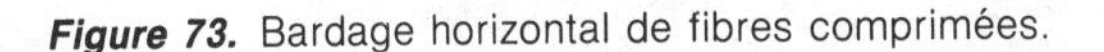

lation. À cette fin, on pose le bardage sur des fourrures clouées aux poteaux par-dessus le papier de revêtement.

Pose horizontale La pose du bardage à clin en bois de construction *(Fig. 72 B)* débute habituellement par le calage du rang de planches le plus bas sur une fourrure de 6 mm d'épaisseur, comme indiqué à la *figure 74 B*. Habituellement, les planches des rangs suivants recouvrent la rive supérieure des planches du rang précédent d'au moins 25 mm. Il importe de bien prévoir l'espacement vertical des planches avant d'entreprendre la pose. Pour calculer l'espacement ou le pureau maximum des planches, on déduit de leur largeur le recouvrement minimum (25 mm). En connaissant le pureau maximum, ou peut déterminer le nombre de rangs à poser entre le bord inférieur du rang le plus bas et la sous-face du débord de toit. Il est donc possible que le pureau soit inférieur au maximum admissible. Dans la mesure du possible, la rive inférieure de la planche placée juste au-dessus d'une fenêtre doit coïncider avec le dessus de celle-ci *(Fig. 74 A)*.

Le bord épais d'une planche de bardage à clin doit avoir au moins 12 mm d'épaisseur pour des largeurs de 89, 114, 140 et 184 mm, et de 14,3 mm pour des largeurs de 235 et 286 mm. Le bord mince ne doit pas avoir moins de 5 mm.

Les planches de bardage à mi-bois ou à rainure et languette doivent mesurer au moins 14,3 mm d'épaisseur et pas plus de 184 mm de lar-

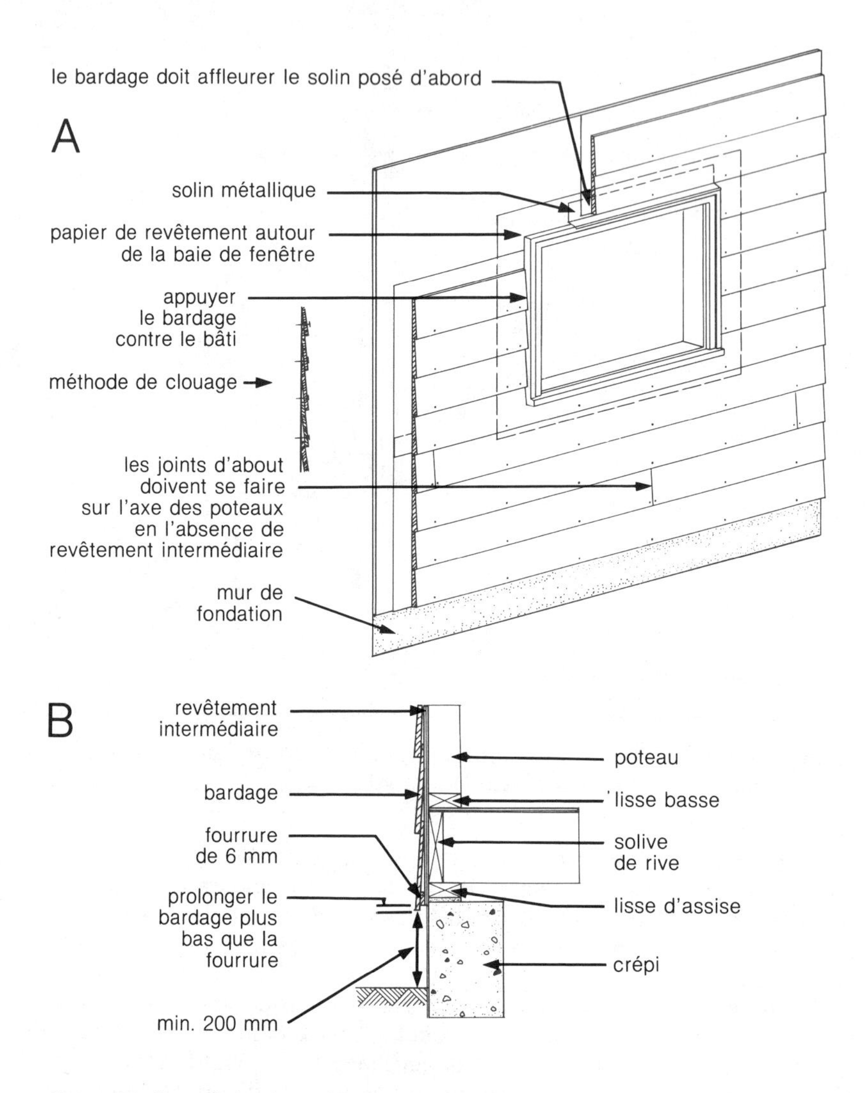

Figure 74. Pose du bardage. (A) Pose proprement dite. (B) Rang de départ.

geur. On les trouve dans une vaste gamme de motifs. La *figure 72 D* illustre un modèle courant de bardage à mi-bois.

Les joints d'about des planches de bardage à clin ou à mi-bois doivent, dans la mesure du possible, être décalés d'un rang à l'autre. Ils doivent se faire sur les poteaux. Les planches doivent être soigneusement taillées de façon à être en contact étroit avec les autres planches et pièces adjacentes. Leurs extrémités doivent être scellées; les joints lâches permettent en effet à l'eau de s'infiltrer derrière le bardage et, ainsi, de détériorer la peinture autour des joints et d'accélérer la pourriture des extrémités des planches. Une bonne façon de sceller les joints consiste à poser un mince cordon de mastic ou de pâte à calfeutrer à l'extrémité de chaque planche après l'avoir clouée et de presser la planche suivante contre ce produit. Il suffit ensuite d'enlever l'excédent pour obtenir un joint étanche très propre. On peut procéder de la même façon pour les joints qui se présentent ailleurs comme aux menuiseries de finition des portes et fenêtres.

Le bardage à clin ou à mi-bois doit être fixé par clouage droit aux poteaux ou aux planches du revêtement intermédiaire, la longueur et la grosseur des clous étant déterminées par l'épaisseur du bardage et le type de revêtement intermédiaire utilisés. Une méthode de clouage courante consiste à enfoncer le clou de sorte qu'il passe au-dessus de la planche sous-jacente. (Voir la méthode de clouage illustrée à la *figure 74*.) Cette méthode permet aux planches de se dilater et de se contracter en fonction des variations d'humidité. Les planches ont donc moins tendance à se fissurer que lorsque leurs deux rives sont clouées. Puisque le gonflement et le retrait sont proportionnels à la largeur des planches, cette façon de clouer s'avère davantage importante dans le cas des planches larges.

Pose verticale Les bardages qui peuvent se poser verticalement comprennent les planches bouvetées ordinaires, les planches bouvetées ouvrées, les planches avivées avec couvre-joints, et les planches avivées non jointives recouvertes d'autres planches semblables. Le bardage vertical a habituellement une épaisseur de 14,3 mm; les planches ne doivent pas dépasser 286 mm de largeur. Le bardage peut être fixé à un revêtement intermédiaire en bois de construction de 14,3 mm, en contreplaqué de 9,5 mm ou en panneaux de copeaux de 11,1 mm, à des entretoises de 38 × 38 mm placées à entraxes de 600 mm entre les poteaux ou à des fourrures horizontales. Les fourrures peuvent être en bois de construction de 19 × 64 mm lorsque les poteaux d'ossature sont à entraxes de 400 mm au plus, et de 19 × 89 mm lorsqu'ils sont à entraxes de 600 mm au plus. Les joints d'about doivent être coupés à onglet afin d'empêcher l'eau d'y pénétrer.

Lorsqu'on utilise la méthode dite « planche sur planche » *(Fig. 72 E)*, les planches posées contre le mur sont habituellement plus larges que celles de recouvrement et sont fixées à l'aide d'une rangée de clous en leur centre. Les planches de recouvrement sont ensuite posées de façon que leur bords recouvrent ceux des planches sous-jacentes d'au moins 25 mm. Ces planches de recouvrement sont fixées au moyen de deux rangées de clous enfoncés légèrement à l'extérieur des planches sous-jacentes. Cette méthode de clouage permet aux planches plus larges de se dilater et de se contracter sans se fendre.

Dans le bardage vertical en planches avec couvre-joints, les planches sont avivées et ne dépassent pas 184 mm de largeur habituellement. Elles sont posées avec un joint d'au moins 6 mm entre elles et sont fixées à l'aide d'une rangée de clous près de leur centre. Le couvre-joint déborde d'au moins 12 mm de chaque côté du joint. Il est fixé avec une rangée de clous enfoncés entre les planches sous-jacentes, ce qui permet à ces dernières de se dilater et de se contracter sans risque de se fendre ou de fendre le couvre-joint. Puisque le couvre-joint sert également à empêcher le soulèvement des rives des planches, les clous qui le retiennent doivent être bien enfoncés et rapprochés.

Les planches bouvetées utilisées comme bardage vertical *(Fig. 72 C)* n'ont généralement pas plus de 184 mm de largeur. La première planche est fixée par clouage droit près de la rainure et par clouage en biais à travers la languette. Les autres planches sont posées à joint serré et clouées en biais à travers la languette. On doit finir le clouage au chasse-clou.

Le coût des clous est bien peu de chose comparé à celui du bardage et de la main-d'œuvre, mais il importe d'en utiliser de bons. Ce serait une économie de bouts de chandelles que d'utiliser des clous de mauvaise qualité et susceptibles de rouiller pour un bardage coûteux destiné à durer de longues années. Les clous protégés contre la corrosion, comme ceux galvanisés à chaud, fixeront le bardage en permanence et ne dégraderont pas la surface peinte. On utilise habituellement des clous à finir ou des clous à bardage. On enfonce les têtes au ras de la surface du bardage et on les recouvre ensuite de peinture. Si on emploie des clous à finir, il faut chasser les têtes sous la surface et remplir ensuite les trous avec du mastic, après la pose de la couche d'impression. La longueur des clous dépend de l'épaisseur du bardage et du type de revêtement intermédiaire utilisés. Les clous doivent être suffisamment longs pour pénétrer d'au moins 25 mm dans le fond de clouage.

Panneaux de contreplaqué On utilise également des panneaux de contreplaqué de type extérieur comme bardage. Ils sont offerts à surface unie ou rainurée et sont habituellement posés à la verticale. Les joints peuvent être en V ou unis, ou recouverts d'une couvre-joint. On peut se procurer un contreplaqué recouvert d'un papier kraft imprégné de résine et collé contre une de ses faces. Ceci permet d'obtenir une surface lisse et hydrofuge qui résiste bien aux gerces et au fendillement après l'application de peinture.

Le contreplaqué posé sur le revêtement d'ossature doit avoir une épaisseur d'au moins 6 mm. On peut également le poser directement sur l'ossature, sans revêtement (avec le fil de face parallèle aux appuis) pourvu qu'il ait au moins 8 mm d'épaisseur si les poteaux sont à entraxes de 400 mm et au moins 11 mm s'ils sont à entraxes de 400 à 600 mm. Lorsque le fil est perpendiculaire aux appuis, l'épaisseur minimale doit être de 6 mm si les poteaux sont à entraxes de 400 mm et de 8 mm s'ils sont à entraxes de 400 à 600 mm.

Une fois les panneaux de contreplaqué taillés et bien ajustés, on doit protéger les rives à l'aide d'un bouche-pores approprié avant de les peindre. Le contreplaqué pourra se dilater librement s'il est posé avec des joints verticaux et horizontaux de 2 à 3 mm entre les panneaux et entre ses joints d'about lorsqu'il est posé en bandes horizontales. Les joints verticaux doivent être remplis de pâte à calfeutrer ou recouverts d'un couvre-joint. Aux joints horizontaux l'étanchéité est assurée par un solin ou par le recouvrement des panneaux sur au moins 25 mm.

Les panneaux doivent être appuyés aux rives et fixés à l'aide de clous protégés contre la corrosion, habituellement de 51 mm. Les clous sont posés à entraxes de 150 mm le long des rives et de 300 mm aux appuis intermédiaires.

Panneaux de fibres durs Les panneaux de fibres durs sont offerts dans une variété de finis et se posent soit sur le revêtement intermédiaire, soit directement sur l'ossature. Dans le premier cas, ils doivent avoir au moins 6 mm d'épaisseur, et au moins 7,5 mm dans le second, si les poteaux d'ossature sont à entraxes d'au plus 400 mm.

Les panneaux se fixent sur l'ossature ou sur son revêtement de planches à l'aide de clous protégés contre la corrosion d'au moins 51 mm. Les clous sont posés à entraxes de 150 mm le long des rives et de 300 mm aux appuis intermédiaires. On doit laisser un jeu d'au moins 5 mm entre les panneaux.

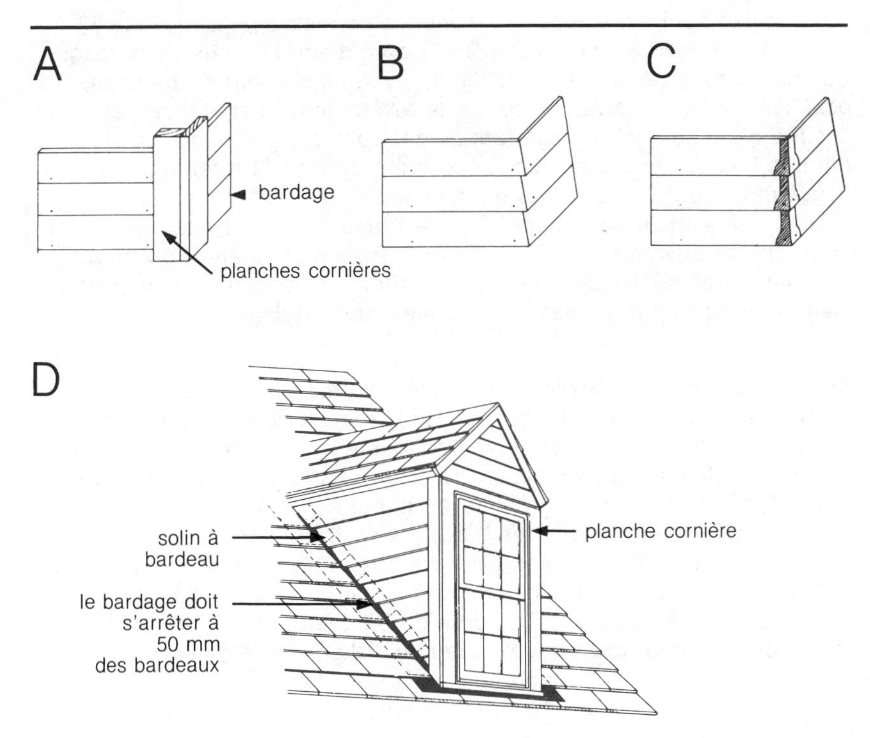

Figure 75. Assemblage du bardage aux angles. (A) Planches cornières. (B) Bardage taillé à onglet. (C) Cornière métallique. (D) Bardage de la lucarne et planches cornières. On peut aussi tailler le bardage à onglet ou utiliser des cornières métalliques aux angles de la lucarne, selon le modèle de maison.

Assemblage du bardage aux angles La façon d'assembler le bardage aux angles peut être influencée par le type de maison. Les planches cornières pourront convenir à certains modèles et les joints à onglet mieux convenir à d'autres.

Dans le cas du bardage horizontal en planches *(Fig. 75)*, les joints à onglet sont les plus répandus, bien que l'on utilise parfois les coins métalliques et les planches cornières.

Les joints à onglet doivent être serrés et bien ajustés sur toute la surface de contact. Pour que le joint à onglet demeure serré, il importe que le bardage soit bien sec lors de la livraison et qu'il soit protégé de la pluie pendant son entreposage à pied d'œuvre. Il arrive souvent, lors de la pose du bardage, qu'on garnisse les joints d'about d'un cordon de pâte à calfeutrer ou de mastic.

Aux angles intérieurs, le bardage est habituellement abouté contre un tasseau cornier de 19 ou de 32 mm, selon l'épaisseur du bardage.

On utilise parfois des coins métalliques *(Fig. 75 C)* au lieu de joints à onglet. Ces éléments sont fabriqués en tôle d'aluminium ou d'acier galvanisé de faible épaisseur. La pose de ces coins requiert moins d'habileté que l'exécution de joints à onglet ou l'ajustage du bardage à une planche cornière.

On utilise habituellement des planches cornières *(Fig. 75 A et D)* avec les bardages à mi-bois et parfois avec d'autres types de bardage. Ces planches mesurent 19 ou 32 mm, selon l'épaisseur du bardage. On pose les planches cornières contre le revêtement intermédiaire et ensuite on appuie le bardage fermement contre leur champ. Les joints entre le bardage et les planches cornières doivent être remplis de pâte à calfeutrer ou de mastic lors de la pose.

Les panneaux de contreplaqué et de fibres durs sont habituellement joints par recouvrement aux angles ou viennent s'abouter contre une planche cornière. Les planches d'un bardage en bois posées verticalement sont aussi jointes par recouvrement aux angles.

Bardeaux de sciage et bardeaux de fente rainurés mécaniquement On utilise parfois les bardeaux de bois et les bardeaux de fente rainurés mécaniquement comme bardage. Il en existe une gamme variée, y compris des bardeaux faits spécialement pour les murs, en longueurs de 400, 450 et 600 mm; ils sont peints ou teints en usine.

On classe habituellement les bardeaux en trois catégories. La première comprend les bardeaux clairs constitués de bois de cœur débité sur maille. La seconde, qui comprend les bardeaux à bout épais clair, tolère certains défauts dans la partie du bardeau qui est habituellement couverte lors de sa mise en œuvre. La troisième catégorie comprend les bardeaux qui comportent des défauts autres que ceux tolérés dans la seconde catégorie; on peut utiliser ces bardeaux pour le rang de fond.

Les bardeaux sont fabriqués en largeurs tout-venant variant de 65 à 350 mm pour la première catégorie; on n'admet qu'une faible portion d'éléments étroits dans la première catégorie. On peut également se procurer des bardeaux de largeur uniforme, de 100, 125 ou 150 mm. Le *tableau 34* illustre les épaisseurs et les pureaux les plus courants pour les bardeaux de sciage et les bardeaux de fente rainurés mécaniquement. Les bardages en bardeaux doivent être posés sur un revêtement intermédiaire de planches, de contreplaqué ou de panneaux de particules.

Lorsqu'on pose les bardeaux en simple épaisseur, les joints d'un rang doivent être décalés d'au moins 40 mm par rapport ceux des rangs contigus et on doit prendre soin de ne pas aligner les joints sur deux ou trois rangs consécutifs.

On peut accentuer le jeu d'ombres en posant les bardeaux en double épaisseur. On peut alors utiliser pour la couche non exposée un bardeau de catégorie inférieure. Le bout épais du bardeau exposé doit dépasser d'au moins 12 mm du rang d'en dessous. La pose en double épaisseur permet d'accroître le pureau. Les joints du rang exposé doivent être décalés d'au moins 40 mm par rapport à ceux du rang d'en dessous.

Les bardeaux doivent être fixés à l'aide de clous protégés contre la corrosion. Les bardeaux ayant jusqu'à 200 mm de largeur ne requièrent que deux clous, et ceux de plus de 200 mm, trois. Les clous doivent être enfoncés à environ 20 mm des rives et à 25 mm au-dessus de la ligne de pureau dans le cas de la pose en simple épaisseur et à 50 mm dans le cas de la pose en double épaisseur.

Stucco Le stucco est habituellement un mélange de ciment Portland et de sable de granulométrie uniforme auquel on ajoute de la chaux hydratée pour le rendre plus plastique. Dans un autre type de stucco, on remplace la chaux hydratée par du ciment à maçonner. Le *tableau 35* indique le dosage de chacun de ces deux mélanges.

Le stucco est posé en trois couches (deux couches de base et une couche de finition) et est maintenu en place à l'aide d'une armature appelée lattis. La couche de finition peut conserver la teinte naturelle du ciment ou être colorée par l'addition de pigments. Si la couche de finition est en gravillons, ceux-ci sont partiellement enrobés dans la seconde couche avant que le ciment n'ait pris; dans ce cas, on n'applique pas de troisième couche.

Le lattis, fait de grillage métallique soudé, à pattes d'espacement, ou de grillage tissé, galvanisé ou recouvert d'un apprêt, est étendu horizontalement sur le papier de revêtement avec un recouvrement d'au moins 50 mm aux joints. Les angles extérieurs sont renforcés par prolongement du lattis de 150 mm sur la face adjacente ou à l'aide d'une bande d'armature posée verticalement et couvrant 150 mm de chaque côté des angles. Il est recommandé de ne pas poser de stucco à moins de 200 mm du niveau définitif du sol, sauf s'il est posé sur un fond de béton ou de maçonnerie.

Le grillage métallique doit être maintenu en place à l'aide d'attaches d'acier galvanisé. Les clous de 3,2 mm de diamètre à tête de 11,1 mm et les agrafes de 1,98 mm d'épaisseur sont tous deux acceptables. Les attaches doivent être espacées de 150 mm verticalement et 400 mm horizontalement ou de 100 mm verticalement et 600 mm horizontalement. On peut disposer les attaches autrement pourvu qu'il y en ait au moins 20 par mètre carré de mur. Lorsque le revêtement intermédiaire n'est pas en planches, en contreplaqué ou en panneau de copeaux, les attaches doivent le traverser et s'enfoncer d'au moins 25 mm dans les éléments d'ossature (poteaux, sablière ou lisse). On peut se passer de revêtement intermédiaire sous le stucco lorsqu'un grillage métallique galvanisé d'un diamètre de 1,19 mm ou plus est fixé horizontalement aux éléments d'ossature à intervalles verticaux de 150 mm ou moins, ou lorsqu'un grillage métallique soudé et doublé de papier est utilisé.

La première couche de stucco doit être pressée contre le lattis, de façon à l'enrober totalement. Elle doit ensuite être amenée, à la truelle, à une épaisseur d'au moins 6 mm mesurée à partir de la face du lattis. La surface doit ensuite être striée afin de faciliter l'accrochage de la deuxième couche. S'il n'y a pas de revêtement intermédiaire, il faut laisser sécher la première couche pendant au moins 48 heures avant d'y appliquer la deuxième.

La première couche est mouillée juste avant de poser la deuxième, pour accroître l'adhérence entre les deux. La deuxième couche, d'au moins 6 mm, est fermement serrée à la truelle contre la surface striée de la première couche.

Lorsque la couche de finition est en gravillons, ceux-ci sont projetés, à l'aide d'une petite pelle, dans le mortier frais de la seconde couche. Pour que les gravillons tiennent bien, il faut que cette opération se fasse sur un mortier encore frais mais suffisamment ferme pour ne pas s'affaisser.

Lorsque la couche de finition n'est pas en gravillons, il faut humidifier la surface du mortier de la seconde couche pendant au moins 48 heures, puis la laisser sécher pendant cinq jours, ou plus longtemps de préférence, avant d'y appliquer la couche de finition. Finalement, après avoir mouillé légèrement cette deuxième couche pour faciliter l'adhérence de la couche de finition, on applique cette dernière qui doit avoir au moins 3 mm d'épaisseur.

Par temps chaud et sec, le stucco frais doit être maintenu humide pour que la cure se déroule bien; par temps froid, on doit tenir chaque couche de stucco à 10° C au moins pendant les 48 heures qui suivent l'application.

Placage de maçonnerie Lorsqu'on utilise un placage de maçonnerie pour les murs au-dessus du sol, l'arase des fondations doit comporter un appui suffisamment large pour pouvoir laisser une lame d'air d'environ 25 mm entre la maçonnerie et le papier de revêtement *(Fig. 76)*. Le solin de base doit partir de la face extérieure du mur, couvrir l'appui et remonter d'au moins 150 mm le long du mur derrière le papier de revêtement. Le placage doit être liaisonné aux poteaux à l'aide d'agrafes métalliques protégées contre la corrosion scellées dans les joints de mortier. Ces agrafes sont habituellement espacées de 800 mm horizontalement et 400 mm verticalement, de 600 mm hori-

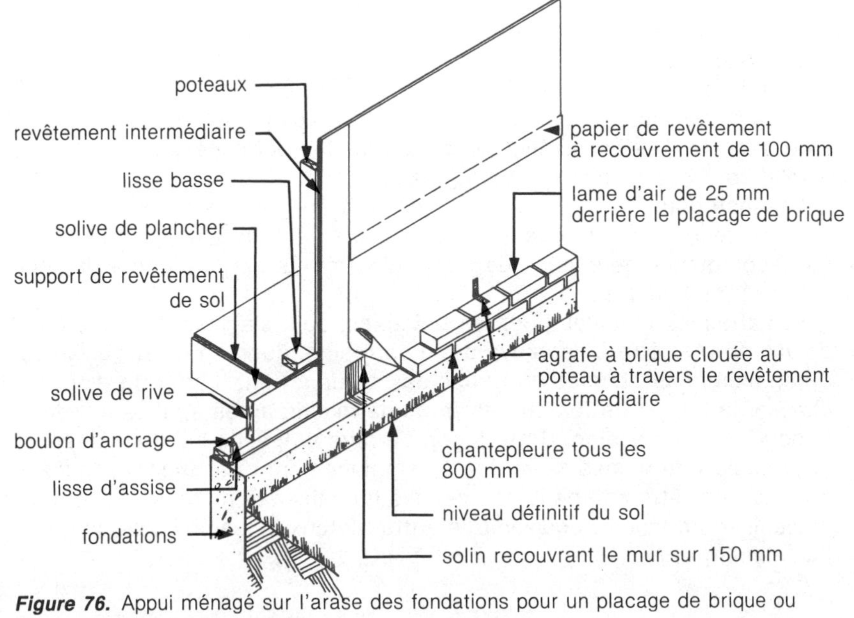

Figure 76. Appui ménagé sur l'arase des fondations pour un placage de brique ou d'un autre type de maçonnerie.

---

zontalement et 500 mm verticalement, ou de 400 mm horizontalement et 600 mm verticalement, selon l'espacement des poteaux.

Des vides à la base du mur, appelés chantepleures, servent à la ventilation et à l'évacuation de l'eau. On les situe dans le rang inférieur du placage de maçonnerie en laissant un joint vertical sans mortier à tous les 800 mm environ.

Le placage de maçonnerie doit avoir une épaisseur d'au moins 90 mm si les joints sont raclés et d'au moins 75 mm s'ils ne le sont pas.

Dans un placage de briques, celles-ci doivent être dures, peu poreuses et susceptibles d'être exposées aux intempéries. Les placages de pierre doivent être constitués de pierres reconnues localement pour leur durabilité.

On doit poser la pierre ou la brique à plein lit de mortier, tout en prenant soin de ne pas laisser tomber de mortier entre le placage et le papier de revêtement, ce qui pourrait avoir pour effet d'empêcher l'air d'y circuler. Les joints extérieurs doivent être lissés afin de résister parfaitement à la pénétration de l'eau. Le dosage du mortier doit être conforme aux prescriptions du *tableau 5*.

On doit protéger du gel la maçonnerie posée par temps froid et ce jusqu'à ce que le mortier ait durci. Il faut maintenir la température de la maçonnerie et du mortier au-dessus de 5° C pendant au moins 24 heures suivant sa mise en œuvre.

Menuiserie et boiseries extérieures

Les menuiseries extérieures (c'est-à-dire les matériaux de finition autres que le bardage) comprennent, entre autres, les boiseries des portes et fenêtres, les revêtements de sous-faces et les bordures de toit. La plupart de ces éléments sont taillés, assemblés et cloués à pied d'œuvre. Les autres éléments, comme les persiennes et les volets, sont habituellement fabriqués en usine.

Les matériaux utilisés à cet effet doivent être faciles à travailler et à peindre, résistants aux intempéries et peu sujets au gauchissement. Il est recommandé de sceller les joints d'extrémité et les joints à onglet exposés à l'humidité.

Les attaches utilisées pour les boiseries, qu'il s'agisse de clous ou de vis, doivent être à l'épreuve de la corrosion, donc en acier galvanisé ou en aluminium. Lorsqu'on utilise des clous à finir, il importe d'en chasser la tête et de remplir les trous de mastic après application de la couche d'impression. Cette façon de faire empêche habituellement la formation de taches de rouille à l'emplacement des clous. Les attaches doivent être compatibles avec les menuiseries métalliques afin de prévenir toute réaction galvanique entre métaux dissemblables, comme l'aluminium et l'acier.

Débords de toit à l'égout

Le débord de toit à l'égout procure une certaine protection au mur extérieur tout en raccordant le toit au mur. Les sous-faces sont habituellement revêtues de panneaux métalliques finis en usine ou de contreplaqué poncé de 6 mm cloué à entraxes de 150 mm le long des rives et de 300 mm aux appuis intermédiaires. Le bardage vient ensuite s'abouter contre le revêtement de la sous-face. On fixe ensuite une bordure de toit au chevron de rive. Celle-ci se prolonge généralement de 12 mm sous le revêtement de la sous-face pour former un larmier. La *figure 77* illustre trois genres de débords de toit courants.

Les toits à pente raide ont parfois un débord de toit étroit *(Fig. 77 A)*. Dans ce cas, les chevrons se prolongent quelque peu au-delà de la sablière et leurs extrémités sont taillées à l'angle voulu pour y fixer le chevron de rive et le revêtement de la sous-face. Celui-ci est cloué à la face inférieure des chevrons taillée à l'horizontale. Lorsque la sous-face mesure moins de 140 mm de largeur, on utilise habituellement une planche de 19 mm comme revêtement, puisqu'elle n'a pas besoin de support le long de ses rives.

Dans le cas d'un débord de toit plus large avec sous-face horizontale, on assemble des tringles de clouage horizontales au pied des chevrons et à une fourrure posée au mur *(Fig. 77 B)*. La fourrure, de 19 mm, est clouée à l'ossature à travers le revêtement intermédiaire. Elle supporte les extrémités intérieures des tringles de clouage et la rive intérieure du revêtement de sous-face. Les tringles de clouage, qui peuvent mesurer 38 × 38 mm, sont habituellement posées à entraxes de 600 mm. Elles sont clouées en biais à la fourrure et fixées par

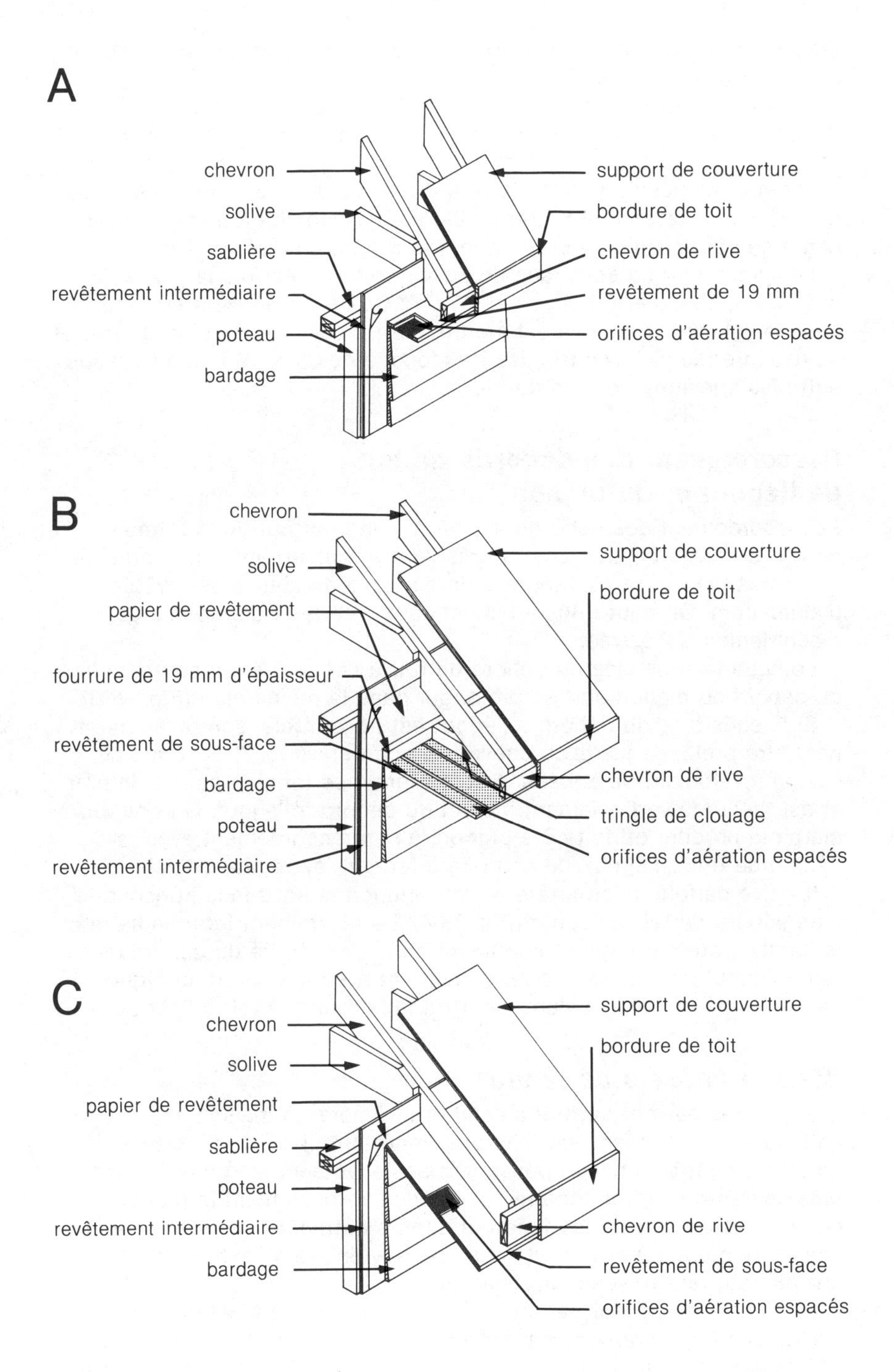

Figure 77. Débord de toit. (A) Étroit. (B) Large avec sous-face horizontale. (C) Large avec sous-face en pente.

clouage droit au chevron de rive. Le revêtement de sous-face et la bordure sont ensuite fixés à l'aide de clous.

Lorsque les tringles de clouage contribuent également à supporter le débord de toit *(Fig. 53)*, on se sert plutôt de pièces de 38 × 89 mm. Les tringles sont alors clouées solidement à la face latérale de chaque chevron et clouées en biais à une fourrure de 38 × 89 mm fixée le long du mur sur le revêtement intermédiaire. En général, on n'emploie ce genre de support que pour les débords de toit d'au plus 1,2 m.

Le revêtement de sous-face de l'avant-toit suit parfois la pente du chevron au lieu d'être horizontal *(Fig. 77 C)*. Dans ce cas, il est fixé sous les chevrons, sa rive extérieure étant clouée au chevron de rive et sa rive intérieure, à des tringles de clouage de 38 × 38 mm disposées entre les chevrons, le long du mur.

Raccordement des débords de toit de l'égout et du pignon

Le raccordement des débords de toit dépend surtout de la forme du débord de toit à l'égout. Les *figures 78 A à C* illustrent trois pratiques courantes. La *figure 78 D* montre un exemple de sous-face revêtue d'aluminium. On peut utiliser l'aluminium avec les trois genres de raccordements illustrés.

Lorsque la sous-face du débord de toit à l'égout est en pente, celle du débord au pignon doit se prolonger dans le même plan *(Fig. 78 B)*.

Si la sous-face du débord à l'égout est horizontale, son revêtement peut être prolongé jusqu'au chevron de bordure *(Fig. 78 C)*. Dans ce cas, le revêtement de sous-face côté pignon se termine au mur latéral et est raccordé verticalement à celui du débord à l'égout. On doit alors élargir la bordure de toit côté pignon, à son raccordement avec le débord de toit à l'égout, de manière à fermer l'extrémité de celui-ci.

Il arrive parfois qu'on arrête au mur pignon la sous-face horizontale d'un débord de toit à l'égout *(Fig. 78 A)*. Le revêtement intermédiaire et le bardage du mur pignon recouvrent alors l'extrémité du débord de toit à l'égout, et assurent le raccordement avec le débord au pignon. La sous-face de celui-ci vient mourir à la bordure de toit à l'égout.

Bâtis et châssis de fenêtres

Les fenêtres servent surtout à éclairer et à aérer la maison et constituent un élément architectural important. Il existe plusieurs types de fenêtres, chacun possédant ses avantages particuliers. Les plus courants sont les fenêtres coulissant verticalement (à guillotine) ou horizontalement, et les fenêtres dites à battant (qui ouvrent comme une porte battante) et basculantes (qui ouvrent vers l'extérieur en pivotant sur leur traverse supérieure).

Les fenêtres ont leur bâti en bois, en métal ou en plastique.

Les fenêtres ne doivent pas retenir l'eau ni la neige et leur vitrage doit pouvoir se remplacer facilement en cas de bris. Le taux d'infiltration d'air et la construction du châssis et du bâti doivent être con-

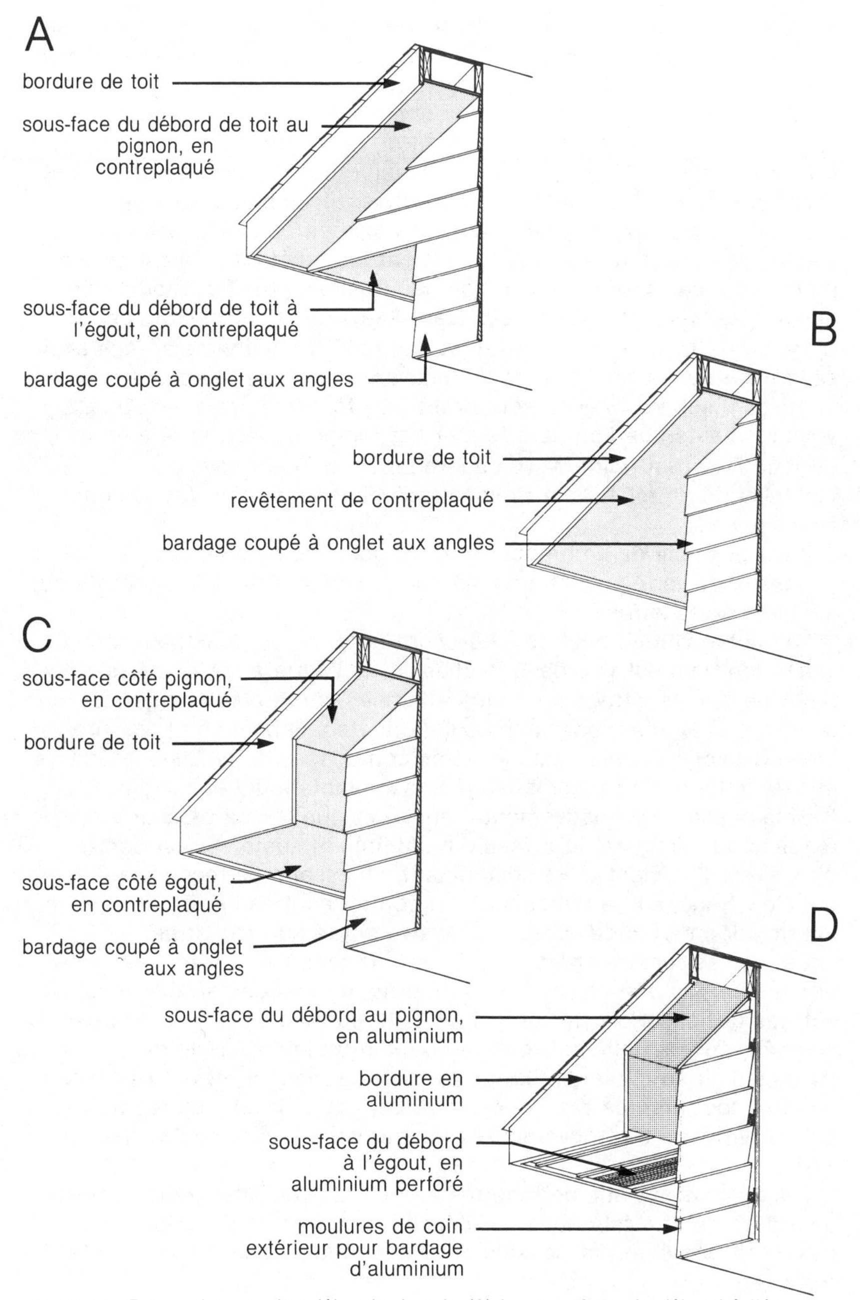

Figure 78. Raccordement des débords de toit. (A) La sous-face du débord à l'égout se termine au mur pignon, et celle du débord au pignon vient mourir à la bordure de toit à l'égout. (B) Les sous-faces des débords au pignon et à l'égout sont dans le même plan. (C) La sous-face du débord à l'égout se termine au chevron de bordure, et celle du débord au pignon se termine au mur latéral; les deux sont raccordées par un revêtement vertical. (D) Détail de sous-face et de bordure en aluminium.

formes aux normes pertinentes. Dans les aires d'activité de la maison, la surface vitrée doit correspondre à environ 10 p. 100 de l'aire de plancher. Dans les chambres, ce pourcentage peut être réduit à 5, mais au moins une fenêtre de chambre de dimensions appropriées pour constituer une sortie d'urgence doit pouvoir être ouverte. Il n'est pas nécessaire de prévoir de fenêtres dans la cuisine ni dans la salle de bain si celles-ci sont éclairées à l'électricité et ventilées mécaniquement.

Il faut éviter d'avoir trop de surface vitrée parce que la chaleur s'échappe beaucoup plus facilement par les fenêtres qu'à travers un mur isolé d'égale surface. On juge habituellement satisfaisante une superficie totale de vitrage équivalant à environ 12 p. 100 de l'aire de plancher de la maison. D'autre part, les fenêtres à double vitrage exposées plein sud et non ombragées peuvent contribuer au chauffage de la maison, surtout si elles sont dotées de tentures épaisses ou de volets isolants que l'on peut fermer par temps couvert et à la tombée du jour. Du strict point de vue énergétique, on peut envisager l'installation de fenêtres à triple vitrage dans la plupart des régions canadiennes.

Il est possible de se procurer des vitrages isolants comportant deux panneaux de verre scellés en usine qui s'insèrent dans les châssis ou les bâtis de fenêtres.

Le double vitrage peut aussi prendre la forme de deux panneaux de verre, dont l'un est fixe dans le châssis, et l'autre amovible. Ces deux types de double vitrage sont plus efficaces sur le plan énergétique que le vitrage simple et sont moins sujets à la condensation et aux problèmes qu'elle entraîne. Les fenêtres composées de châssis intérieurs et extérieurs ont à peu près les mêmes caractéristiques isolantes.

Si la maison est relativement étanche et que les fuites d'air y sont réduites au minimum, le niveau d'humidité ambiante est par contre plus élevé. Il devient alors absolument nécessaire de recourir soit au double vitrage, soit à l'utilisation de contre-fenêtres l'hiver, pour éviter la formation de condensation excessive sur la surface vitrée.

De bonnes fenêtres perdront de leur efficacité si leur mise en œuvre ne procure pas une étanchéité périmétrique presque parfaite. Puisqu'il est très difficile d'obtenir une étanchéité parfaite entre le châssis et son bâti, on y installe souvent un coupe-froid afin de réduire les infiltrations d'air au minimum. La plupart des fabricants offrent des blocs-fenêtres tout montés avec châssis vitrés, coupe-froid, contrepoids et quincaillerie; on en trouve aussi avec moustiquaire et contre-châssis vitré.

Les châssis et bâtis de fenêtres en bois doivent être traités contre la pourriture ou être fabriqués d'essences de bois très durables. Ceci permet de prolonger la vie utile des éléments exposés et des joints recouverts.

Les menuiseries extérieures sont habituellement fixées au bâti de fenêtre à la fabrication. L'ouverture ménagée dans le mur pour recevoir la fenêtre (délimitée par le bâti d'attente) est toujours un peu plus grande que la fenêtre afin de faciliter la pose. On utilise des cales pour ajuster le bâti de fenêtre dans l'ouverture. Une fois celui-ci d'aplomb, on le cloue au bâti d'attente à travers les cales. Les menuiseries extérieures sont aussi clouées aux poteaux latéraux et au linteau. On remplit ensuite d'isolant l'espace autour du bâti. La *figure 79* illustre une installation typique de bâti de fenêtre.

Portes extérieures et leur bâti

Les bâtis de portes extérieures comprennent habituellement des montants et une traverse supérieure de 35 mm d'épaisseur et un seuil de 44 mm d'épaisseur. Bien que le bois dur ait une plus grande durabilité, on trouve fréquemment des seuils en bois tendre recouverts de métal. Des feuillures sont pratiquées dans le bâti afin de servir de butée à la porte principale. La rive du bâti et les menuiseries extérieures forment une butée pour une porte-moustiquaire ou une contre-porte avec moustiquaire.

Le seuil doit reposer solidement sur la charpente du plancher *(Fig. 80)* et le bâti doit être bien cloué au bâti d'attente. On y arrive habituellement en ajustant le bâti à l'aide de cales et en le clouant à travers les cales et les boiseries. Les portes extérieures doivent être dotées d'un coupe-froid périmétrique. Pour assurer une meilleure protection contre les effractions, il convient de caler le bâti de porte juste au-dessus et au-dessous de l'emplacement de la serrure. En outre, on doit assembler des entretoises entre les poteaux du bâti d'attente et les poteaux suivants.

Les portes principales ne doivent pas avoir moins de 44 mm d'épaisseur. Elles doivent mesurer au moins 810 mm de largeur et 1,98 m de hauteur. Les contre-portes en bois doivent mesurer au moins 35 mm d'épaisseur et les portes métalliques 25 mm au moins.

Les portes extérieures sont habituellement planes ou à panneaux. Pour la pose des portes et de la quincaillerie, voir le chapitre sur les portes intérieures et leurs bâti et boiseries.

Les portes planes sont constituées de deux parois de contreplaqué ou d'un autre matériau approprié plaquées sur une ossature légère et une âme. Si l'âme est constituée d'éléments de bois massifs, elle est dite pleine; si elle est constituée d'un matériau alvéolaire ou en forme de treillis, on la qualifie de creuse. Pour les portes extérieures, on préfère habituellement l'âme pleine, surtout en régions froides, parce que la porte à âme pleine ne risque guère de gauchir sous l'effet des différences d'humidité et de température qui existent de part et d'autre de la porte. De plus, les portes à âme pleine peuvent se vitrer.

Les portes à panneaux sont faites d'éléments verticaux (montants) et transversaux (traverses) massifs, et d'éléments plus minces (panneaux) qui remplissent les espaces entre les montants et les traverses. Il existe de nombreux modèles de panneaux en verre ou en bois. Les portes à revêtement de métal ou de contreplaqué, dont l'âme est constituée d'un isolant rigide, deviennent d'un usage plus courant. On doit les utiliser lorsqu'une contre-porte n'est pas fournie.

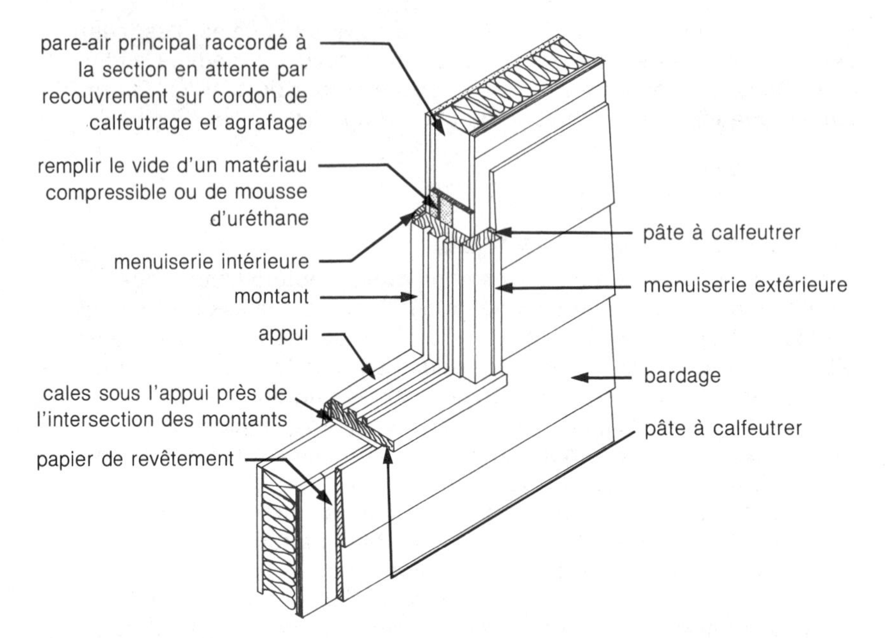

Figure 79. Installation type d'un bâti de fenêtre.

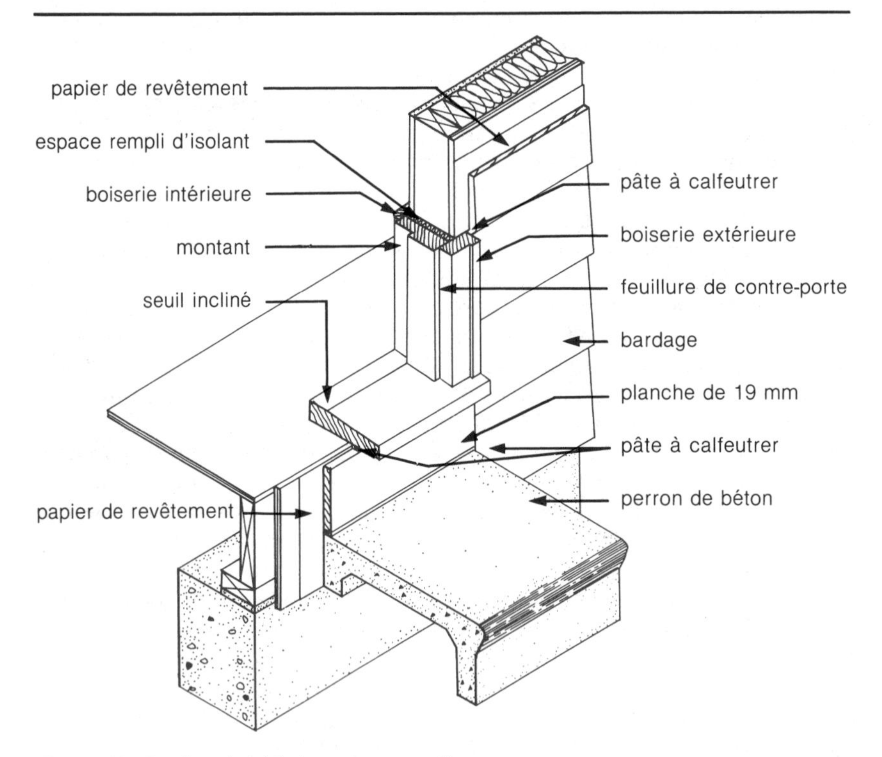

Figure 80. Section du bâti de porte au seuil.

On utilise parfois une porte coulissante, partiellement ou totalement vitrée, pour avoir accès au patio ou au jardin. Le vitrage doit être double et en verre de sécurité. Le verre transparent des portes et des panneaux latéraux, qui pourrait facilement être pris pour un passage non obstrué, doit être du verre de sécurité, comme le verre trempé ou le verre armé.

Ouvrages de référence

Protégez votre résidence contre le vol
Société canadienne d'hypothèques et de logement
LNH 5395

Portes, fenêtres et lanterneaux sans problèmes
Société canadienne d'hypothèques et de logement
LNH 5736

Détails de charpente concernant la plomberie, le chauffage et l'électricité

La construction à ossature de bois possède ce grand avantage que l'espace laissé entre les éléments structuraux des murs, du toit et des planchers constitue un moyen sûr et peu coûteux de dissimuler la majeure partie des conduits de chauffage, tuyaux de plomberie et câbles électriques.

La plupart des câbles électriques et nombre de tuyaux de plomberie et conduits de ventilation courent parallèlement aux solives et aux poteaux et peuvent donc être facilement dissimulés entre ces éléments structuraux. Lorsque les tuyaux et câbles doivent être installés perpendiculairement aux solives et aux poteaux, ceux-ci peuvent être entaillés ou percés. Ces entailles et trous ne diminuent que faiblement la résistance structurale des éléments.

Entaillage des éléments de charpente

Entaillage des solives Toute entaille pratiquée en partie supérieure d'une solive doit être située à moins d'une demi-hauteur de solive du bord de l'appui; la profondeur de l'entaille ne doit pas être supérieure au tiers de la hauteur de la solive *(Fig. 81 B)*.

S'il faut entailler les solives ailleurs qu'à ces endroits *(Fig. 81 A)*, il faut en tenir compte lors du choix des solives et augmenter leur hauteur de la profondeur de l'entaille. La rive inférieure des solives ne doit pas être entaillée, puisque les solives pourraient se fendre par suite d'un fléchissement sous la charge.

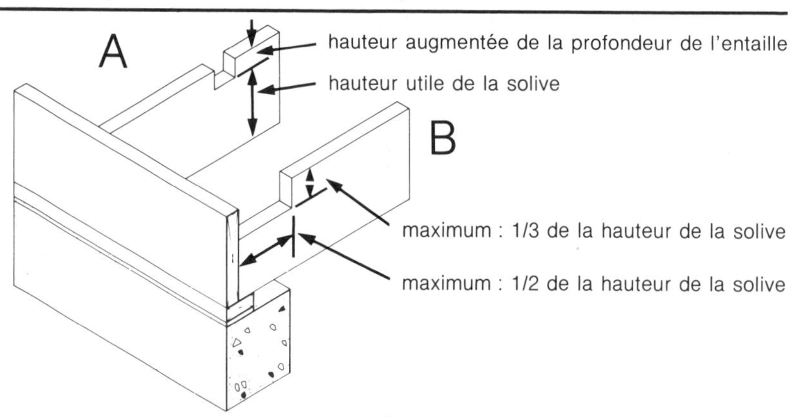

Figure 81. Exemple des limites à respecter. (A) Pour une entaille éloignée de l'appui. (B) Dans le cas d'une solive de 184 mm, l'entaille pratiquée à proximité de l'appui devrait avoir une profondeur maximale de 61 mm, et une longueur d'au plus 92 mm mesurée à partir de l'appui.

Perçage des solives En règle générale, les trous percés dans les solives ne doivent pas être plus grands que le quart de la hauteur des solives ni à moins de 50 mm des rives *(Fig. 82)*.

Entaillage et perçage des poteaux Les poteaux de murs porteurs qui ont été entaillés ou percés sur plus du tiers de leur profondeur sont habituellement renforcés à l'aide d'éclisses en bois de 38 mm clouées sur le côté du poteau et s'étendant d'environ 600 mm de part et d'autre du trou ou de l'entaille. On renforce de la même façon les poteaux de cloisons entaillés ou percés auxquels il reste moins de 40 mm de bois massif *(Fig. 83)*.

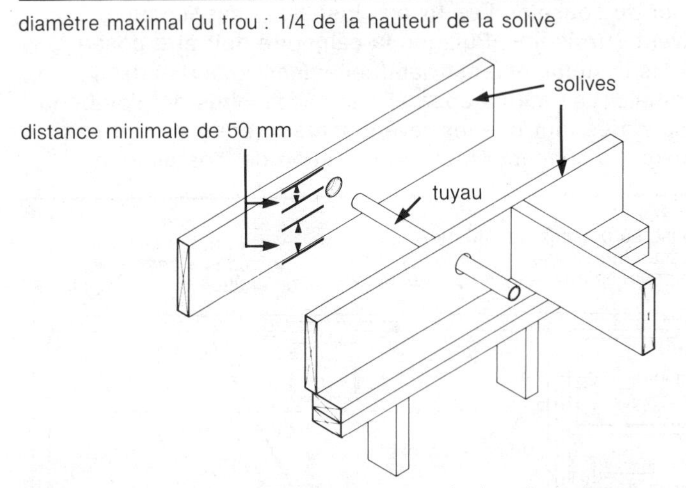

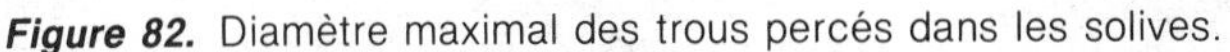

Figure 82. Diamètre maximal des trous percés dans les solives.

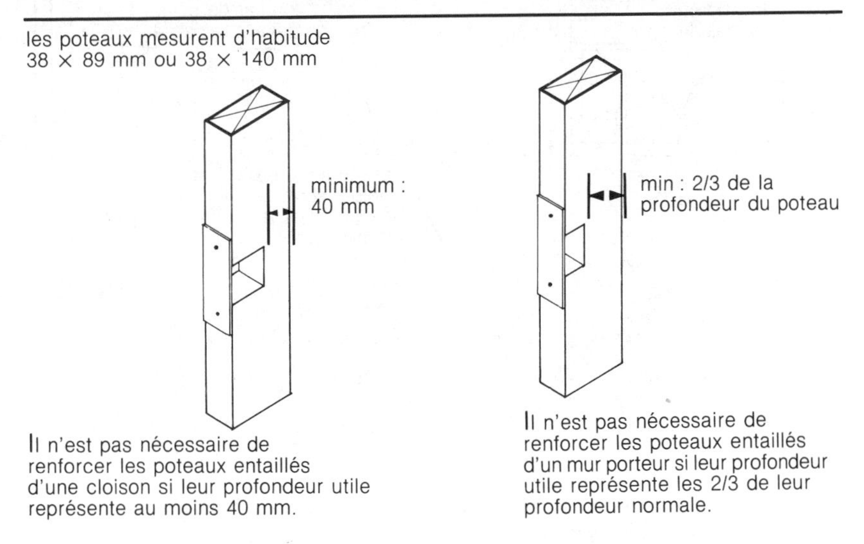

Figure 83. Poteaux entaillés pour le passage de la plomberie.

Entaillage et perçage des sablières Dans les murs porteurs, on renforce également avec des éléments de bois de 38 mm les sablières entaillées ou percées, lorsque le bois massif qui reste mesure moins de 50 mm de largeur. Lorsque le renforcement doit être posé sur la rive de la sablière ou du poteau, on utilise généralement une pièce de tôle pour faciliter la pose du parement mural.

Détails de charpente concernant la plomberie

La mise en œuvre de la plomberie débute ordinairement une fois l'ossature des murs achevée. Elle comprend l'installation des tuyaux d'évacuation des eaux usées et des canalisations d'eau chaude et d'eau froide qui seront dissimulés dans les murs et les plafonds et sous le plancher du sous-sol. Les tuyaux installés dans les murs extérieurs doivent être isolés. Puisque la baignoire doit être posée avant le revêtement mural, elle est habituellement comprise dans l'installation initiale. Les autres appareils et accessoires de plomberie ne sont pas raccordés tant que les revêtements intérieurs n'ont pas été mis en œuvre. La conception et la réalisation de l'installation

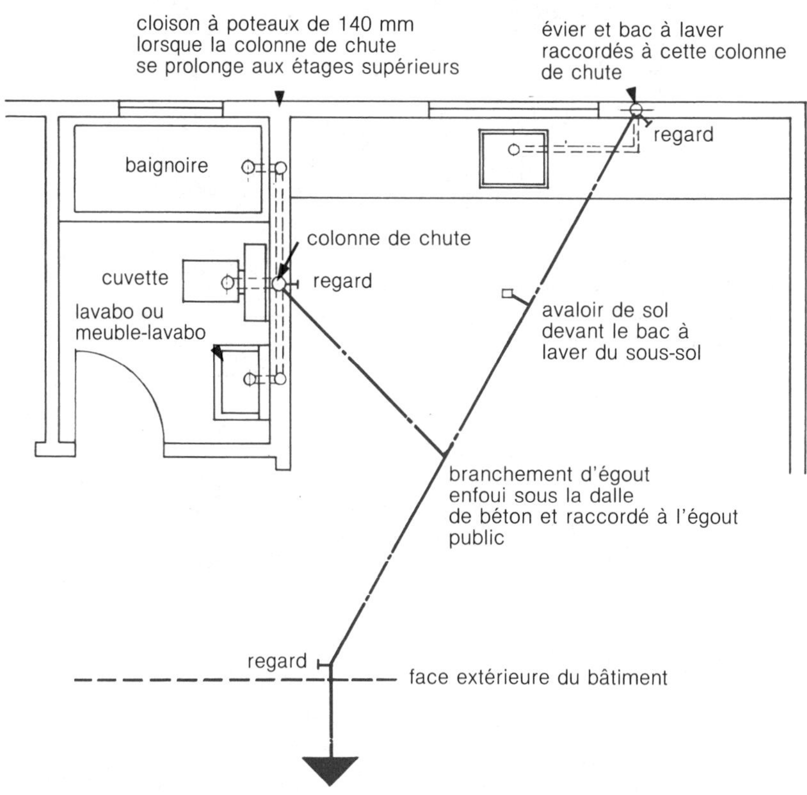

Figure 84. Cuisine et salle de bains situées l'une près de l'autre pour réduire la longueur des tuyaux au minimum.

de plomberie sont généralement régies par des codes provinciaux et municipaux. (Voir les détails de mise en œuvre aux *figures 84, 85 et 86.*)

Avec les canalisations de cuivre ou de plastique de 75 mm, le mur dissimulant la colonne de chute peut être constitué d'éléments de 38 × 89 mm. Il faut obturer le périmètre du tuyau pour empêcher l'air de s'échapper dans le vide sous toit *(Fig. 87).*

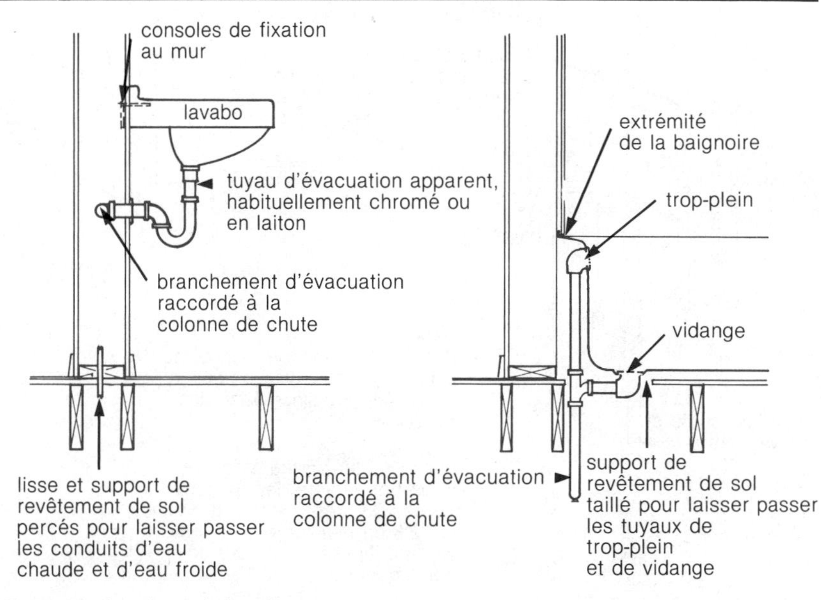

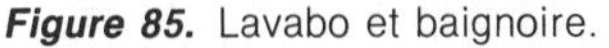

Figure 85. Lavabo et baignoire.

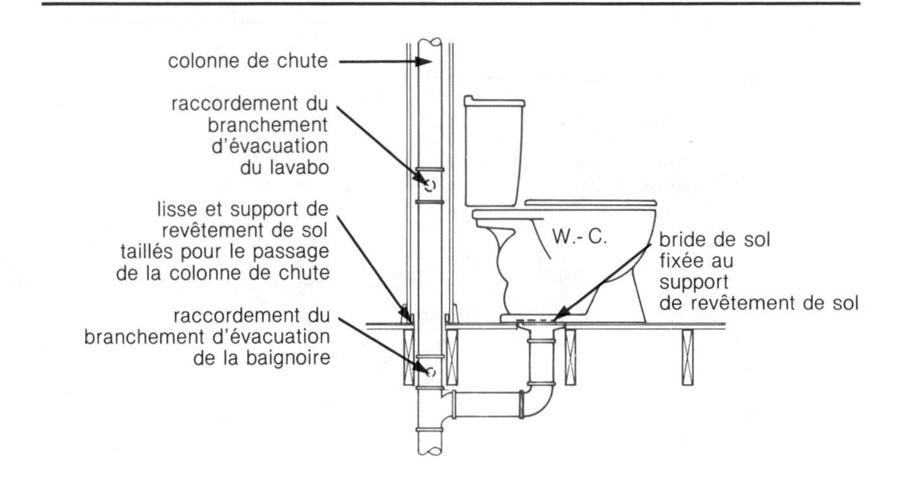

Figure 86. Installation du W.-C.

Lorsqu'il faut installer une colonne de chute ou des tuyaux de forte section à l'horizontale et perpendiculairement aux solives, on doit former une trémie au moyen de chevêtres *(Fig. 88)*.

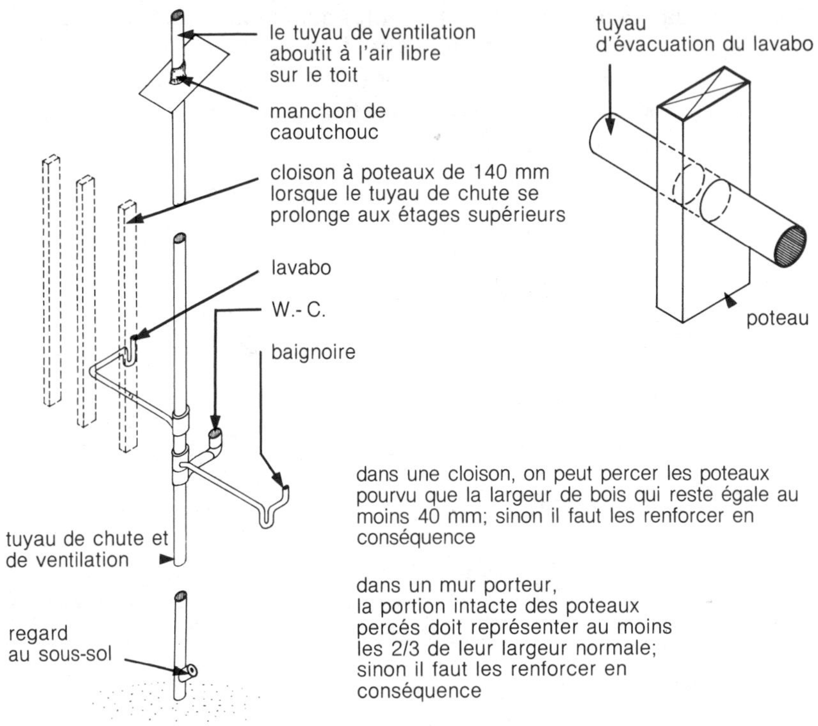

Figure 87. Ventilation de la plomberie.

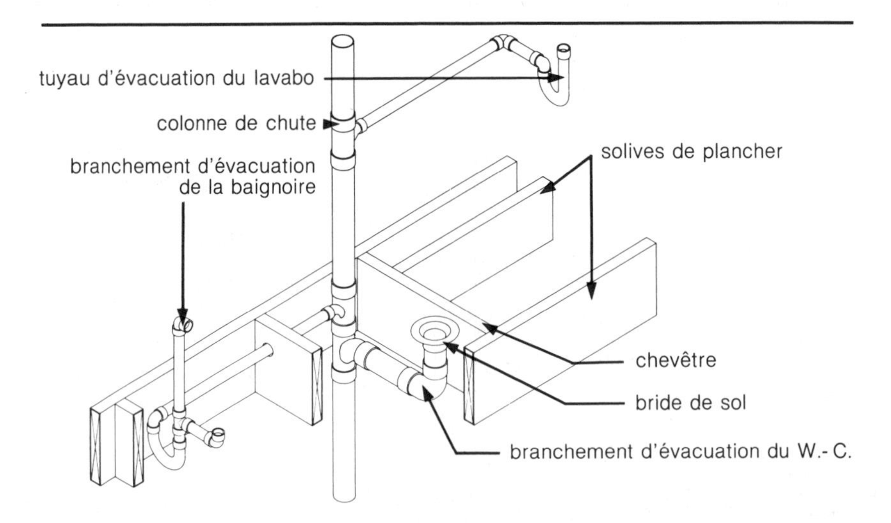

Figure 88. Détail de la charpente autour d'une colonne de chute.

Détails de charpente concernant les installations de chauffage

On peut chauffer la maison de bien des façons. Les systèmes de chauffage sont très variés et vont du chauffage électrique ou à eau chaude commandé par plusieurs régulateurs aux appareils de chauffage autonomes relativement simples. Au Canada, le gaz naturel, le mazout et l'électricité constituent les sources d'énergie les plus courantes.

Il existe trois types courants de chauffage : à air chaud pulsé, par plinthes électriques et à eau chaude à circulation forcée. Il existe d'autres installations moins courantes comme la pompe à chaleur air/air ou eau/air avec chauffage d'appoint par résistance électrique, la pompe à chaleur avec chauffage d'appoint au gaz naturel, et les appareils de chauffage à combustibles solides (bois ou charbon). La *figure 89* représente un réseau type de distribution, tandis que la *figure 90* montre une vue isométrique d'une installation de chauffage type.

Toutes ces installations peuvent s'installer facilement et en toute sécurité dans les maisons à ossature de bois. Il faut cependant prévoir des dégagements entre certains de leurs éléments et les matériaux combustibles. Les installateurs doivent être bien au fait des règlements locaux avant d'entreprendre les travaux.

Dans les installations à air chaud, les conduits de chauffage et de reprise sont habituellement placés entre les poteaux muraux et entre les solives des planchers. Il convient donc, lors de l'élaboration des plans de la maison, de disposer les poutres, solives et poteaux en fonction du réseau de distribution.

La planification du réseau de distribution devrait tenir compte des exigences de ventilation forcée. En prenant pour hypothèse que la construction est assez étanche, le système de ventilation devra pouvoir évacuer l'air vicié (surtout de la cuisine et de la salle de bains, mais également des autres pièces) et faire entrer une certaine quantité d'air frais pour assurer le maintien de la qualité de l'air ambiant. La ventilation prend encore plus d'importance avec les appareils de chauffage à combustible qui nécessitent un bon tirage et une certaine quantité d'air de combustion pour bien fonctionner.

Installations à air chaud Les poteaux muraux et les solives sont généralement placés de façon qu'il ne soit pas nécessaire de les entailler ou de les couper pour faire passer les conduits de chaleur. Lorsque ceux-ci doivent traverser verticalement un mur afin de chauffer une pièce au-dessus, on doit enlever la sablière et la lisse basse à cet endroit, et insérer les conduits dans l'espace ainsi libéré entre les poteaux.

Lorsqu'une cloison repose sur des solives jumelées et qu'un conduit de chaleur doit les traverser pour pénétrer dans la cloison, les solives sont habituellement écartées de façon à laisser passer le conduit. On

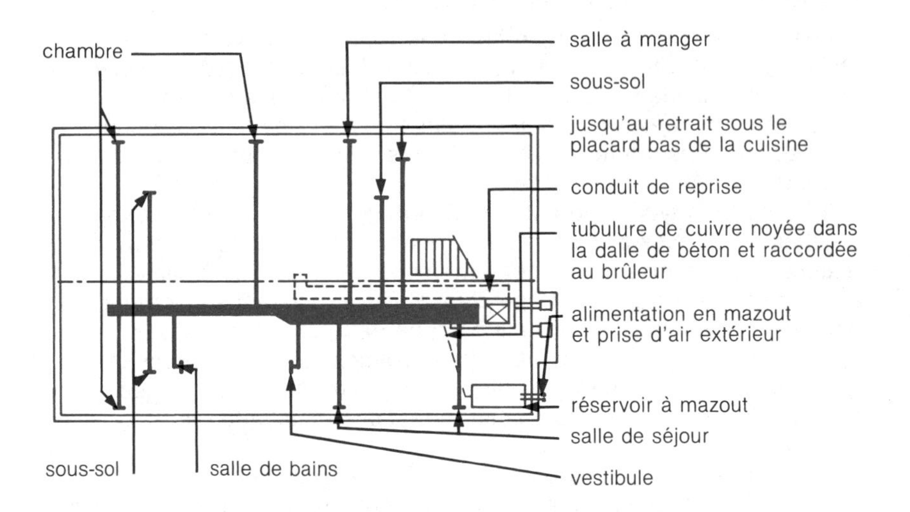

Figure 89. Plan de sous-sol illustrant une disposition type des conduits de chauffage.

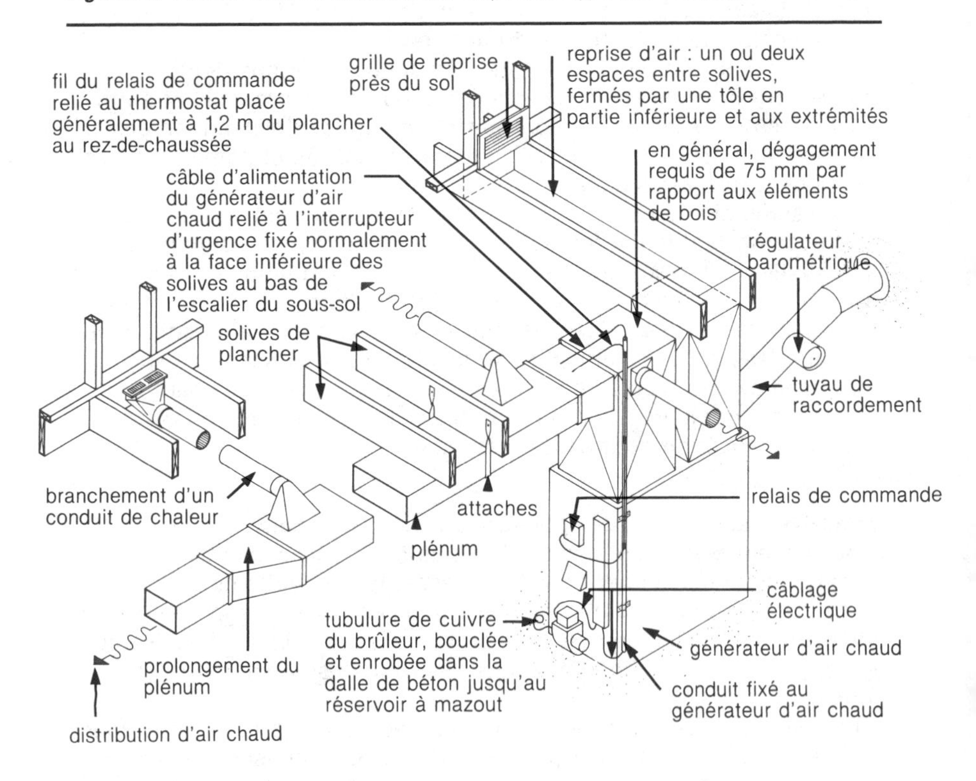

Remarque : générateur d'air chaud au mazout ou au gaz, à air pulsé

Figure 90. Vue isométrique d'une installation de chauffage type.

évite ainsi de couper les éléments structuraux sans raison ou de devoir recourir à des raccordements compliqués.

Les grilles de reprise que l'on installe généralement sur les murs intérieurs près du plancher peuvent être raccordées à un conduit ou à un vide entre deux poteaux. À ces endroits, on coupe la lisse basse et le support de revêtement de sol pour y faire passer le conduit ou, simplement, l'air repris par l'installation. On cloue des cales entre les solives pour soutenir l'extrémité des planches, s'il s'agit d'un support de revêtement de sol en planches posées en diagonale. Il arrive parfois qu'il faille couper les poteaux pour l'installation de grilles de reprise plus grandes. Si tel est le cas, on utilise un linteau pour appuyer les poteaux ainsi coupés et on renforce l'ouverture de la même façon que la baie de porte illustrée à la *figure 38.* Une fois fermé, l'espace entre les solives peut servir de conduit de reprise et les autres conduits de reprise peuvent être raccordés au même espace. On doit revêtir d'un matériau incombustible, comme la tôle métallique, l'intérieur des espaces entre solives sur une distance de 600 mm à partir de l'appareil de chauffage; il en va de même sous les bouches de chaleur et au pied des conduits verticaux.

Les bouches de chaleur sont habituellement placées dans le plancher à proximité des murs extérieurs, de préférence sous les fenêtres; elles comportent des lames qui répartissent l'air chaud sur une bonne partie des murs extérieurs. Les conduits de chaleur alimentant ces bouches doivent, dans la mesure du possible, être situés entre deux solives et être raccordés à la bouche au moyen d'un coude de réduction. De cette façon, il n'est nécessaire de couper que le support de revêtement de sol et le revêtement lui-même. Si ce support est fait de planches posées en diagonale, on fixe des cales entre les solives pour soutenir l'extrémité des planches.

Dans les maisons sur vide sanitaire, le générateur d'air chaud pulsé peut être installé dans une salle distincte à l'intérieur de la maison, ou suspendu sous le plancher, ou encore monté sur un socle de béton dans le vide sanitaire. Dans les deux premiers cas, les solives doivent être capables de supporter le poids du générateur.

Installations à eau chaude Lorsque l'installation de chauffage ne requiert que de petites tuyauteries de distribution et de reprise, il n'est pas nécessaire d'en tenir compte dans la conception de l'ossature.

Les convecteurs du type plinthe s'installent sur les murs extérieurs sous les fenêtres. De cette façon, l'air chaud qui s'élève de l'appareil se propage le long des murs extérieurs. Ces installations ne requièrent à peu près pas d'entaillage des solives ou des poteaux puisque les appareils sont montés à la surface des murs.

Plinthes chauffantes électriques Puisqu'il est facile de dissimuler les fils électriques dans les murs et les planchers, les installations de chauffage électrique ne requièrent que peu ou pas de planification relativement aux éléments structuraux. Tout comme les bouches de chaleur des installations à air chaud et à eau chaude, les appareils de chauffage électrique sont habituellement situés sur les murs extérieurs de façon que l'air chaud qui s'en dégage se distribue le long des murs. Il n'est pas nécessaire de couper les poteaux puisque les appareils sont montés à la surface des murs. On utilise parfois un chauffage par rayonnement dont les éléments sont placés dans le plafond.

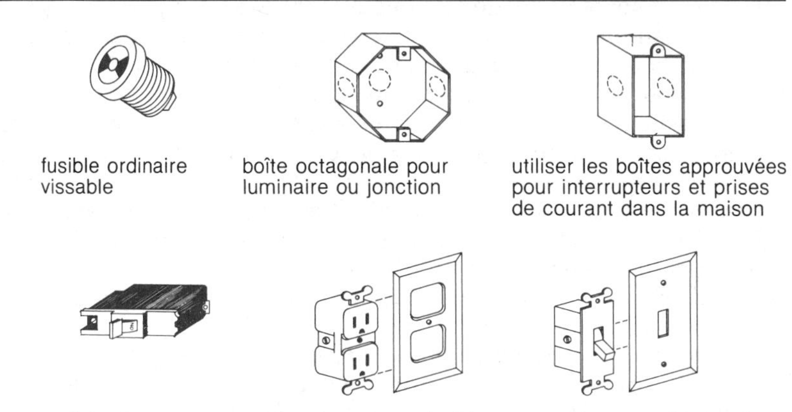

Figure 91. Accessoires électriques typiques.

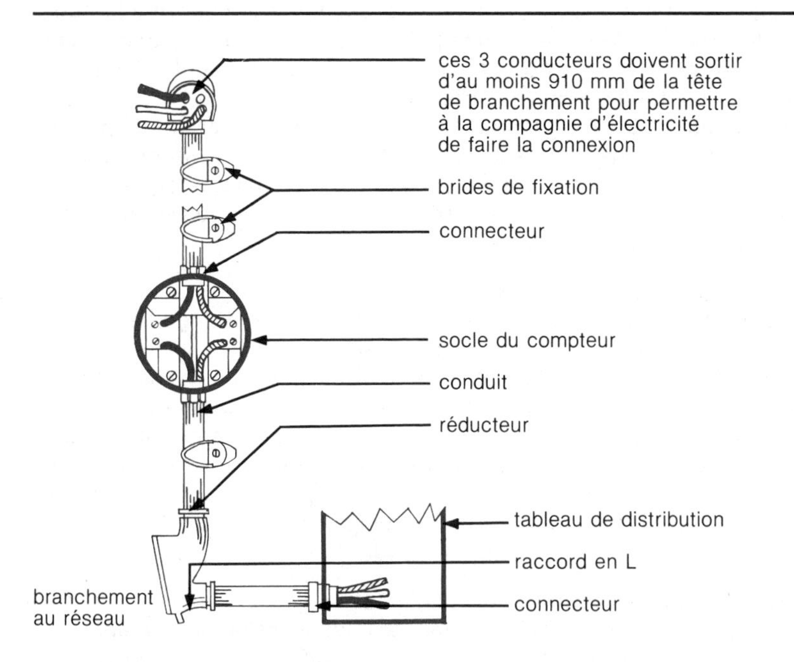

Figure 92. Disposition type du branchement aérien d'électricité.

Avec les systèmes de chauffage à eau chaude ou à l'électricité qui font appel à des radiateurs placés au pied des murs, il est important, surtout si la maison est bien construite et relativement étanche, de prévoir un moyen de renouveler l'air et de ne pas compter seulement sur la convection naturelle et les infiltrations. Si on néglige d'en tenir compte, il se peut que le niveau d'humidité s'élève au point de créer de la condensation.

Détails de charpente concernant les canalisations électriques

L'installation des fils électriques de la maison commence habituellement lorsque la maison est fermée, c'est-à-dire lorsque la couverture et le revêtement intermédiaire sont posés. Cette première étape de l'installation électrique comprend la pose des fils et des boîtes pour les interrupteurs, appareils d'éclairage et prises de courant. La *figure 91* illustre certains accessoires typiques de l'installation électrique.

L'installation initiale se fait avant la mise en place des revêtements intérieurs de finition et habituellement avant la pose de l'isolant dans les murs ou les plafonds. Les appareils d'éclairage, interrupteurs, prises de courant et plaques ne s'installent qu'après les travaux de finition intérieure et de peinture.

La conception et la mise en œuvre de toute l'installation électrique sont généralement régies par un code d'électricité provincial. Les codes provinciaux s'inspirent très étroitement du Code canadien de l'électricité publié par l'Association canadienne de normalisation. Les codes provinciaux exigent habituellement que l'installation soit confiée à un électricien autorisé. Il est recommandé aux propriétaires de consulter le code en vigueur avant d'entreprendre toute installation électrique.

Les *figures 92 et 93* illustrent un branchement extérieur d'électricité. La *figure 94* illustre la façon de percer les éléments structuraux pour passer les fils.

Emplacement des boîtes L'emplacement des interrupteurs et des prises de courant étant capital, il importe d'étudier soigneusement les plans des canalisations pour s'assurer de ne rien oublier. Une maison moderne utilise l'électricité pour toutes sortes d'appareils, de la radio et du téléviseur aux gros appareils ménagers qui nécessitent chacun un circuit distinct. Il importe donc de bien prévoir l'emplacement des diverses prises de courant.

Lorsqu'on détermine l'intensité du branchement au réseau et le nombre de circuits et de sorties électriques à installer dans la maison, il faut aussi tenir compte des besoins futurs; les modifications et les ajouts effectués après l'achèvement de la maison s'avèrent très coûteux. Le branchement au réseau a habituellement une intensité de 200 A afin de pouvoir desservir les nombreux appareils électriques que compte la maison d'aujourd'hui.

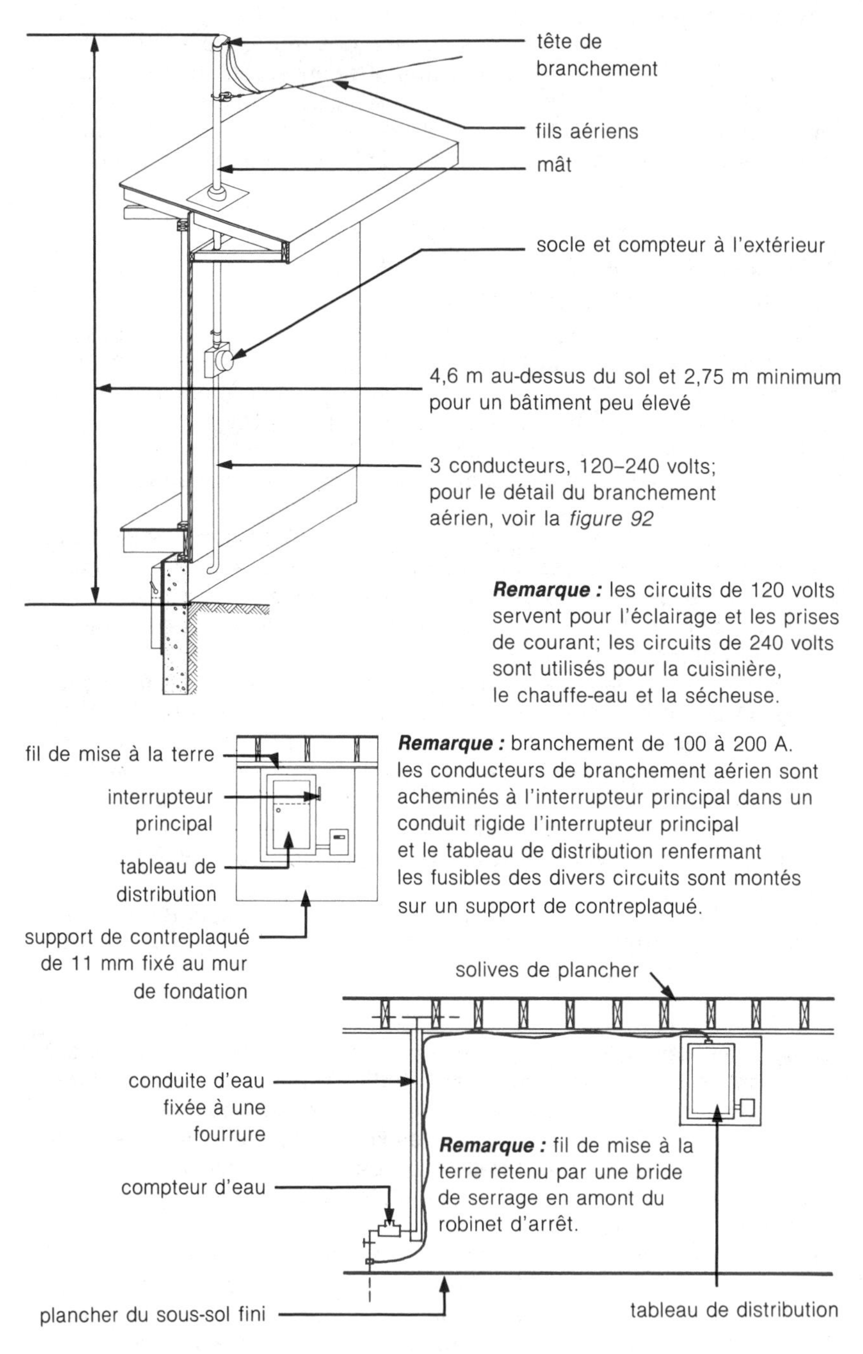

Remarque : l'équipement de branchement doit être mis à la terre

Figure 93. Équipement de branchement au réseau électrique public.

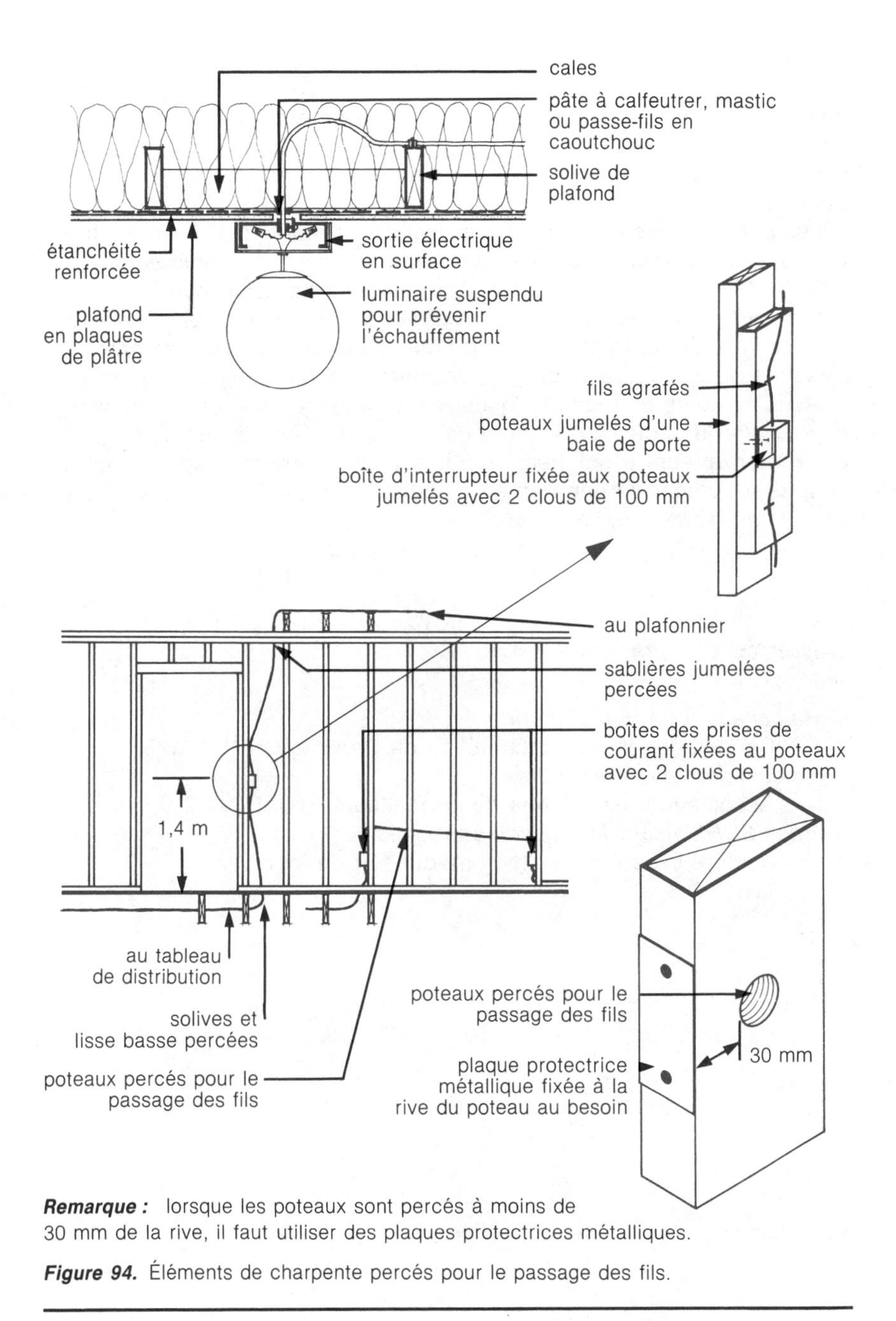

Remarque : lorsque les poteaux sont percés à moins de 30 mm de la rive, il faut utiliser des plaques protectrices métalliques.

Figure 94. Éléments de charpente percés pour le passage des fils.

Au moment de prévoir l'emplacement des sorties électriques, il faut se rappeler que les sorties installées dans les plafonds et les murs extérieurs isolés constituent une source importante de fuites d'air. On doit donc en réduire le nombre le plus possible, ou les rendre aussi étanches que possible.

Emplacement des interrupteurs Les interrupteurs sont généralement placés à l'intérieur de la pièce, tout près de la porte et à portée de la main. Ils peuvent commander une prise murale pour une lampe posée sur une table ou le plancher, aussi bien que les plafonniers et les appliques murales. On les place ordinairement à environ 1,4 m du plancher.

Les interrupteurs multipolaires s'avèrent commodes à divers endroits de la maison puisqu'ils permettent de commander un même éclairage à partir de plus d'un interrupteur. Un luminaire du salon peut être commandé par un interrupteur situé près de l'entrée extérieure et un autre près de l'entrée de la cuisine ou du corridor menant aux chambres. Dans les maisons à deux étages, on installe habituellement un interrupteur tripolaire au pied de l'escalier et un autre en haut. L'éclairage de l'escalier du sous-sol devrait également être ainsi commandé par deux interrupteurs tripolaires, un à la tête et l'autre au pied, surtout si le sous-sol comporte une partie habitable ou un garage, ou s'il s'y trouve une issue vers l'extérieur.

Ouvrages de référence

Code canadien de la plomberie
Conseil national de recherches du Canada, CNRC-23176F
Code canadien de l'électricité
Association canadienne de normalisation, CAN3-C22
Normes SCHL visant les fosses septiques
Société canadienne d'hypothèques et de logement
LNH 5213

Pare-vapeur et pare-air

Plusieurs des activités courantes qui se déroulent à l'intérieur de la maison, comme la cuisson, la lessive, le lavage de la vaisselle, les bains et les douches produisent une quantité considérable de vapeur d'eau qui est absorbée par l'air ambiant, lequel devient ainsi très humide. Si, par temps froid, cette vapeur d'eau réussit à s'infilter dans l'enveloppe de la maison, la température qui y règne la transforme en eau ou en givre. Comme la présence d'humidité sur l'ossature, le bardage et l'isolant n'est pas une bonne chose, il faut tenter d'empêcher la vapeur d'eau de passer dans l'enveloppe. C'est là le rôle de cet élément de la construction qu'on appelle communément le pare-vapeur.

La vapeur d'eau peut pénétrer l'enveloppe sous l'effet de deux phénomènes : la tension de vapeur et la circulation de l'air.

En hiver, l'air ambiant contient plus de vapeur d'eau que l'air extérieur. La différence de tension de vapeur tend donc à accélérer la diffusion de la vapeur d'eau à travers les matériaux de l'enveloppe. La plupart des matériaux de l'enveloppe sont plus ou moins perméables au passage de la vapeur d'eau, tandis que ceux qu'on utilise généralement comme pare-vapeur (comme le polyéthylène) y sont très peu perméables et s'opposent donc très bien à cette diffusion.

La circulation de l'air est le second mécanisme d'infiltration de la vapeur d'eau dans l'enveloppe. Il y a souvent une différence de pression d'air entre l'extérieur et l'intérieur de la maison. Ceci est imputable à l'effet de cheminée, à l'utilisation de ventilateurs et à l'action du vent. Lorsque la pression intérieure est plus grande que celle de l'extérieur, l'air a tendance à s'échapper vers l'extérieur à travers les trous et les fissures de l'enveloppe, entraînant avec lui sa vapeur d'eau. Il est reconnu que la circulation d'air contribue davantage au transfert de la vapeur d'eau que la diffusion. La caractéristique la plus importante du pare-vapeur est sa continuité; c'est en effet sur elle que repose toute son efficacité. De nombreux matériaux, comme les plaques de plâtre, résistent bien au passage de l'air, mais ne sont guère efficaces contre la vapeur d'eau.

On utilise couramment le polyéthylène comme membrane d'étanchéité renforcée, c'est-à-dire une membrane qui remplit les deux fonctions, celle du pare-vapeur et celle du pare-air. Cette combinaison est pratique, mais il n'en demeure pas moins qu'il n'est pas facile de réaliser un pare-vapeur continu. Il est difficile de sceller efficacement certains points de l'enveloppe de la maison, comme les solives de rive ou de bordure, les ouvertures, les raccordements aux services publics, les tuyaux de ventilation, les cheminées, les canalisations électriques et les détails de charpente qui s'écartent de l'ordinaire.

Cependant, une fois qu'on a bien compris qu'il faut éliminer tout passage direct de l'intérieur vers l'extérieur à travers le mur, on peut prendre les mesures additionnelles qui s'imposent pour rendre la membrane d'étanchéité parfaitement efficace. Le pare-air doit pouvoir résister aux pressions du vent qui sont parfois très fortes. Par contre, la tension de vapeur n'est pas aussi forte et donc plutôt facile à neutraliser.

Pose

Bien que l'on puisse poser le pare-air à n'importe quel endroit de l'enveloppe, le pare-vapeur doit, quant à lui, être posé du côté chaud de l'ossature. Lorsque les rôles de pare-air et de pare-vapeur sont joués par le même matériau, celui-ci doit également être posé du côté chaud de l'ossature. Il n'est permis de déroger légèrement à cette prescription que dans le cas de murs très épais; dans ce cas, en effet, il est possible de réaliser une isolation correspondant au tiers de la valeur RSI (la résistance thermique) totale du mur, du côté chaud de la membrane d'étanchéité renforcée.

Le meilleur matériau à utiliser est le polyéthylène. Il se vend en grandes feuilles de la hauteur des pièces et peut être posé avec un minimum de joints, ce qui réduit le nombre d'ouvertures à travers lesquelles l'air peut passer. Le recouvrement aux joints doit se faire sur deux éléments d'ossature consécutifs. Bien que le polyéthylène de 0,05 mm soit un bon pare-vapeur, il est relativement fragile et pourrait ne pas constituer un bon pare-air. Il est donc recommandé d'utiliser un polyéthylène d'au moins 0,15 mm *(Fig. 95)*.

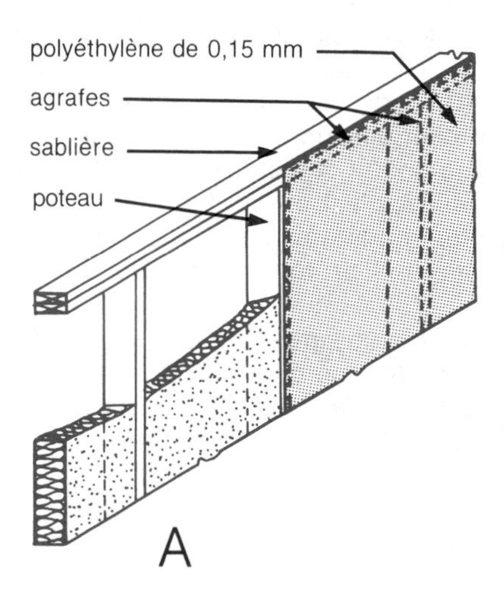

agrafer le polyéthylène aux poteaux et à la sablière

poser un cordon continu de pâte à calfeutrer acoustique sur le polyéthylène, au droit des éléments d'ossature

Figure 95. Deux méthodes de pose du pare-vapeur.

Le pare-vapeur du plafond et celui des murs doivent se recouvrir partiellement; ils doivent en outre se prolonger sans interruption à l'intersection des cloisons. Puisque celles-ci sont habituellement montées avant la pose de l'isolant et du pare-vapeur, on assure la continuité du pare-vapeur en posant sur le dessus et aux extrémités des cloisons des bandes de pare-vapeur d'au moins 450 mm de largeur qu'on rabat par la suite sur le pare-vapeur principal. Il est souvent nécessaire de marcher sur le dessus des cloisons pendant la construction du toit; si tel est le cas, on place les bandes de pare-vapeur entre les deux sablières *(Fig. 96)* afin de les protéger et d'assurer une meilleure prise pour les pieds. Dans le cas de cloisons non porteuses, la sablière du dessus peut n'être qu'une planche de 19 mm puisqu'elle ne sert qu'à protéger le pare-vapeur.

Le pare-vapeur doit s'étendre jusqu'aux bâtis de fenêtres et de portes et leur être agrafé; il doit en outre être fixé à l'aide de ruban adhésif aux fils et aux tuyaux qui le traversent. Il doit enfin être continu derrière les boîtes électriques fixées dans les murs extérieurs. Ceci peut se faire en enveloppant les boîtes à l'aide d'une pièce de polyéthylène de 0,15 mm et en la fixant temporairement à l'aide de ruban adhésif aux fils qui pénètrent dans la boîte. Cette pièce de polyéthylène devra recouvrir d'au moins 100 mm le pare-vapeur principal qui sera posé plus tard. On peut aussi utiliser des enveloppes de boîtes spéciales en polyéthylène. La solution idéale consiste toutefois à ne pas placer de prises de courant dans les murs extérieurs, si possible.

Il importe également de poser un pare-vapeur pour protéger l'isolant installé entre les solives de plancher, contre la solive de rive. Il est relativement difficile de réaliser un pare-vapeur efficace à cet endroit car les matériaux doivent être taillés et ajustés entre les solives

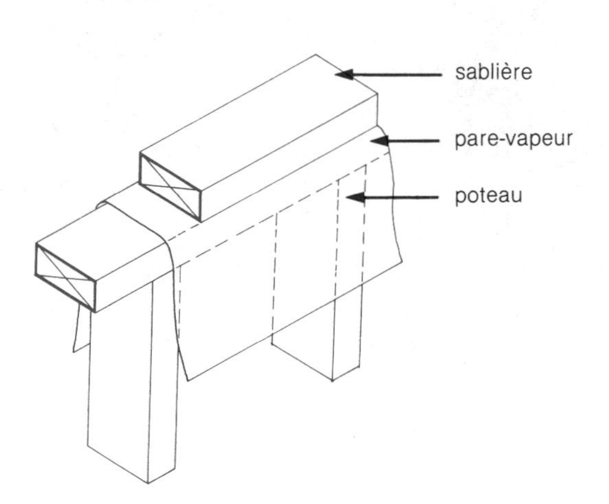

Figure 96. Mise en place de bandes de pare-vapeur en partie supérieure des cloisons.

(Fig. 97). Il faut donc exécuter ce travail avec encore plus de soin aux planchers supérieurs là où les fuites d'air sont le plus susceptibles de se manifester à cause de l'effet de cheminée. Lorsque le mur extérieur comporte un revêtement intermédiaire isolant, celui-ci doit couvrir les solives de rive et de bordure. S'il faut ajouter de l'isolant à l'intérieur, il faudra poser un pare-vapeur sur la face intérieure de l'isolant afin de s'assurer que l'air chargé de vapeur d'eau n'atteigne pas les solives de rive et de bordure pour s'y condenser.

Il faut de plus poser un cordon de pâte à calfeutrer au pourtour de l'isolant afin d'empêcher les fuites d'air. Cette opération s'exécute bien sur une surface dure ou semi-dure; l'isolant rigide se prête donc bien à cette fin, mais certains autres isolants semi-rigides ou souples à support de papier d'aluminium renforcé peuvent aussi faire l'affaire. Enfin, on minimise les fuites d'air à cet endroit en prenant bien soin d'assurer la continuité du revêtement intermédiaire et du papier de revêtement.

La trappe d'accès au vide sous toit constitue fréquemment un point faible de la membrane d'étanchéité renforcée. Il convient donc de la munir d'un coupe-froid efficace ou, mieux encore, de l'aménager à l'extérieur dans un pignon plutôt que dans un plafond.

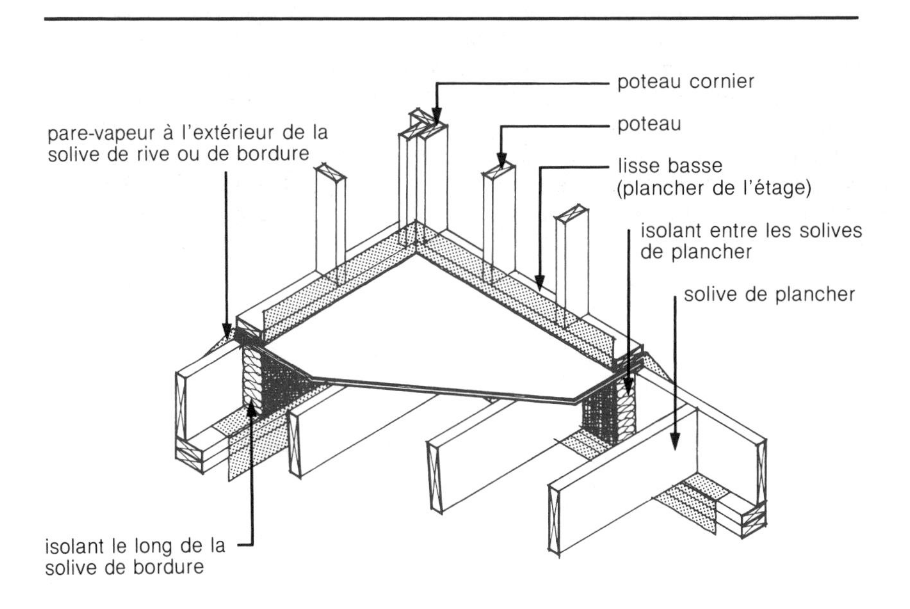

Figure 97. Pose du pare-vapeur entre les solives du plancher, à leur extrémité.

Isolant thermique

On appelle résistance thermique la capacité d'une section de l'enveloppe du bâtiment, comme un mur ou un plafond, à s'opposer à la transmission de la chaleur; elle s'exprime par une valeur numérique, dite valeur RSI. Bien que la plupart des matériaux opposent une certaine résistance à la transmission de la chaleur, les matériaux utilisés habituellement pour l'ossature, le bardage et la finition sont assez peu isolants. Il convient alors d'ajouter un isolant thermique pour minimiser les pertes de chaleur de la maison. La construction à ossature de bois se prête bien à cette opération puisqu'elle compte beaucoup de vides que l'on peut facilement remplir de matériaux isolants peu coûteux. Les lames d'air de ces vides constituent elles-mêmes un bon obstacle aux pertes de chaleur, une caractéristique intéressante qu'il est possible d'améliorer très sensiblement par l'addition d'isolant.

Autrefois, l'énergie était si bon marché qu'il était peu commun de remplir complètement d'isolant l'espace entre les poteaux ou de poser dans les vides sous toit un isolant plus épais que la hauteur de la membrure inférieure des fermes de toit ou que celle des solives de toit. Il n'était pas courant non plus d'isoler les murs de fondation. La situation a beaucoup évolué et le coût élevé de l'énergie et la nécessité d'économiser l'énergie incitent fortement à remplir totalement les vides de l'enveloppe et même à en modifier la construction pour pouvoir y installer une plus grande quantité d'isolant. Il est aussi de plus en plus évident que les murs de fondation non isolés représentent une des principales sources de pertes de chaleur.

Types d'isolant

Les isolants sont fabriqués à partir d'une grande diversité de matériaux et se présentent sous des formes variées qu'on peut grouper en quatre grandes catégories.

Matelas isolants Les matelas isolants sont constitués de fibres de verre ou de fibres de laitier d'aciérie retenues ensemble au moyen d'un liant. Ils se vendent en bandes coupées en longueurs et en largeurs convenant aux entraxes courants; on les fabrique en diverses épaisseurs. Ce type d'isolant est légèrement plus large que l'écartement habituel des éléments d'ossature et il tient en place par friction.

Il arrive souvent qu'il faille utiliser les isolants en matelas dans des vides moins profonds que l'épaisseur des matelas. Par exemple, il se peut qu'on utilise des matelas de 150 mm dans un mur à poteaux de 38 × 140 mm. La compression qui s'ensuit réduit la résistance thermique de l'isolant proportionnellement à la diminution d'épaisseur.

Isolants en vrac Il existe plusieurs isolants en vrac qui peuvent être mis en place à la main ou à l'aide d'un appareil soufflant. Ces isolants comprennent les fibres de verre, de laitier, de cellulose et le mica expané (vermiculite).

Isolants rigides Les isolants rigides sont fabriqués en panneaux à partir de matériaux tels que la fibre de bois, la fibre de verre et le plastique cellulaire.

Isolants en mousse On peut poser comme isolant, par pulvérisation ou injection sous pression, des résines plastiques, comme le polyuréthane, qui se transforment en une mousse rigide en quelques minutes. Puisque cette opération représente la dernière étape de fabrication et qu'elle se déroule à pied d'œuvre, il importe que l'installateur soit très compétent et consciencieux s'il tient à fournir un produit de qualité et de consistance uniformes.

Degré d'isolation thermique

Le *tableau 36* indique les valeurs RSI minimales recommandées pour les diverses parties de la maison et des petits bâtiments dans l'ouvrage *Mesures d'économie d'énergie dans les nouveaux bâtiments*, 1983. La quantité d'isolant est déterminée par la rigueur du climat selon la méthode des degrés-jours. On calcule les degrés-jours d'une localité donnée en additionnant la différence entre 18° C et la température moyenne de chaque jour de l'année, lorsque celle-ci se trouve sous 18° C. Les degrés-jours sont indiqués dans le Supplément du Code national du bâtiment du Canada. On peut également les obtenir de la station météorologique régionale ou du bureau local de la construction.

Il convient de se rappeler que les valeurs RSI du *tableau 36* sont des valeurs minimales. Dans de nombreux cas, il est préférable de baser la quantité d'isolant sur des valeurs plus élevées. Il est beaucoup plus facile de poser de l'isolant au moment de la construction que d'en ajouter après coup.

On doit isoler tous les murs et plafonds qui séparent un espace chauffé d'un espace non chauffé ou de l'extérieur. Les murs de fondation séparant un sous-sol ou vide sanitaire chauffé de l'air ou du sol extérieur doivent également être isolés jusqu'à au moins 600 mm sous le niveau du sol extérieur. On trouvera dans les sections qui suivent les méthodes d'isolation appropriées aux diverses parties de la maison. Les *figures 99 à 109* illustrent plusieurs méthodes d'isolation des sections de l'enveloppe de la maison. Cela ne signifie pas que ces méthodes sont les seules acceptables. Des matériaux, épaisseurs et dégagements spécifiques sont indiqués dans ces *figures* afin de permettre le rapprochement avec les différents modes de calcul de la résistance thermique. Dans la plupart des cas, ils ne reflètent qu'une solution parmi d'autres aussi valables. Il faut cependant recalculer la résistance thermique si les éléments diffèrent de ceux des illustrations.

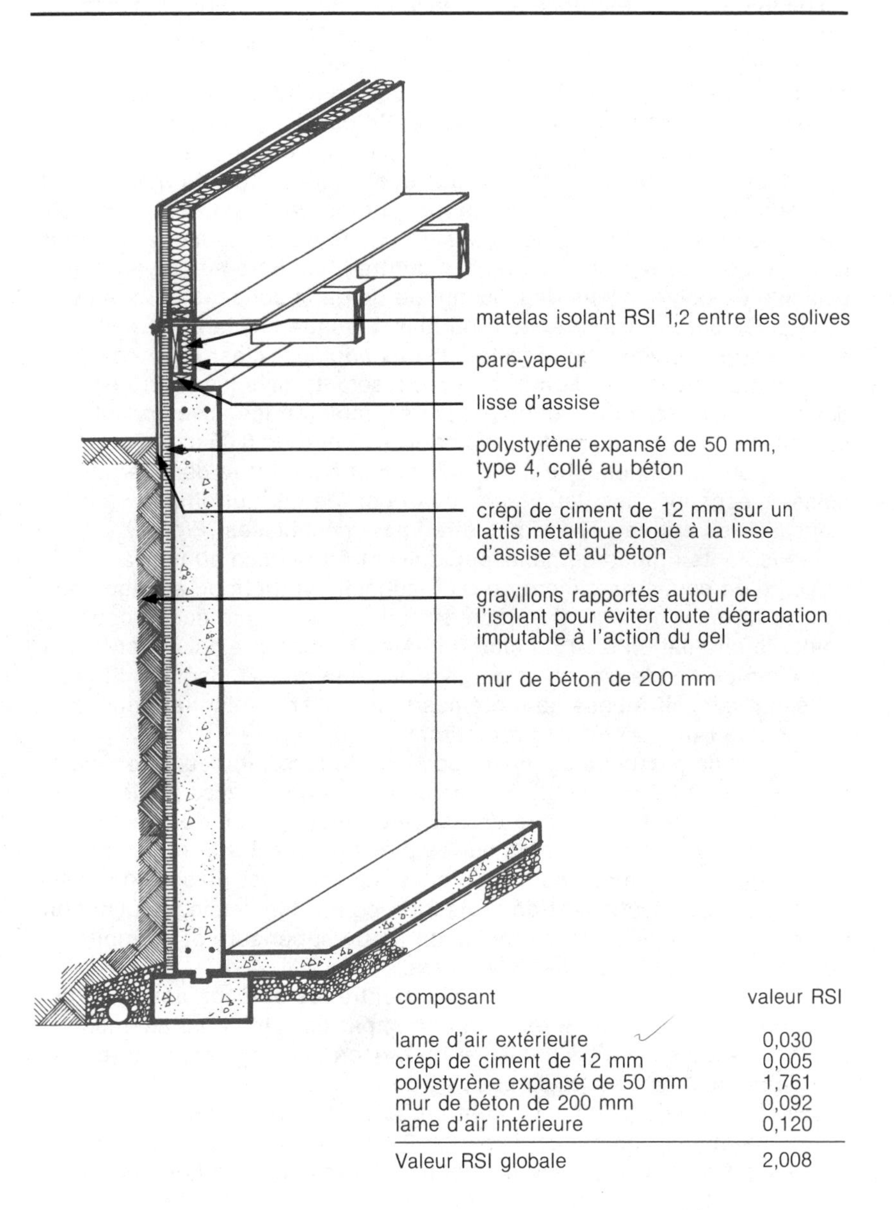

composant	valeur RSI
lame d'air extérieure	0,030
crépi de ciment de 12 mm	0,005
polystyrène expansé de 50 mm	1,761
mur de béton de 200 mm	0,092
lame d'air intérieure	0,120
Valeur RSI globale	2,008

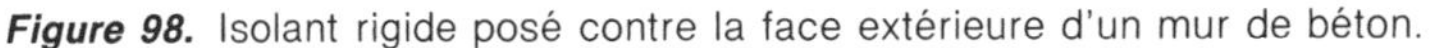

Figure 98. Isolant rigide posé contre la face extérieure d'un mur de béton.

Isolation des fondations

Les murs de fondation enfermant un espace chauffé doivent être isolés depuis la face inférieure du support de revêtement de sol jusqu'à la semelle exclue.

Lorsque l'isolant est posé sur la face extérieure du mur ou sur le pourtour d'un plancher-dalle sur le sol, il doit être soit d'un type non susceptible d'être endommagé par l'eau, comme le polystyrène expansé ou extrudé, soit d'un type qui puisse évacuer l'eau, comme les panneaux rigides de fibres de verre. En outre, l'isolant doit être protégé, au-dessus du sol, à l'aide d'un crépi de ciment de 12 mm posé sur un lattis métallique contre la face et le rebord exposés *(Fig. 98)*.

Lorsque l'isolant est posé sur la face intérieure du mur de fondation, les parties de l'isolant qui se trouvent sous le niveau du sol et les fourrures de bois doivent être protégées contre l'humidité au moyen d'une pellicule de polyéthylène de 0,05 mm ou de deux couches de bitume appliquées sur la face intérieure du mur. Lorsque l'isolant est peu absorbant (le polystyrène expansé, par exemple), il n'est pas nécessaire d'imperméabiliser le mur derrière l'isolant, mais les fourrures doivent cependant être protégées, par exemple en les enveloppant partiellement dans une pellicule de polyéthylène de 0,05 mm. Par contre, pour que l'humidité qui aurait réussi à s'infiltrer dans le mur puisse s'échapper, les deux faces de la portion du mur située au-dessus du sol ne doivent pas être imperméabilisées *(Fig. 99)*.

Les isolants rigides en panneaux doivent être collés au mur au moyen d'un coulis de ciment ou d'un adhésif synthétique appliqué en bandes formant grillage. Ce mode de collage est recommandé pour limiter la circulation d'air humide derrière l'isolant et ainsi éviter la formation de condensation et de givre entre le mur et l'isolant. Si l'on utilise un adhésif à base de protéines pour coller l'isolant au mur, il doit contenir un produit de protection.

L'isolant de plastique cellulaire posé sur la face intérieure des murs du sous-sol doit être revêtu d'un matériau de finition acceptable, car sa grande inflamabilité constitue un risque de propagation des flammes. Il convient aussi de recouvrir les autres types d'isolant afin de les protéger contre les dommages mécaniques. Lorsqu'il est prescrit de poser sur l'isolant un revêtement de protection contre l'incendie, celui-ci doit être fixé mécaniquement, au moins en partie supérieure et inférieure des panneaux et autour des ouvertures.

On peut également poser de l'isolant entre les poteaux des murs de fondation en bois traité. Il est bon de remplir ces vides parfaitement, quitte à dépasser le niveau d'isolation prescrit, afin d'y prévenir la formation de poches d'air et de boucles de convection.

Les illustrations (p. 00) indiquent un béton ordinaire (c'est-à-dire ayant une masse volumique d'environ 2 400 kg/m^3). On peut utiliser un béton léger qui possède une meilleure valeur isolante, à condition qu'il ait une résistance à la compression d'au moins 15 MPa après 28 jours.

Dans les illustrations qui suivent (p. 00), l'isolant court sur toute la hauteur du mur de fondation. Il peut se former des courants de convection dans les murs de fondation en blocs de béton creux qui ne sont pas recouverts d'isolant sur toute leur hauteur. Le bord inférieur de l'isolant rigide doit être calfeutré; celui de l'isolant en matelas doit être constitué par une fourrure massive.

Isolation des planchers

On doit isoler les planchers construits au-dessus d'un vide sanitaire non chauffé d'un garage chauffé ou non.

Lorsque le dessous du plancher n'est pas fini, il faut prévoir un moyen de supporter l'isolant. Dans le cas de matelas isolants posés par friction ou d'isolant rigide *(Fig. 100)*, le moyen le plus économique

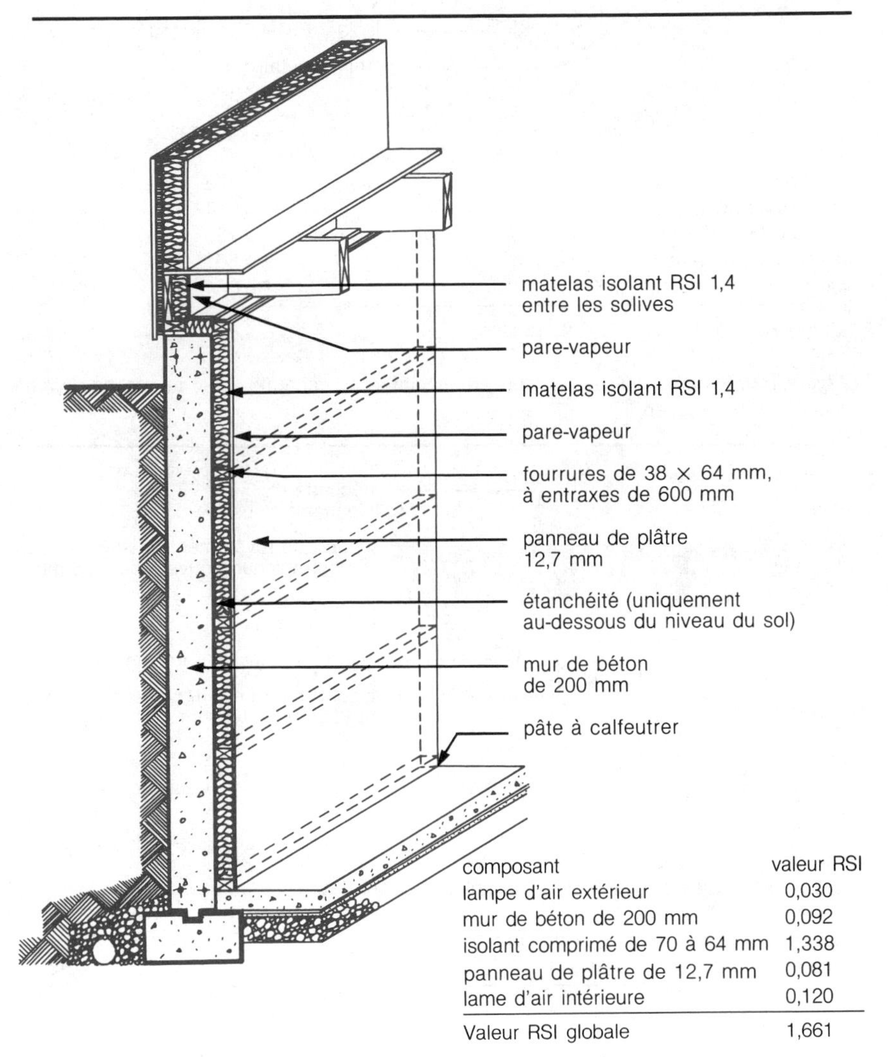

composant	valeur RSI
lampe d'air extérieur	0,030
mur de béton de 200 mm	0,092
isolant comprimé de 70 à 64 mm	1,338
panneau de plâtre de 12,7 mm	0,081
lame d'air intérieure	0,120
Valeur RSI globale	1,661

Figure 99. Isolation d'un mur de béton à l'aide de matelas isolants (fourrures horizontales).

consiste habituellement à agrafer un treillis métallique ou un « grillage à poules » à la face inférieure des solives. Dans le cas de l'isolant en vrac *(Fig. 101)*, le support doit être en matériau massif (qui empêche l'isolant de s'échapper) et suffisamment perméable pour ne pas emprisonner l'eau qui aurait réussi à traverser le pare-vapeur.

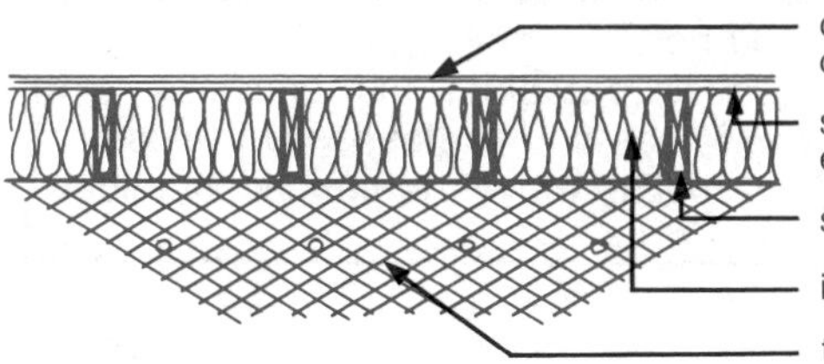

composant	valeur RSI
lame d'air supérieure	0,162
carreau de plancher de 3 mm	0,014
support de revêtement de sol en contreplaqué de 15,5 mm	0,137
isolant comprimé de 216 à 184 mm	4,501
lame d'air inférieure	0,044
Valeur RSI globale	4,858

Figure 100. Plancher au-dessus d'un vide sanitaire non chauffé, isolé au moyen de matelas maintenus par friction.

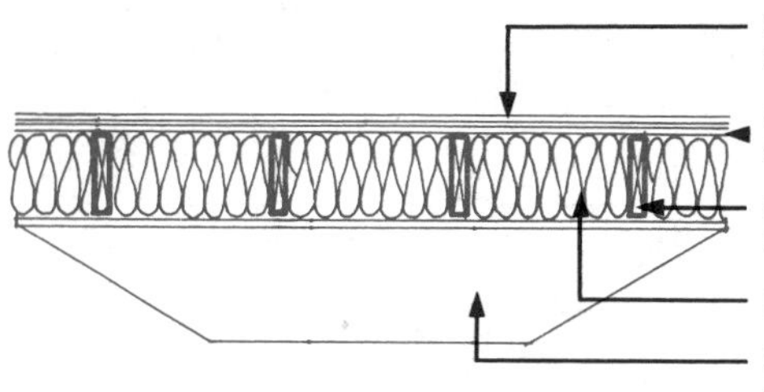

composant	valeur RSI
lame d'air supérieure	0,162
moquette et thibaude	0,366
support de revêtement de sol en contreplaqué de 18,5 mm	0,166
isolant	4,297
support d'isolant en panneaux de fibres de 11 mm	0,183
lame d'air inférieure	0,044
Valeur RSI globale	5,218

Figure 101. Plancher au-dessus d'un vide sanitaire non chauffé, isolé au moyen d'isolant en vrac.

Le pare-vapeur doit bien sûr être installé contre la face supérieure (le côté chaud) de l'isolant. Il n'est pas nécessaire d'utiliser un pare-vapeur supplémentaire lorsque le support de revêtement de sol est en contreplaqué à joints serrés, puisque celui-ci constitue habituellement un bon pare-air et un très bon pare-vapeur.

L'isolant doit être soigneusement ajusté autour des croix de Saint-André et des entretoises entre les solives. Ceci est particulièrement vrai des matelas isolants et des isolants rigides. Il importe également de ne pas oublier de mettre de l'isolant dans les petits espaces, comme entre les solives jumelées séparées par des cales ou entre un mur et la première solive. Dans ces cas, l'isolant doit être taillé légèrement plus grand et posé avec soin en évitant de le tasser en paquets ou de trop le comprimer.

Lorsque l'isolant ne comble pas l'espace entre les solives sur toute leur hauteur, les extrémités des solives doivent faire l'objet d'une attention particulière. Les solives de rive et de bordure correspondent effectivement à un mur, et doivent donc être isolées de façon comparable. On doit également installer un pare-air très étanche sur tout le pourtour afin d'empêcher le plus possible l'air froid de pénétrer entre les solives et de contourner ainsi l'isolant.

L'isolation d'un plancher au-dessus d'un espace non chauffé contribue à minimiser les pertes de chaleur à travers le plancher, mais peut ne pas éliminer la sensation de froid au niveau du plancher. La *figure 102* illustre un moyen d'éviter cette sensation de froid.

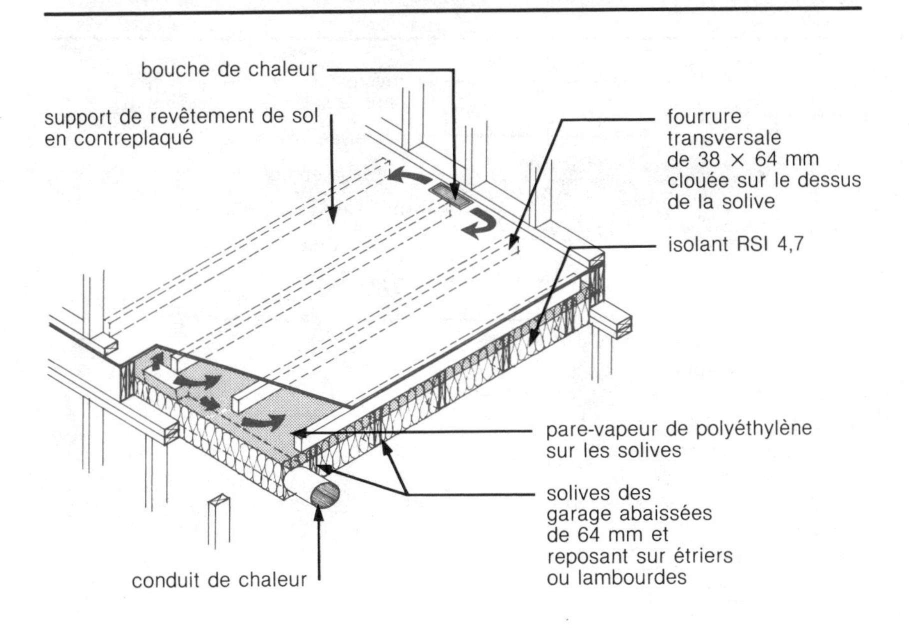

Figure 102. Méthode recommandée pour prévenir la sensation de froid sur un plancher situé au-dessus d'un garage.

Isolation des murs

La résistance thermique maximale qu'on peut obtenir avec une ossature murale à poteaux de 38 × 89 mm, lorsqu'on en remplit les vides d'isolant en matelas et qu'on utilise des matériaux de finition intérieure, de revêtement intermédiaire et de bardage courants, est d'environ 2,5. Un choix judicieux de revêtement intermédiaire et de bardage extérieurs permet de faire passer cette valeur RSI à 2,8 *(Fig. 103)*. Si on désire augmenter encore cette valeur, il faut prendre des mesures particulières. On peut, entre autres, utiliser des poteaux plus profonds, de 38 × 140 mm par exemple, pour recevoir des matelas plus épais *(Fig. 104)*. On peut aussi utiliser des poteaux de 38 × 89 mm, en remplir les vides de matelas isolants et poser un isolant rigide sur la face extérieure, à la place ou en plus du revêtement intermédiaire *(Fig. 105)*. L'avantage de cette dernière méthode est qu'une partie non négligeable de la résistance thermique du mur est assurée par un revêtement continu recouvrant la totalité de l'ossature murale, ce qui minimise les pertes de chaleur à travers les éléments d'ossature.

Certains types d'isolants semi-rigides sont dotés, sur une de leurs faces, d'un revêtement de polyoléfine non tissé appelé filé-lié. Ce matériau est perméable à la vapeur d'eau et imperméable à l'air. Il peut donc constituer un bon pare-air lorsque les joints entre les panneaux sont recouverts de ruban adhésif. Le filé-lié se vent en rouleaux de 1,2 et 2,7 m et peut être posé sur la face extérieure des murs comme pare-air.

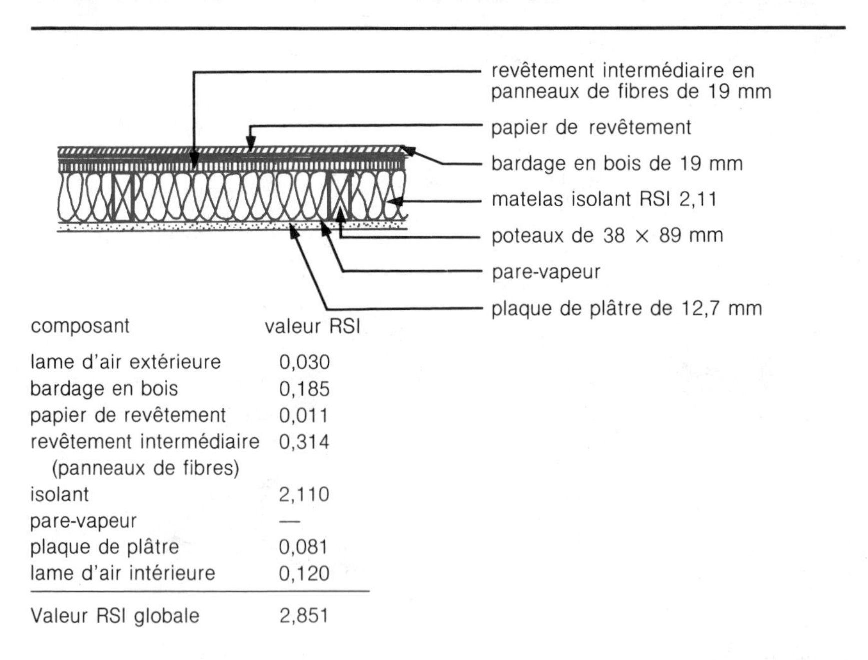

composant	valeur RSI
lame d'air extérieure	0,030
bardage en bois	0,185
papier de revêtement	0,011
revêtement intermédiaire (panneaux de fibres)	0,314
isolant	2,110
pare-vapeur	—
plaque de plâtre	0,081
lame d'air intérieure	0,120
Valeur RSI globale	2,851

Figure 103. Augmentation de l'isolation d'un mur à poteaux de 38 × 89 mm.

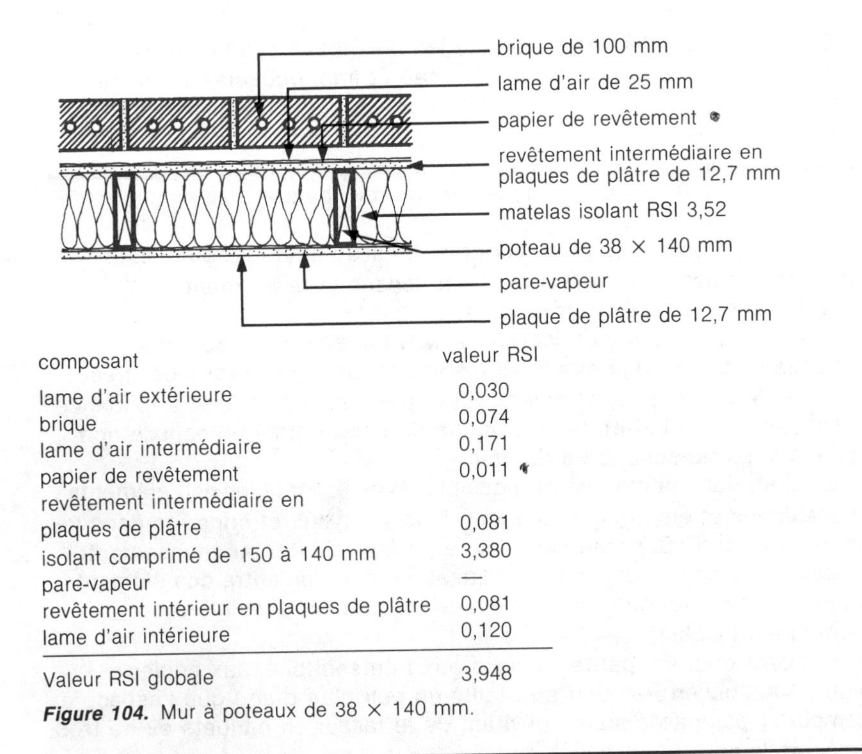

composant	valeur RSI
lame d'air extérieure	0,030
brique	0,074
lame d'air intermédiaire	0,171
papier de revêtement	0,011
revêtement intermédiaire en plaques de plâtre	0,081
isolant comprimé de 150 à 140 mm	3,380
pare-vapeur	—
revêtement intérieur en plaques de plâtre	0,081
lame d'air intérieure	0,120
Valeur RSI globale	3,948

Figure 104. Mur à poteaux de 38 × 140 mm.

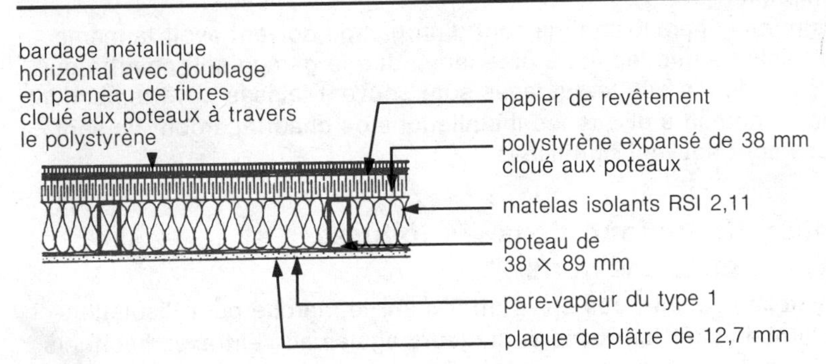

composant	valeur RSI
lame d'air extérieure	0,030
bardage en métal avec doublage	0,246
papier de revêtement	0,011
polystyrène expansé de 38 mm	0,977
isolant	2,110
pare-vapeur	—
plaque de plâtre de 12,7 mm	0,081
lame d'air intérieure	0,120
Valeur RSI globale	3,575

Figure 105. Pose d'isolant rigide comme revêtement intermédiaire.

D'autres types d'isolants, comme les plastiques cellulaires, sont faiblement perméables à la vapeur d'eau et imperméables à l'eau et à l'air. Ils pourraient constituer un bon pare-air s'ils étaient posés à joints serrés et calfeutrés. Leur faible perméabilité à la vapeur d'eau exige toutefois que les joints ne soient pas scellés, afin que l'humidité qui se serait introduite dans les vides du mur puisse s'échapper vers l'extérieur.

Quelle que soit la solution adoptée, il est toujours recommandé d'utiliser un papier de revêtement par-dessus le revêtement intermédiaire afin d'écarter la pluie.

Il n'est pas permis d'utiliser un isolant en vrac dans les murs puisque sa pose exige que le vide soit encloisonné. Il est alors très difficile de le remplir totalement. En outre, l'isolant en vrac a tendance à se tasser sous l'effet des vibrations et à créer ainsi un espace non isolé à la partie supérieure du mur.

On doit, dans la mesure du possible, éviter d'installer des éléments mécaniques et électriques, tels que boîtes, tuyaux et conduits dans les murs extérieurs. Si on ne peut l'éviter, il faut ajuster soigneusement l'isolant autour des éléments en question, ainsi qu'entre ces éléments et la surface extérieure du mur, en évitant le plus possible de comprimer l'isolant.

L'isolant pour les petits espaces aux intersections, aux angles et autour des ouvertures doit être taillé un peu plus grand que l'espace à remplir et posé avec soin en évitant de le tasser en paquets ou de trop le comprimer.

Les murs séparant un logement d'un garage doivent avoir la même valeur isolante que les murs extérieurs, que le garage soit chauffé ou non, étant donné que les garages sont souvent laissés ouverts pendant de longs moments et que les installations de chauffage dont ils sont équipés sont souvent inutilisées.

Isolation du plafond dans les toitures à fermes ou à chevrons

Les matelas isolants très épais offerts sur le marché pour l'isolation des plafonds sont fabriqués en largeurs égales aux entraxes habituels des éléments de charpente du toit. La partie inférieure de l'isolant se trouve légèrement comprimée entre les éléments de charpente, tandis que la partie supérieure conserve sa pleine largeur et recouvre le dessus des éléments, contribuant ainsi à réduire les pertes de chaleur à travers ceux-ci.

On peut également recouvrir les éléments de charpente d'isolant en vrac. Son avantage réside dans le fait que l'on peut n'utiliser que la quantité d'isolant désirée. Il faut cependant prendre bien soin de poser l'isolant à la densité indiquée, sans quoi il pourrait se tasser. Il faut aussi éviter que l'isolant en vrac ne se répande sur les orifices de ventilation du débord de toit et voir à ce qu'il ne soit pas déplacé par le vent qui y pénètre. On utilise des déflecteurs comme ceux montrés à la *figure 106* pour empêcher l'isolant d'obstruer la circulation d'air.

Les matelas isolants et les isolants rigides doivent être posés à joints serrés contre les éléments structuraux et disposés de façon à laisser l'air circuler librement par les orifices de ventilation.

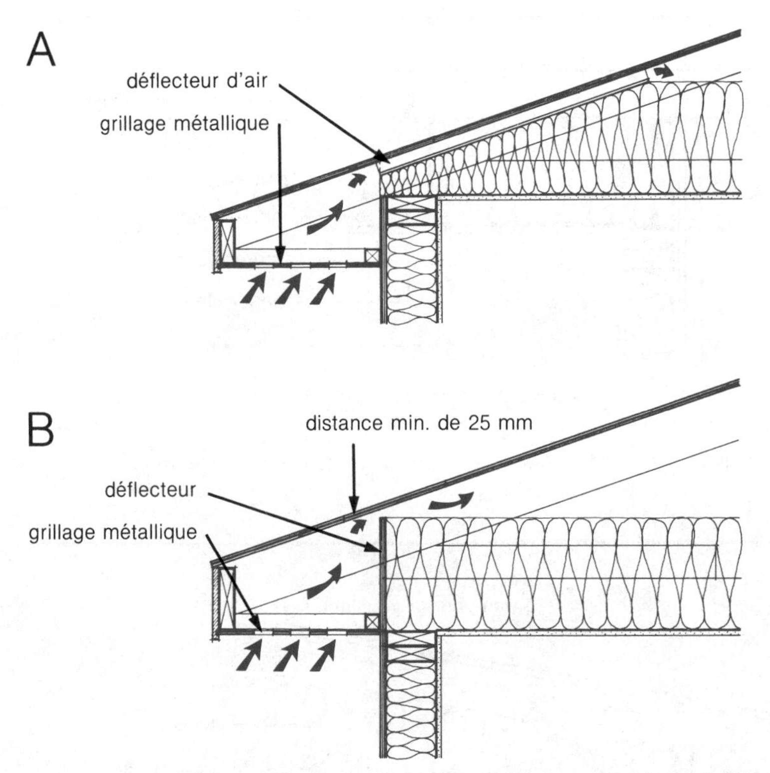

Figure 106. Méthodes suggérées pour éviter d'obstruer la ventilation au débord de toit. (A) Cas où la ferme est assemblée au mur selon la méthode courante; (B) Cas où la ferme ne repose pas directement sur la sablière.

Isolation des toits-plafonds à solives

Dans les toitures sans fermes où la charpente du toit se confond avec celle du plafond, les éléments de charpente prennent le nom de solive de toit lorsque le revêtement de finition intérieure est fixé directement à leur champ inférieur. On retrouve ce genre de construction avec les toits plats, et avec les plafonds de type « cathédrale », c'est-à-dire en pente. Lorsque l'isolation de ces toits se fait entre le plafond et le support de couverture, il peut se présenter des problèmes de condensation parce que l'espace entre l'isolant et le support de couverture se trouve divisé en plusieurs petits compartiments qu'il est très difficile de ventiler. Ainsi, l'humidité qui réussit à s'infiltrer à travers des imperfections de la membrane d'étanchéité renforcée ne se dissipe pas, s'accumule et se condense. Les *figures 107 et 108* proposent des moyens de prévenir ce problème. Une autre façon de prévenir le problème de condensation dans les toits-plafonds à solives consiste à poser l'isolant au-dessus du support de couverture, comme cela se fait couramment dans la construction des toits plats *(Fig. 109)*.

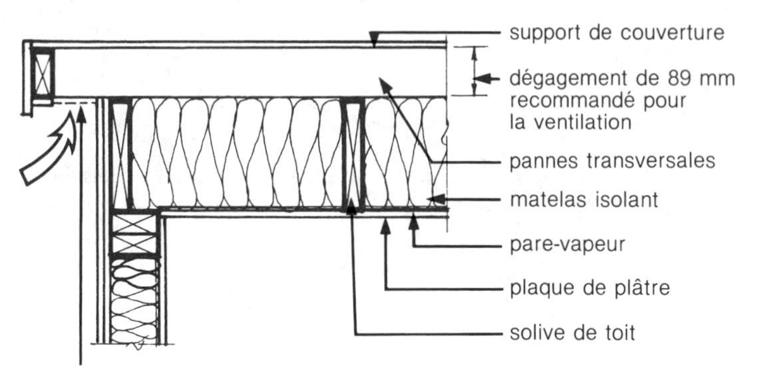

Figure 107. Isolation d'un toit-plafond à solives, entre le plafond et le support de couverture.

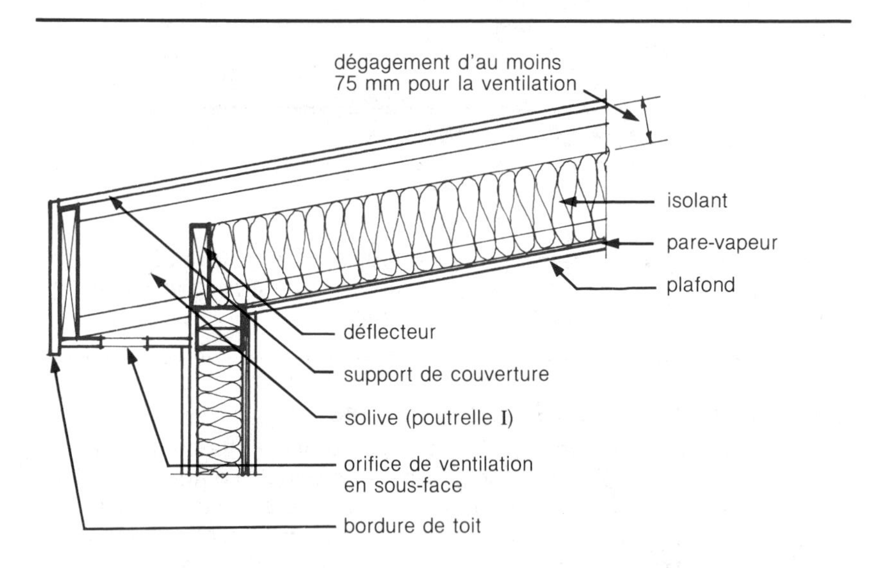

Figure 108. Autre méthode d'isolation d'un toit-plafond à solives, entre le plafond et le support de couverture. On peut utiliser cette méthode quand la pente est d'au moins 1:6, que les solives sont dans le même sens que la pente, et que la couche d'air de ventilation est ininterrompue entre les débords de toit et le faîte.

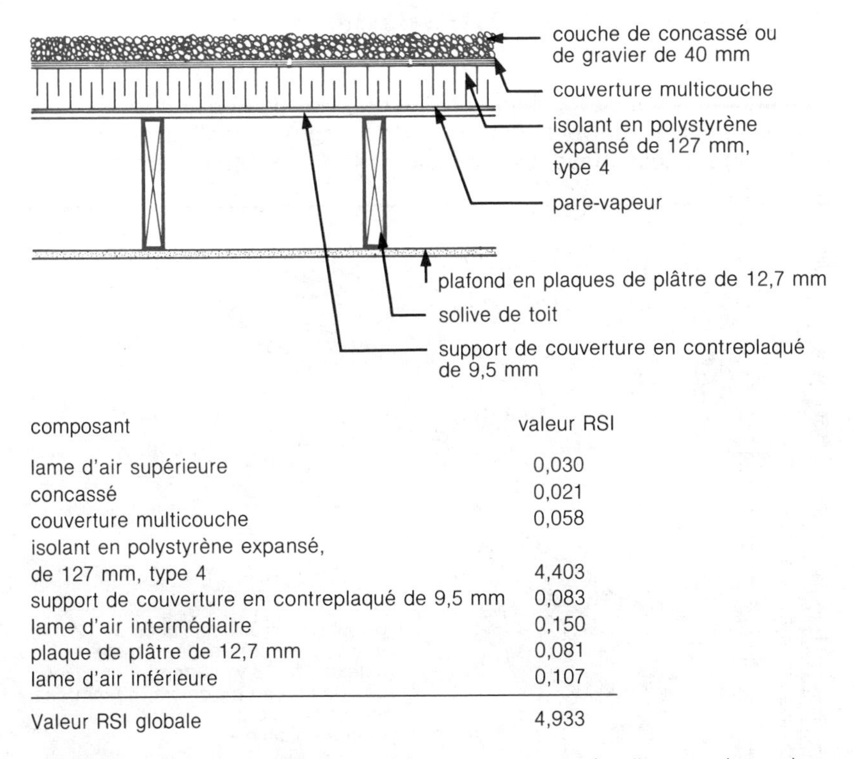

composant	valeur RSI
lame d'air supérieure	0,030
concassé	0,021
couverture multicouche	0,058
isolant en polystyrène expansé, de 127 mm, type 4	4,403
support de couverture en contreplaqué de 9,5 mm	0,083
lame d'air intermédiaire	0,150
plaque de plâtre de 12,7 mm	0,081
lame d'air inférieure	0,107
Valeur RSI globale	4,933

Figure 109. Isolation d'un toit-plafond essentiellement plat à solives par-dessus le support de couverture.

Ouvrages de référence

Guide du constructeur vers l'efficacité énergétique dans les logements neufs
Association provinciale des constructeurs d'habitations du Québec, APCHQ, 1985

La construction de maisons efficaces au plan énergétique
Société canadienne d'hypothèques et de logement
LNH 5489

Mesures d'économie d'énergie dans les logements neufs
Comité associé du Code national du bâtiment, Conseil national de recherches du Canada, Ottawa 1983

Protection contre l'incendie et isolement acoustique

Les murs mitoyens de logements collectifs, tels que les duplex et les maisons jumelées, doivent avoir un certain degré de résistance au feu et d'isolement acoustique. Les croquis de la *figure 110* illustrent les

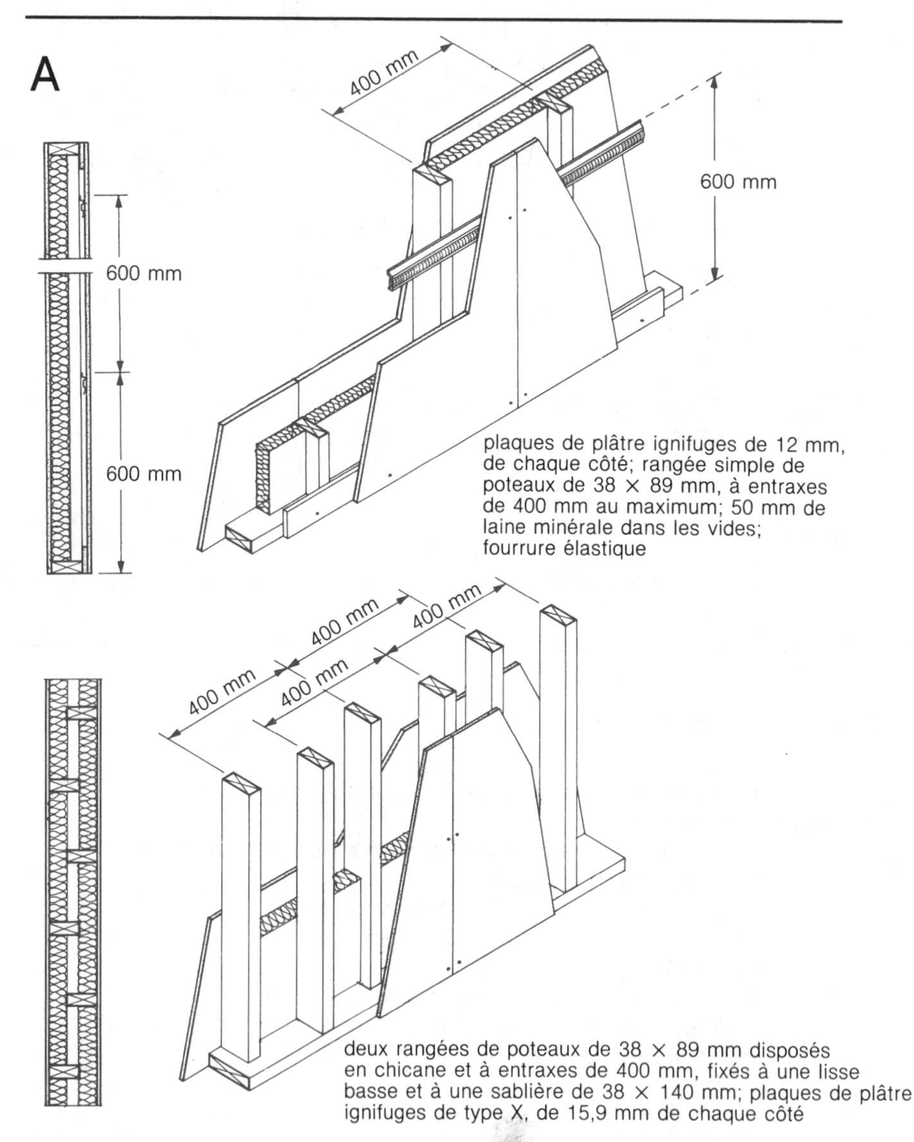

Figure 110. (A) Murs à ossature de bois ayant un ITS (indice de transmission du son) d'au moins 45. (B) Planchers à ossature de bois ayant un ITS d'au moins 45. (C) Murs de maçonnerie ayant un ITS d'au moins 45. (Suite de cette figure à la page suivante).

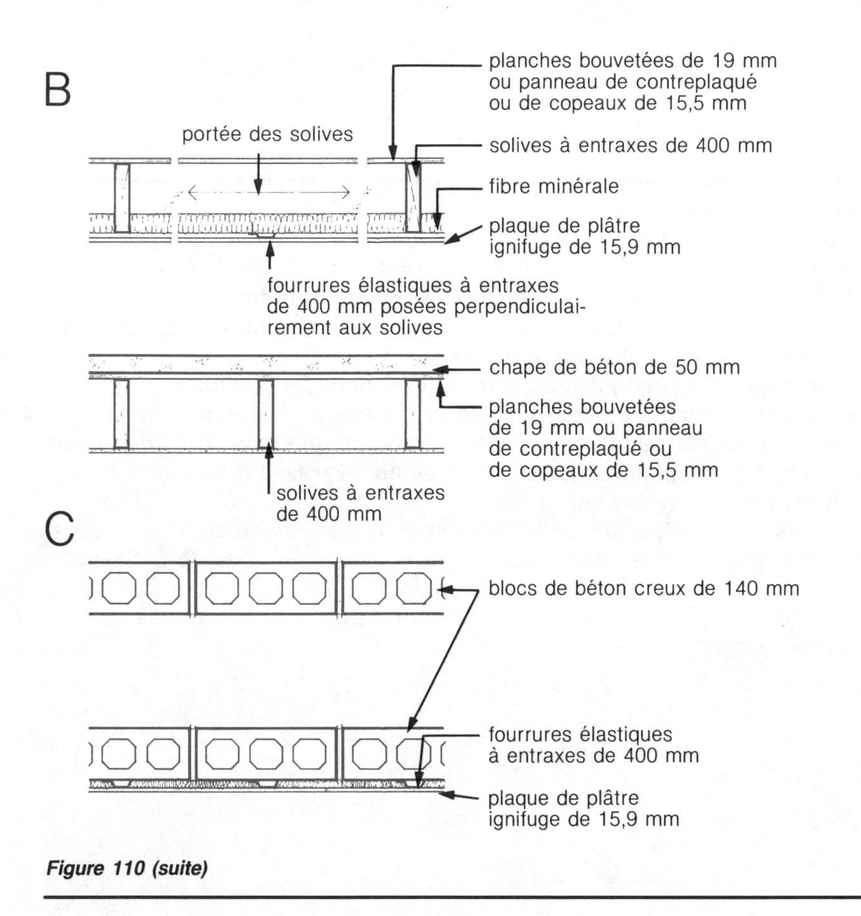

Figure 110 (suite)

modes de construction permettant de procurer aux murs et aux planchers le degré d'isolement acoustique qui répond aux exigences courantes. L'emploi de matériaux de finition intérieure qui respectent l'indice de propagation de la flamme exigé est l'assurance d'une bonne résistance à la propagation des flammes. Les divers matériaux de finition offerts sur le marché ont un indice de propagation de la flamme déterminé par des laboratoires d'essai reconnus.

Avertisseurs de fumée

Le Code national du bâtiment et la plupart des codes de construction locaux prescrivent l'installation d'avertisseurs de fumée dans les logements. Il s'agit habituellement d'un détecteur de fumée combiné à un avertisseur sonore à piles ou branché sur un circuit électrique. Il existe deux types fondamentaux d'avertisseurs de fumée : le type à ionisation qui détecte les produits de combustion et le type à cellule photo-électrique.

Emplacement et pose Lorsqu'il n'y a qu'un seul avertisseur de fumée, celui-ci doit être situé entre les chambres et les aires de séjour. On assure toutefois une protection maximale en installant un avertisseur à chaque étage et en reliant les avertisseurs entre eux. Les avertisseurs de fumée doivent être posés sur le plafond, ou sur le mur à 200 ou 300 mm du plafond.

Les codes du bâtiment exigent habituellement que les avertisseurs de fumée soient raccordés en permanence à un circuit électrique. Il ne doit pas y avoir d'interrupteur entre l'avertisseur de fumée et le tableau de distribution de la maison. De plus, le circuit de l'avertisseur ne doit pas être raccordé à une prise de courant murale.

On peut utiliser des avertisseurs à piles dans les endroits non alimentés en courant électrique. Ces appareils à piles sont conçus pour fonctionner pendant au moins un an; lorsque la vie utile de la pile tire à sa fin, l'appareil émet un court signal avertisseur de façon intermittente, pendant sept jours.

Seuls les avertisseurs de fumée « approuvés » ou « répertoriés » sont certifiés comme étant conformes aux exigences du code du bâtiment. Ceux qui portent l'étiquette d'un organisme d'essai reconnu, comme les *Underwriters' Laboratories of Canada (ULC)*, sont conformes aux normes reconnues.

Ventilation

Ventilation du vide sous toit

Les pare-air et pare-vapeur n'empêchent pas totalement les fuites d'humidité autour des tuyaux et autres ouvertures. Le pare-vapeur laisse lui-même passer de la vapeur d'eau. Si on laisse à celle-ci la possibilité de s'accumuler dans le vide sous toit, il est plus que probable que par temps froid elle se condensera et se transformera en givre au point de pouvoir causer des dommages. Puisque la plupart des types de couvertures résistent très bien au passage de la vapeur d'eau, la meilleure façon d'éliminer celle-ci consiste à l'évacuer par ventilation.

Par temps froid, les déperditions de chaleur à travers l'isolant du plafond et le rayonnement solaire peuvent être assez importants pour faire fondre la neige sur le toit, mais pas sur les débords de toit. L'eau de fonte ainsi produite peut alors former une digue en gelant dans les gouttières et sur le débord, et créer une accumulation d'eau susceptible de remonter le long du versant, de traverser le matériau de couverture et de s'infiltrer dans les murs et dans le plafond. Le même phénomène peut se produire aux noues. Une bonne isolation et une ventilation appropriée permettront d'abaisser la température du vide sous toit et ainsi d'empêcher la neige de fondre.

Une méthode de ventilation courante consiste à installer des aérateurs à lames ou des aérateurs grillagés continus sous les débords de toit des toits à deux versants ou à croupes *(Fig. 111)*. La circulation d'air à travers ces ouvertures est surtout fonction du vent. Ces aérateurs sont plus efficaces lorsqu'on les combine à des aérateurs de

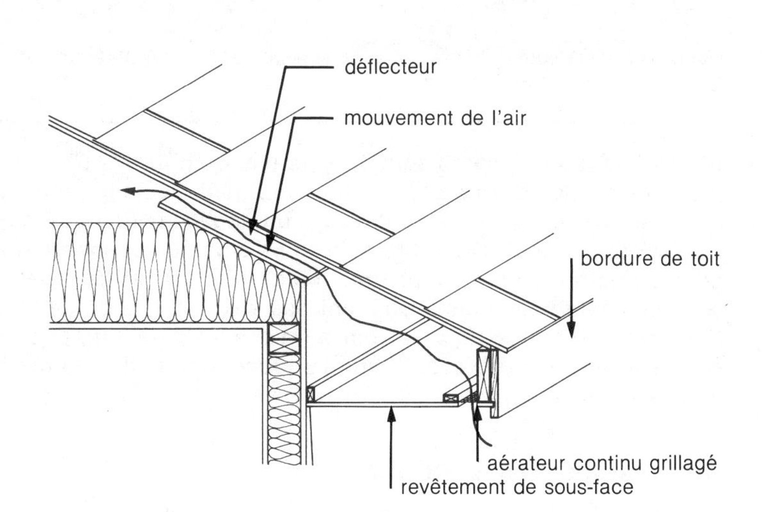

Figure 111. Aérateur de débord de toit.

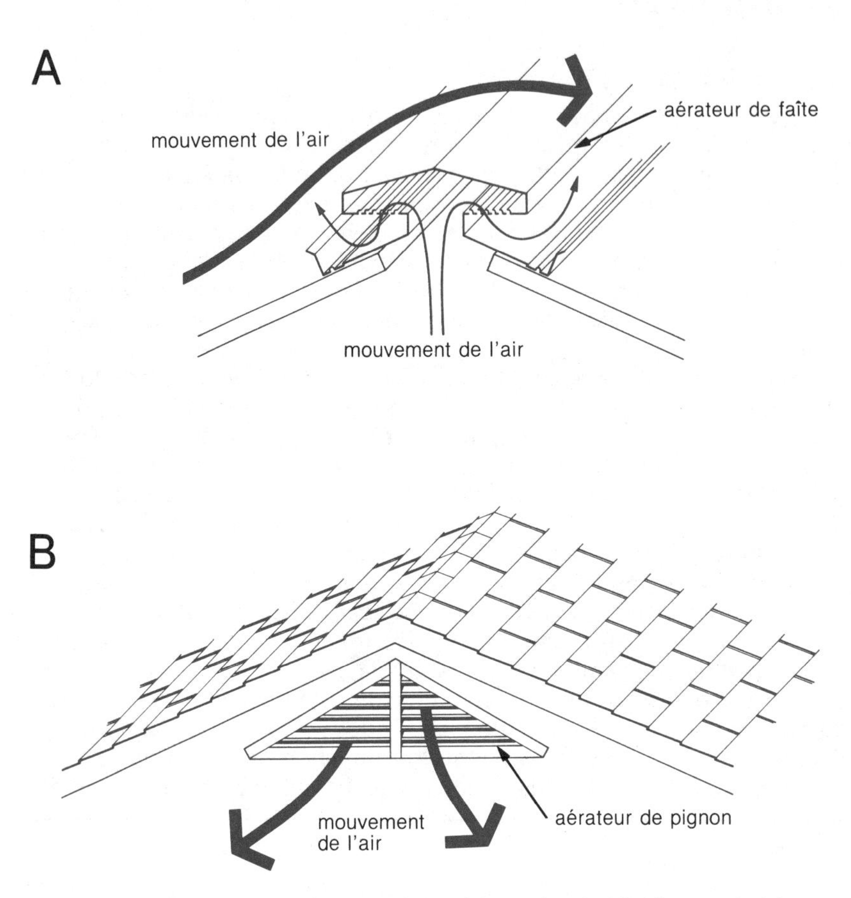

Figure 112. Aérateurs disposés en partie supérieure du toit. (A) Aérateur de faîte. (B) Aérateur de pignon.

faîte *(Fig. 112 A)* ou à des aérateurs de pignon *(Fig. 112 B)*.

Il est difficile de ventiler les toits plats dont l'isolant a été placé entre les solives, à moins qu'il n'y ait un dégagement au-dessus de l'isolant et que les vides entre solives ne communiquent entre eux pour permettre la libre circulation de l'air *(Fig. 107 et 108)*. Ces solutions courantes ne s'appliquent pas aux endroits où de la neige fine peut être poussée par le vent à travers les aérateurs et se déposer sur l'isolant. Dans ces cas, il faut s'en tenir aux méthodes couramment utilisées dans la région.

Dimensions des aérateurs

La surface nette recommandée pour les aérateurs de tout vide sous toit est d'un mètre carré pour 300 m^2 de surface de plafond. Pour une surface de plafond de 100 m², par exemple, il faut des aérateurs ayant au total une surface nette d'au moins 0,33 m². La surface nette doit être calculée en tenant compte des obstacles à la circulation de l'air, comme les lames, toiles métalliques ou grillages. Les grillages des aérateurs doivent être en plastique ou en métal résistant à la corrosion.

Ventilation et couvre-sol du vide sanitaire

À moins qu'il ne serve de plénum au système de chauffage, le vide sanitaire sous la maison doit être ventilé par les murs extérieurs. L'aire de ventilation nette doit correspondre à au moins 1/500 de la surface de plancher du vide sanitaire. Lorsque le vide sanitaire joue le rôle de plénum, les bouches de chaleur peuvent également servir d'aérateurs.

En été, il convient de ventiler les vides sanitaires sous la maison et sous le porche afin d'évacuer l'humidité qui s'élève du sol à travers le couvre-sol; sinon, la vapeur pourrait se condenser sur le bois exposé du plancher et le faire pourrir. Les aérateurs placés sur les murs extérieurs doivent être pourvus d'un grillage et de plaques de fermeture doublées d'isolant et hermétiques, afin d'empêcher les fuites d'air lorsque le vide sanitaire est chauffé en hiver *(Fig. 113)*.

Il n'est habituellement pas nécessaire d'installer des aérateurs dans les murs extérieurs ou le plancher lorsque le vide sanitaire communique avec un sous-sol, cette disposition assurant une ventilation suffisante du vide sanitaire.

Le sol de tout vide sanitaire doit être recouvert d'un couvre-sol comme nous l'avons déjà expliqué dans la section traitant des semelles et des fondations des vides sanitaires.

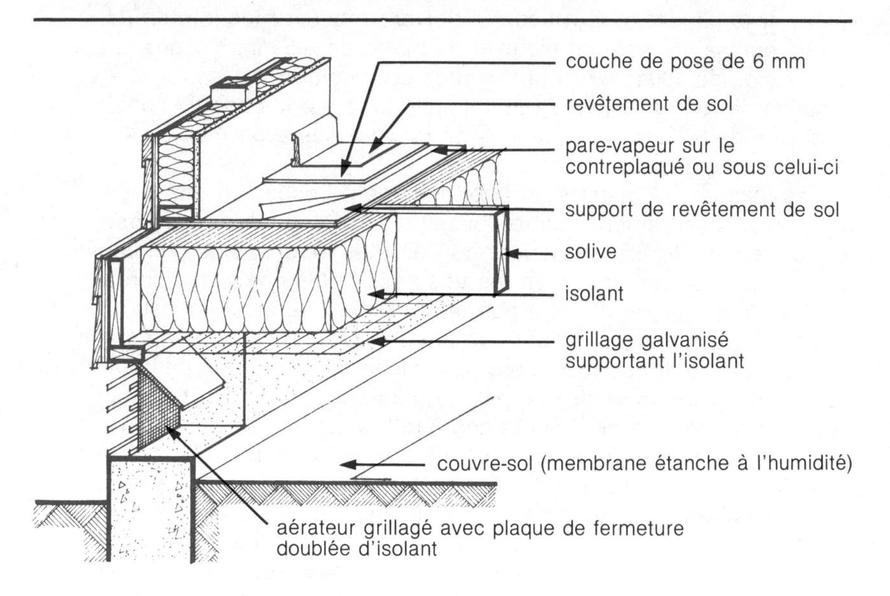

Figure 113. Aérateur et couvre-sol du vide sanitaire.

Revêtements intérieurs de finition des murs et des plafonds

Par revêtement intérieur de finition, on entend tous les matériaux utilisés pour recouvrir l'ossature intérieure des murs et des plafonds. Les plaques de plâtre sont les plus utilisées, bien qu'on emploie aussi parfois les panneaux de contreplaqué, les panneaux de fibres durs avec ou sans revêtement simili-bois, ou le bois massif.

Plaques de plâtre

Les plaques de plâtre constituent le revêtement de finition le plus largement utilisé à cause de leur rapidité de mise en œuvre, de leur coût raisonnable et de l'uniformité des résultats obtenus. En outre, ce matériau se fabrique sous diverses formes selon l'usage auquel on le destine; ainsi on a des plaques ignifuges, à revêtement de papier métallique, hydrofuges ou préfinies. On trouve également sur le marché divers types d'attaches, de colles, d'accessoires de finition, de systèmes de pose et de fourrures. À cause de leur faible épaisseur, les panneaux doivent être posés sur des poteaux et des solives soigneusement alignés. Il importe donc, à cette fin, d'utiliser du bon bois de construction, de bien le poser (par exemple, cambrures tournées vers le haut dans le cas des solives) et d'ajouter les contreventements et les fourrures qui s'imposent.

Les plaques sont constituées d'une âme en plâtre et de deux faces de parement en papier. Les feuilles mesurent 1,2 m de largeur et 2,4 m de longueur ou plus. Leurs rives longitudinales sont amincies pour recevoir le ciment et le ruban qui doivent recouvrir les joints. Bien qu'on puisse utiliser des plaques de plâtre de 9,5 mm sur des supports à entraxes de 400 mm, on utilise plus couramment celles de 12,7 mm à cause de leur plus grande résistance. Lorsque les appuis sont à entraxes de 600 mm, les plaques ne doivent pas avoir moins de 12,7 mm d'épaisseur.

Les plaques de plâtre sont habituellement posées en une seule épaisseur, directement contre l'ossature. Au plafond, on les pose généralement de façon que leur côté le plus long soit perpendiculaire aux solives. Sur les murs, on les pose généralement à l'horizontale puisque cette façon de faire permet de réduire le clouage et la longueur des joints. Ceux-ci étant ainsi à 1,2 m du plancher, ils sont moins visibles. Il est également plus facile de ponter les joints horizontaux que les joints verticaux, parce qu'ils sont continus et à une hauteur commode. Les extrémités des feuilles ne sont pas amincies et doivent se terminer à un coin et toujours sur un appui. Ceci permet de fixer les feuilles solidement, sans risque de voir les clous se soulever.

Les plaques de plâtre doivent être posées et fixées avec aussi peu d'attaches supplémentaires que possible. On peut les fixer aux éléments structuraux par clouage simple, clouage double, collage ou vissage. Lorsqu'on utilise de clouage et le collage, on doit poser un cordon continu d'adhésif sur la face de l'appui.

Les plaques doivent être fixées à l'aide de clous annelés à tige de 2,3 mm et tête de 5,5 mm de diamètre. Les clous doivent être suffisamment longs pour s'enfoncer d'au moins 20 mm dans l'appui. Une pénétration plus grande pourra s'imposer dans le cas des plafonds pour lesquels un degré de résistance au feu est exigé. Les têtes de clous peuvent être enfoncées légèrement sous la surface du panneau à l'aide d'un marteau spécial. Il se forme ainsi une dépression superficielle *(Fig. 114 A)*. Dans les rives amincies, les clous peuvent être enfoncés au ras de la surface puisqu'ils seront plus tard recouverts du ruban et du ciment à joint.

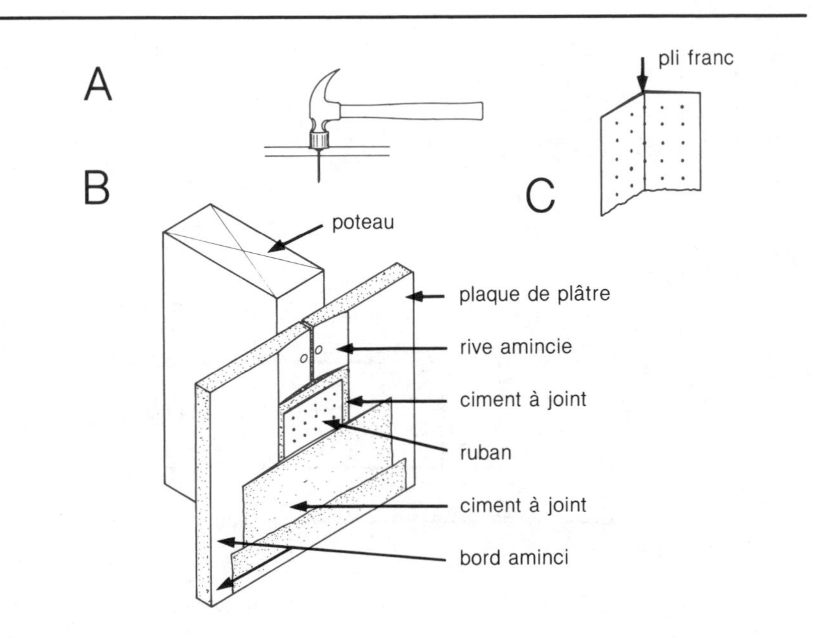

Figure 114. Finition des plaques de plâtre. (A) Clou enfoncé avec un marteau à tête bombée. (B) Pontage d'un joint. (C) Pliage du ruban aux angles intérieurs.

On peut fixer les plaques de plâtre par clouage double, c'est-à-dire enfonçant les clous par paires à environ 50 mm l'un de l'autre et à intervalles de 300 mm le long des appuis *(Fig. 115 B)*. On peut également se contenter d'un clouage simple, mais à entraxes de 120 à 180 mm le long des appuis au plafond et de 150 à 200 mm sur les murs *(Fig. 115 A)*. On utilise plus fréquemment la méthode de clouage double qui a le mérite de diminuer le risque de voir les clous se soulever.

On peut fixer les plaques de plâtre avec des vis posées à l'aide d'un tournevis électrique spécial. Les vis sont habituellement posées à entraxes de 300 mm aux rives et aux appuis intermédiaires. On peut porter cette distance à 400 mm lorsque les appuis sont à entraxes d'au plus 400 mm. Les vis doivent être assez longues pour s'enfoncer d'au

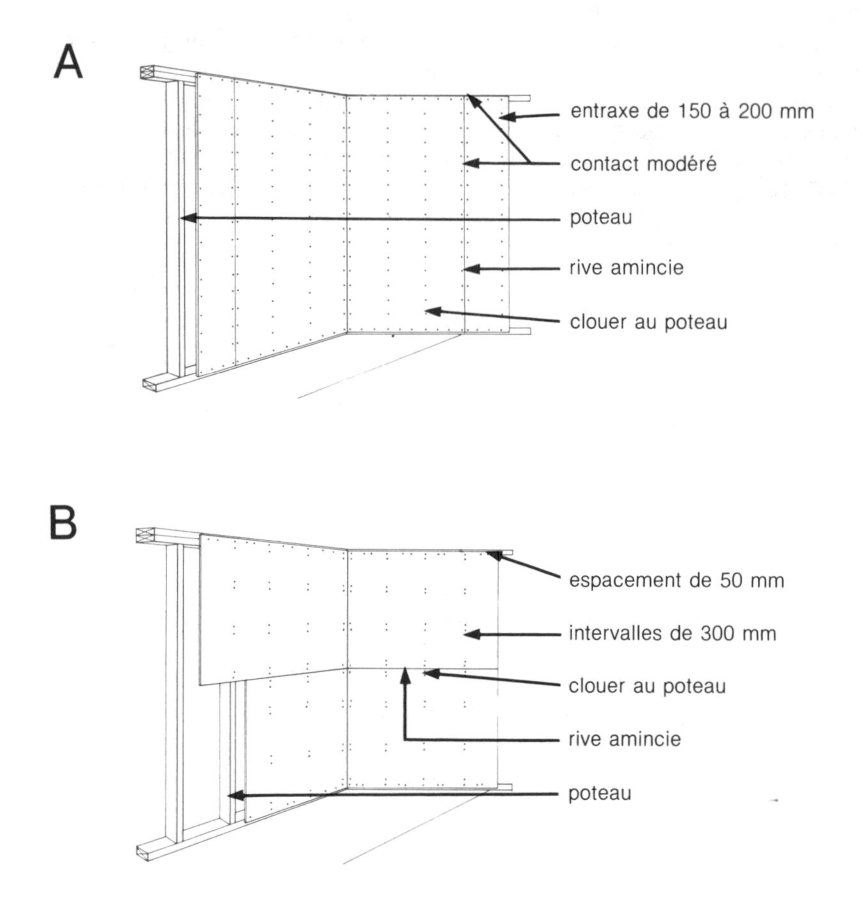

Figure 115. Pose des plaques de plâtre. (A) Pose verticale selon la méthode de clouage simple. (B) Pose horizontale selon la méthode de clouage double. Lorsqu'à l'intersection mur-plafond, les plaques du plafond reposent sur les plaques murales, on peut omettre de clouer la rive supérieure des plaques murales, près du plafond, pourvu que les clous les plus élevés sur le mur ne se trouvent pas à plus de 200 mm du plafond.

---

moins 15 mm dans l'appui. Lorsqu'on doit poser une double épaisseur de panneaux, ils peuvent être cloués ou vissés de la façon courante; sinon, ceux de la couche supérieure sont collés au ciment à joint sur ceux de la couche inférieure.

Avant de ponter les joints, il faut les nettoyer et enlever tout le papier détaché. On remplit de ciment tous les joints de plus de 3 mm, puis on les laisse sécher. Les angles extérieurs sont protégés au moyen de baguettes d'angle résistant à la corrosion ou de moulures de bois, alors qu'aux angles intérieurs, le ruban est plié comme indiqué à la *figure 114 C*.

Le ciment à joint est pré-mélangé ou est offert sous forme de poudre à laquelle on ajoute de l'eau pour lui donner la consistance d'un mastic mou. On peut poser le ciment à l'aide d'outils à main, bien qu'on utilise maintenant des applicateurs mécaniques pour ponter et lisser les joints.

Le première couche de ciment à joint est posée en une bande de 125 mm de largeur, sur toute la longueur du joint. On pose ensuite le ruban qui doit être noyé dans le ciment frais à la truelle ou au couteau à mastic large. On doit prendre soin d'enlever le ciment excédentaire, de lisser le ruban et d'amincir à rien les bords de la bande de ciment *(Fig. 114 B)*.

Lorsque la première couche a durci, on pose une seconde couche de ciment en une bande de 200 mm de largeur le long des rives amincies et de 250 mm de largeur le long des rives non amincies. Ici encore, on amincit à rien les bords des bandes de ciment.

La troisième couche est posée et amincie à rien sur une largeur de 250 à 300 mm dans le cas des rives amincies et de 400 mm dans le cas des rives non amincies. On doit apporter une attention toute particulière à cette dernière couche pour que la surface du joint soit lisse et n'apparaisse pas comme un renflement du mur. Une fois que la troisième couche a durci, il faut en poncer les bords amincis à rien, en prenant soin de ne pas endommager le parement de papier des plaques de plâtre.

Les têtes de clous et les marques, ailleurs qu'aux joints, doivent être couvertes de deux couches de ciment à joint. Le pontage et la finition des plaques de plâtre doivent se faire à 10° C au moins.

Autres revêtements intérieurs de finition

Les autres matériaux utilisés pour la finition des murs et des plafonds sont le contreplaqué, les panneaux de fibres durs avec ou sans revêtement simili-bois, et le bois massif.

Le contreplaqué s'installe ordinairement à la verticale, en panneaux ou en bandes. Il doit avoir une épaisseur minimale de 4,7 mm sur appuis à entraxes de 400 mm et de 8 mm sur appuis à entraxes de 600 mm. Lorsque les murs comportent des entretoises à mi-hauteur, on peut utiliser un contreplaqué de 4,7 mm sur appuis à entraxes de 600 mm ou moins. Lorsqu'on utilise des panneaux de contreplaqué rainurés simulant un revêtement en planches et que les rainures sont parallèles aux appuis de l'ossature, celles-ci ne doivent pas être plus profondes que l'épaisseur du pli de face, à moins qu'elles ne coïncident avec les appuis ou que l'épaisseur du contreplaqué soit supérieure à la valeur minimale requise d'au moins la profondeur des rainures. Les panneaux ou les bandes sont fixés au moyen de clous à finir de 38 mm, à entraxes de 150 mm aux rives et de 300 mm aux appuis intermédiaires. Les panneaux sont offerts sans fini ou avec fini appliqué en usine. Les joints peuvent être biseautés en V ou recouverts d'une couvre-joint. Pour accentuer l'effet des panneaux, on peut poser le contreplaqué en bandes espacées de 20 mm, sur un fond de clouage fixé à l'ossature.

Les panneaux de fibres durs sont habituellement posés à la verticale. Les panneaux minces de 3,2 mm doivent être posés sur un fond de clouage continu. On peut clouer les panneaux directement contre les poteaux, à condition d'utiliser des panneaux de 6 mm sur appuis à entraxes d'au plus 400 mm et des panneaux de 9 mm sur appuis à entraxes d'au plus 600 mm. Les rives des panneaux de fibres durs doivent toutes être appuyées et clouées de la même façon que le contreplaqué.

Il existe aussi des carreaux de fibres durs qui se posent généralement au plafond. Leurs dimensions peuvent varier de 300 × 300 mm à 400 × 800 mm. Ces carreaux sont à rainure et languette et se fixent avec des clous ou agrafes dissimulés. Ils doivent avoir 12,7 mm d'épaisseur lorsqu'ils sont posés à entraxes d'au plus 400 mm.

Il arrive qu'on utilise du bois massif comme revêtement décoratif sur les murs et les plafonds, sous forme de planches à rainure et languette de 100 à 200 mm de largeur et de 15 à 20 mm d'épaisseur. Les bois tendres comprennent le cèdre (thuya), le pin ou la pruche; les bois durs comprennent l'érable, le bouleau ou le merisier. Certaines de ces essences de bois sont également offertes en panneaux de contreplaqué.

Revêtements de sol

On donne le nom de revêtement de sol à tout matériau constituant la couche d'usure des planchers. De nombreux matériaux sont offerts sur le marché à cette fin, chacun ayant ses avantages propres pour une utilisation particulière. On exige des revêtements de sol deux qualités primordiales, à savoir la durabilité et la facilité d'entretien.

Les lames de parquet sont souvent fabriquées en bois dur comme le bouleau, l'érable, le hêtre ou le chêne, en diverses longueurs et épaisseurs. Certaines essences existent également en carreaux mosaïques. On utilise parfois des lames de bois tendre à fil vertical, comme le sapin et la pruche. On utilise fréquemment le parquet de bois dans les salles de séjour, salles à manger, chambres, passages, et dans les pièces polyvalentes comme les salles familiales et les boudoirs.

D'autres matériaux conviennent bien comme revêtement de sol, par exemple, les revêtements de sol souples (en carreaux ou en feuilles) et les carreaux céramiques. Ces matériaux à l'épreuve de l'eau servent surtout dans les salles de bains, cuisines, halls publics et espaces de rangement général. Bien sûr, les tapis ou moquettes peuvent aussi jouer le rôle de revêtement de sol, sauf si une résistance à l'eau est exigée.

Parquets

Les lames de parquet sont fabriquées en diverses largeurs et épaisseurs, et vendues selon plusieurs catégories. Chaque paquet comprend des lames et longueurs tout-venant, le nombre de pièces courtes dépendant de la catégorie choisie. On trouvera au *tableau 37* les épaisseurs de lames requises selon le support.

Les lames comportent une languette, d'un côté, et une rainure, de l'autre. Elles sont habituellement évidées au dos. La face supérieure est généralement un peu plus large que la face inférieure de façon qu'après la pose, les lames se touchent à leurs bords supérieurs, leurs bords inférieurs demeurant légèrement écartés. Les languettes doivent être ajustées à joint serré, sans quoi le plancher risquerait de craquer sous les pas.

Le parquet ne doit être posé qu'après avoir terminé le pontage des joints des plaques de plâtre et les autres travaux de finition des murs et des plafonds. Les fenêtres et les portes extérieures doivent également être en place, sans quoi le parquet pourrait être endommagé par la pluie ou par les autres activités de construction.

Les parquets ont plus belle apparence lorsque les lames sont posées dans le sens de la longueur d'une pièce rectangulaire. Le support de revêtement de sol en planches est habituellement posé en diagonale de façon que les lames puissent être posées parallèlement ou perpendiculairement aux solives. S'il arrive qu'il faille poser les lames du parquet parallèlement aux planches du support, on doit d'abord installer sur le support une couche de pose, tel qu'expliqué plus loin dans la section sur les couches de pose, afin de procurer un appui aux lames étroites.

On ne doit pas ranger les lames de parquet en bois dur dans la maison avant que le bétonnage du plancher-dalle du sous-sol et le pontage des joints des plaques de plâtre ne soient terminés. Le bois pourrait en effet absorber l'humidité qui se dégage pendant ces activités et gonfler; ensuite, une fois mises en place, les lames du parquet subiraient un retrait et les joints s'ouvriraient. Les lames doivent donc être rangées dans l'endroit le plus sec et le plus chaud de la maison, jusqu'à leur pose.

On utilise plusieurs types de clous, y compris les clous annelés et les clous vrillés, pour le clouage des lames de parquet. Le *tableau 38* indique les longueurs minimales des clous et leur espacement maximal.

De nombreux ouvriers se servent d'une cloueuse à maillet pour poser les lames de parquet. Cet appareil permet d'enfoncer les clous au bon endroit, à l'angle voulu et de chasser la tête du clou à la profondeur appropriée. D'autres, par contre, utilisent un marteau de menuisier.

La *figure 116 B* montre comment clouer la première lame du parquet en enfonçant le clou droit, près de la rive rainurée. Les clous doivent être enfoncés dans le support de revêtement de sol ou la solive et assez près de la rive pour que le quart-de-rond puisse les dissimuler. Cette première lame doit également être clouée du côté de la languette.

Les autres lames peuvent être fixées (au marteau de menuisier) à l'aide de clous enfoncés dans chacune d'elles à un angle de 45° à la naissance de la languette *(Fig. 116 C)*. Il ne faut pas enfoncer les clous à fond au marteau puisqu'on risquerait ainsi d'endommager le bois *(Fig. 116 D)*. Il est préférable d'utiliser un chasse-clous tel qu'indiqué à la *figure 116 D*. Pour éviter que la languette ne se fende, il est parfois nécessaire de percer des avant-trous. Pour tous les rangs après le premier, on doit choisir les lames en fonction de leur longueur de façon à bien décaler les joints d'un rang à l'autre *(Fig. 116 A)*.

Il est possible d'ajuster les lames à joint serré au marteau et sans les endommager, en se servant d'un morceau de lame en trop pour transmettre la force de l'impact.

Parquets mosaïques

Les fabricants de revêtements de sol ont mis au point toute une gamme de modèles de revêtement de sol que l'on appelle généralement parquets mosaïques. Il en existe un, mesurant environ 230 mm^2 et constitué de plusieurs lames collées ensemble, qui est offert en diverses épaisseurs; chaque carreau ainsi formé a deux rives à languette et deux rives à rainure. Lors de la pose, on fait alterner la direction des carreaux, donnant ainsi l'impression d'un damier. Les fabricants ont chacun leurs directives de mise en œuvre particulières, qu'on doit suivre soigneusement.

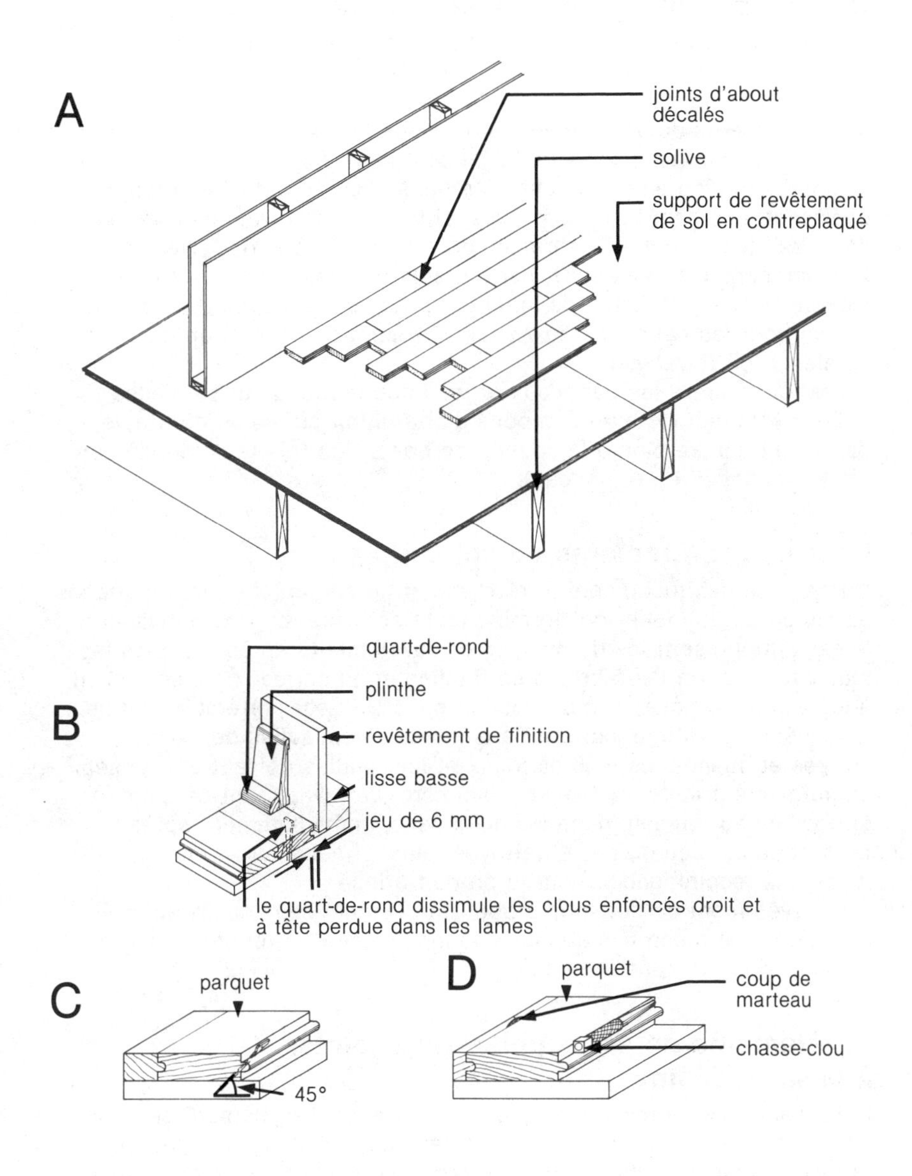

Figure 116. Pose des lames de parquet. (A) Pose générale. (B) Pose de la première lame. (C) Mode de clouage. (D) Méthode préconisée pour chasser les clous.

Couche de pose pour revêtements de sol souples

Lorsque le support de revêtement de sol ne peut en même temps servir de couche de pose, comme nous l'avons décrit dans le chapitre sur la charpente du plancher, on doit poser une couche de pose sous les revêtements de sol souples ou les moquettes.

On utilise couramment à cette fin des panneaux de contreplaqué de 6 mm, bien qu'on emploie aussi des panneaux de particules de même épaisseur. Les panneaux sont fixés au support de revêtement de sol à l'aide de clous annelés à entraxes de 150 mm le long des rives et de 200 mm, dans les deux sens, partout ailleurs. Les clous doivent mesurer au moins 19 mm de longueur pour les panneaux de 6 mm et 22 mm pour les panneaux de 7,9 mm. On peut également utiliser des agrafes. (Voir le *tableau 29*.)

Les joints entre les panneaux et les imperfections superficielles doivent être remplis d'un composé d'obturation qui ne se contracte pas et qui adhère bien à la couche de pose. Une fois le composé durci, on doit l'adoucir en le ponçant.

Pose des revêtements de sol souples

On ne pose habituellement le revêtement de sol souple que lorsque les autres corps de métier ont terminé leurs activités. Le vinyle massif et le caoutchouc sont les deux types de revêtements de sol souples les plus courants; on les fabrique en feuilles et en carreaux. Ils se collent à la couche de pose avec un adhésif spécial. Il est préférable d'utiliser un adhésif hydrofuge, surtout dans les cuisines, salles de bains, entrées et buanderies. Les carreaux et les feuilles doivent être posés conformément aux directives du fabricant. Le revêtement de sol doit être aplani au rouleau, dans les deux sens, immédiatement après sa pose et sa surface doit être nettoyée, puis, si nécessaire, enduite d'une cire recommandée pour le produit utilisé.

Le revêtement de sol souple pour un plancher-dalle sur le sol doit être d'un type recommandé par le fabricant pour un tel usage. On doit le poser avec un adhésif hydrofuge.

Revêtements de sol souples sans joints, à base de résine

Un certain type de revêtement de sol souple peut également se poser à l'état liquide, avec copeaux, particules décoratives et charges, pour former une surface d'usure souple sans joints. Ce type de revêtement de sol doit faire l'objet d'un contrôle quant à ses composants, à sa mise en œuvre et à son épaisseur, pour déterminer sa conformité aux spécifications d'une organisme reconnu et aux prescriptions du fabricant.

Tapis et moquettes

On ne fait habituellement usage de tapis que dans le salon, les chambres à coucher, la salle familiale et parfois dans la salle à manger. Il convient de ne pas poser de tapis dans la cuisine, la buanderie et toute autre pièce de la maison où il est susceptible d'être endommagé par l'eau. Si on désire en poser en ces endroits, ce doit être un tapis de fibres synthétiques. Pour des raisons d'hygiène, il n'est pas recommandé de poser un tapis dans une pièce comprenant une cuvette de W.C.

Tout tapis ou moquette doit être posé sur un support de revêtement de sol en panneaux ou sur une couche de pose. Sauf dans le cas d'un tapis à thibaude incorporée, tout tapis ou moquette doit aussi reposer sur une thibaude en matériau polymérique ou en feutre.

Carreaux céramiques

Les carreaux céramiques existent en diverses couleurs et sont vernissés ou non. Puisque la surface des carreaux est dure et imperméable, on les utilise souvent comme revêtement de sol dans les salles de bain et les vestibules, et même pour le prolongement avant de la dalle du foyer.

On peut poser les carreaux céramiques sur une dalle de béton ou sur un lit de mortier étendu sur le support de revêtement de sol, ou encore les coller à l'aide d'un adhésif spécial sur une couche de pose en contreplaqué ou en panneaux de fibres durs.

Lorsqu'on utilise un lit de mortier, on recouvre le support de revêtement de sol d'un papier de revêtement bitumé. Ce lit de mortier doit avoir au moins 30 mm d'épaisseur et être armé d'un treillis métallique. Le mortier peut être constitué de 1 volume de ciment Portland, 1/4 de volume de chaux et de 3 à 5 volumes de sable grossier. Les carreaux doivent être pressés dans le mortier frais. Pour que le coulis à joints adhère bien à la base, il faut remplir les joints entre carreaux

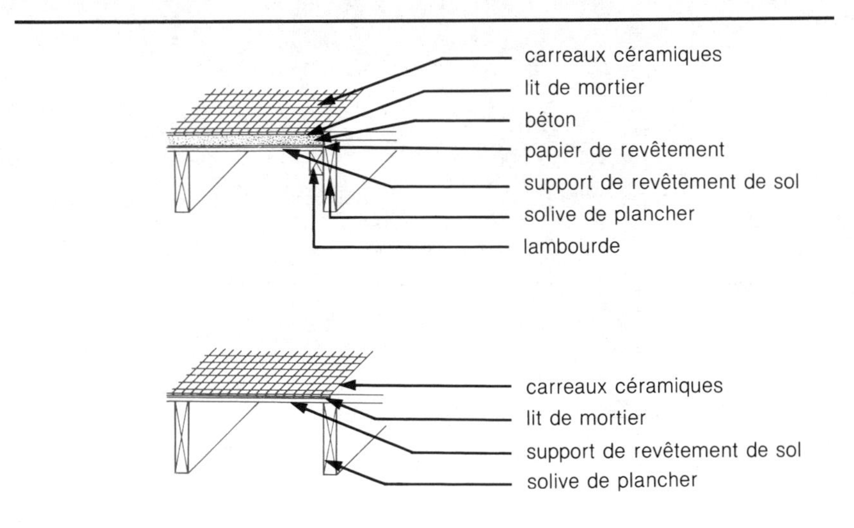

Figure 117. Mise en œuvre des carreaux céramiques.

le jour même de la pose. Pour que le lit de mortier ait l'épaisseur voulue, il y a souvent lieu d'abaisser le support de revêtement de sol en bois entre les solives, afin que le plancher fini soit au même niveau que celui des pièces avoisinantes *(Fig. 117)*. S'il faut couper le dessus des solives pour y parvenir, on doit calculer leur portée en fonction de la profondeur ainsi diminuée.

Si on utilise un adhésif pour fixer les carreaux à la couche de pose ou à un plancher de béton, la base doit être lisse et exempte d'irrégularités. L'adhésif doit être posé à la fois sur le support et sous les carreaux qui sont ensuite mis en place fermement. Lorsque l'adhésif a suffisamment durci, on remplit les joints entre les carreaux avec le produit recommandé par le fabricant des carreaux.

Sur le plancher d'une cabine de douche, les carreaux céramiques peuvent être posés sur une membrane de plastique ou de plomb raccordée à l'avaloir du sol de la douche. Ceci empêchera l'eau d'endommager le plafond en-dessous si des fentes se produisaient entre les carreaux et dans le lit de mortier.

Boiseries, portes et bâtis intérieurs

Les boiseries, portes et bâtis intérieurs sont habituellement mis en œuvre après la pose du parquet, mais avant son ponçage et avant l'installation du revêtement de sol souple. Les placards de cuisine et les autres éléments de menuiserie s'installent généralement en même temps. On peut ensuite peindre les portes et les boiseries intérieures ou leur donner un fini naturel à l'aide d'une teinture, d'un vernis ou de tout autre matériau approprié. Le fini qu'on désire donner aux boiseries des diverses pièces de la maison peut influer sur le choix des essences de bois.

Les boiseries doivent être lisses, propres, saines, et indiquées comme matériau de finition. On utilise couramment le pin, le sapin et le tilleul à cette fin. Les boiseries doivent avoir une teneur en humidité d'au plus 12 p. 100 au moment de la pose.

Les bâtis de portes sont constitués de deux montants et d'une traverse supérieure et de moulures séparées qu'on appelle arrêts de porte. Les montants courants sont faits en bois de 19 mm et en largeurs appropriées à l'épaisseur du mur fini. Il arrive que les montants soient rainurés en usine et que les arrêts de porte et la traverse supérieure soient taillés à la dimension voulue *(Fig. 118)*. Les bâtis peuvent également être feuillurés de façon à former l'arrêt de porte; l'épaisseur du bâti est alors habituellement de 32 mm. Lorsque les bâtis sont livrés en pièces détachées, on doit en clouer solidement les angles.

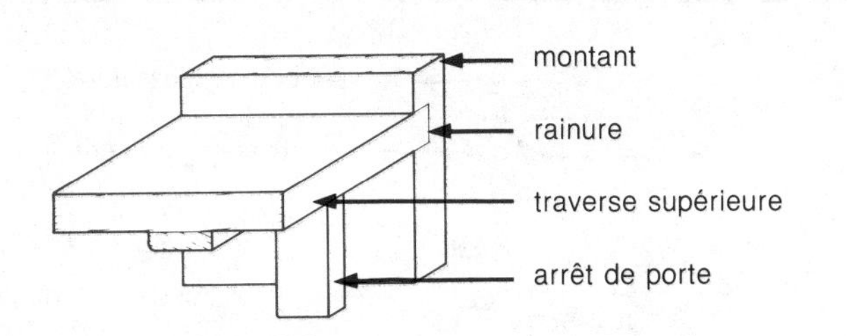

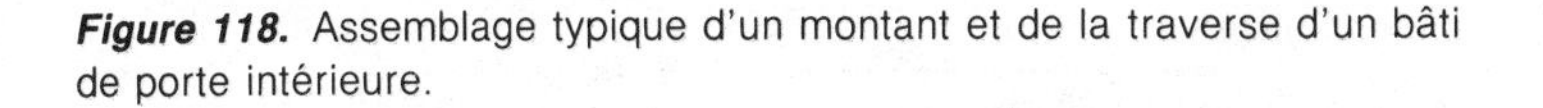

Figure 118. Assemblage typique d'un montant et de la traverse d'un bâti de porte intérieure.

Le couvre-joint est l'élément de boiserie qui cache le joint entre le bâti de porte et le mur. Il en existe de nombreux modèles courants de longueurs et d'épaisseurs variées. Si le couvre-joint est mouluré, les joints doivent être exécutés à onglet.

On peut grouper les portes intérieures en deux grandes catégories : les portes planes et les portes à panneaux. Les portes intérieures ont habituellement 35 mm d'épaisseur et sont fabriquées en diverses hauteurs et largeurs.

Les portes planes sont constituées de deux parois de contreplaqué ou d'un autre matériau, collées à une ossature légère. Pour un fini naturel ou verni, on choisit le contreplaqué en fonction de la qualité et de la teinte de ses plis extérieurs. Par contre, le contreplaqué à peindre peut être choisi parmi des qualités inférieures, plus économiques.

Les portes à panneaux comportent des montants et des traverses massifs auxquels sont fixés des panneaux de remplissage en matériaux divers.

Il existe également des portes spéciales dotées de divers types de dispositifs de fermeture. Les portes coulissantes et les portes pliantes sont souvent utilisées pour les penderies. Les portes coulissantes formées d'une seule paroi de contreplaqué doivent être de faibles dimensions, car les grands panneaux sont plus portés à gauchir.

Les portes battantes doivent s'ouvrir vers l'intérieur de la pièce à laquelle elles donnent accès et, dans la mesure du possible, contre un mur, sans être entravées par d'autres portes battantes.

Les portes intérieures mesurent ordinairement 760 mm de largeur et 1,98 m de hauteur. Ces dimensions permettent habituellement de déplacer le mobilier d'une pièce à l'autre.

On ajuste le bâti des portes intérieures en insérant des cales entre les montants et les poteaux d'ossature murale *(Fig. 119)*. On peut utiliser des bardeaux à cet effet. Les bâtis sont mis d'aplomb et d'équerre, les cales serrées, puis les montants cloués solidement aux poteaux à travers les cales. Les cales sont ensuite sciées au ras de la face du mur. Les clous doivent être enfoncés par paires, comme l'indique la *figure 119*.

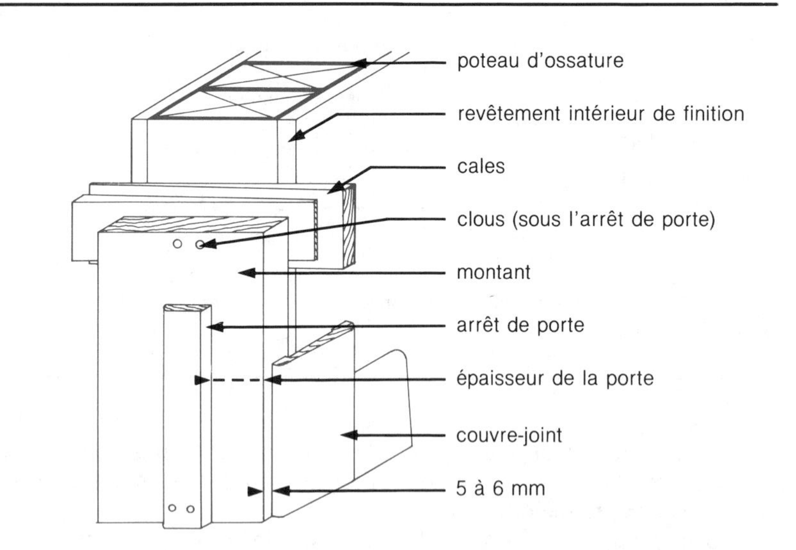

Figure 119. Bâti et boiserie montrant le clouage dissimulé sous l'arrêt de porte.

Les couvre-joints sont fixés aux poteaux et aux montants à l'aide de clous à finir. Les clous doivent être enfoncés à entraxes d'environ 400 mm. Il faut ensuite chasser les têtes de clous et boucher les trous ainsi formés. Le couvre-joint se pose de 5 à 6 mm en retrait par rapport à la face interne du bâti.

Les arrêts de porte mesurent habituellement 10 × 32 mm et sont fixés aux montants à l'aide de clous à finir après que la porte a été suspendue.

Les joints du couvre-joint à la partie supérieure de la porte doivent être à onglet. Le joint doit être taillé et ajusté avec soin, sans jour. Il arrive que l'on colle les joints à onglet qui ont ainsi moins tendance à s'ouvrir sous l'effet du retrait du bois.

La *figure 120* indique le jeu à laisser entre le bâti et la porte et l'emplacement de la quincaillerie. Le jeu peut varier légèrement, mais on utilise couramment les cotes indiquées. La *figure 120* indique également la position des charnières à 175 mm du haut et 275 mm du bas, mais ces distances peuvent aussi varier légèrement, surtout dans le cas des portes à panneaux. Lorsqu'on utilise trois charnières, celle du centre est posée à mi-chemin entre les deux autres. La hauteur normale de la poignée varie de 860 à 960 mm du plancher et la serrure et le verrou doivent être installés en conséquence.

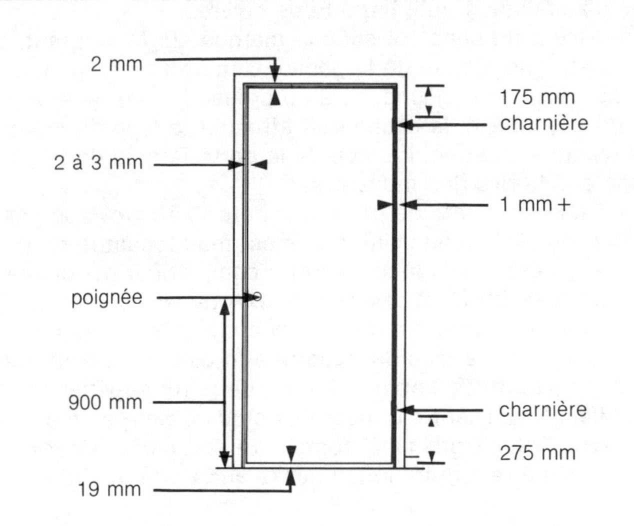

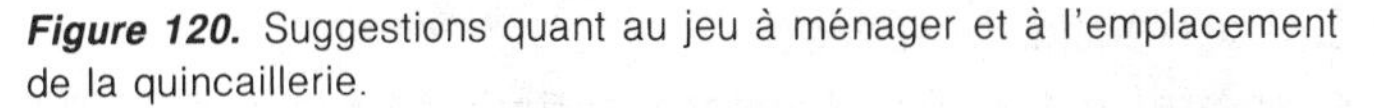

Figure 120. Suggestions quant au jeu à ménager et à l'emplacement de la quincaillerie.

Le jeu périmétrique doit être de 2 à 3 mm du côté pêne et de 1 mm du côté charnières. On ménage habituellement un jeu de 2 mm à la partie supérieure et de 19 mm au bas, mais si la porte s'ouvre sur un tapis épais, il faut laisser plus d'espace sous la porte pour permettre la libre circulation de l'air.

Certains fabricants offrent des portes et des bâtis pré-ajustés et pré-entaillés pour recevoir les charnières. On trouve également sur le marché des bâtis de porte en tôle avec arrêt et couvre-joint profilés, pré-entaillés pour les charnières et munis d'une gâche.

Pose de la quincaillerie de porte

La taille des charnières doit convenir à celle de la porte. Pour les portes intérieures de 35 mm d'épaisseur, on utilise deux charnières de 76 × 76 mm. La porte est d'abord ajustée dans l'ouverture afin d'en vérifier le jeu périmétrique, puis enlevée pour la pose des charnières. La rive de la porte est ensuite taillée pour recevoir les deux lames de charnière. Le bord de chaque lame doit être d'au moins 3 mm en retrait par rapport à la face de la porte. Les lames de la charnière doivent être vissées d'équerre et affleurer la surface de la rive.

On place ensuite la porte dans son ouverture sur des cales pour assurer le jeu prévu. L'un des montants est ensuite marqué à l'endroit des charnières, puis entaillé pour recevoir les lames de charnière qui sont ensuite fixées en position. On peut alors suspendre la porte et insérer les broches dans les charnons.

Il existe de nombreux types de serrures qui varient tant en coût qu'en mode d'installation. Les serrures sont accompagnées de directives d'installation qu'il importe de suivre.

L'emplacement du pêne est ensuite marqué sur le montant, ce qui permet de déterminer celui de la gâche. L'endroit ainsi marqué est entaillé pour recevoir la gâche, puis on creuse l'empênage *(Fig. 121 A)*. Une fois mise en place, la gâche doit affleurer la face du montant ou être légèrement encastrée. La face de la porte fermée doit être dans le même plan que la rive des montants.

Il se peut que les arrêts de porte aient été fixés provisoirement pendant la pose de la quincaillerie et c'est maintenant le temps de les clouer de façon définitive. Il convient de commencer par clouer celui du côté pêne *(Fig. 121 B)* et de l'ajuster exactement contre la face de la porte fermée. L'arrêt de porte du côté charnière est ensuite cloué avec un jeu de 1 mm avec la face de la porte afin d'éviter le frottement pendant la manœuvre de la porte. L'arrêt de porte supérieur est cloué en dernier lieu. Il convient d'utiliser des clous à finir, d'en chasser la tête et de remplir les trous ainsi formés. Si l'on peint la porte et les boiseries, la peinture réduira le jeu laissé autour de la porte.

Pose de la boiserie de fenêtres

La boiserie des fenêtres est habituellement identique à celle des portes. Les couvre-joints sont fixés à l'aide de clous à finir sur les quatre côtés de la fenêtre, sauf si l'appui de celle-ci comporte un rebord. Dans ce cas, les couvre-joints latéraux s'arrêtent au-dessus du rebord et une moulure allège est fixée sous celui-ci.

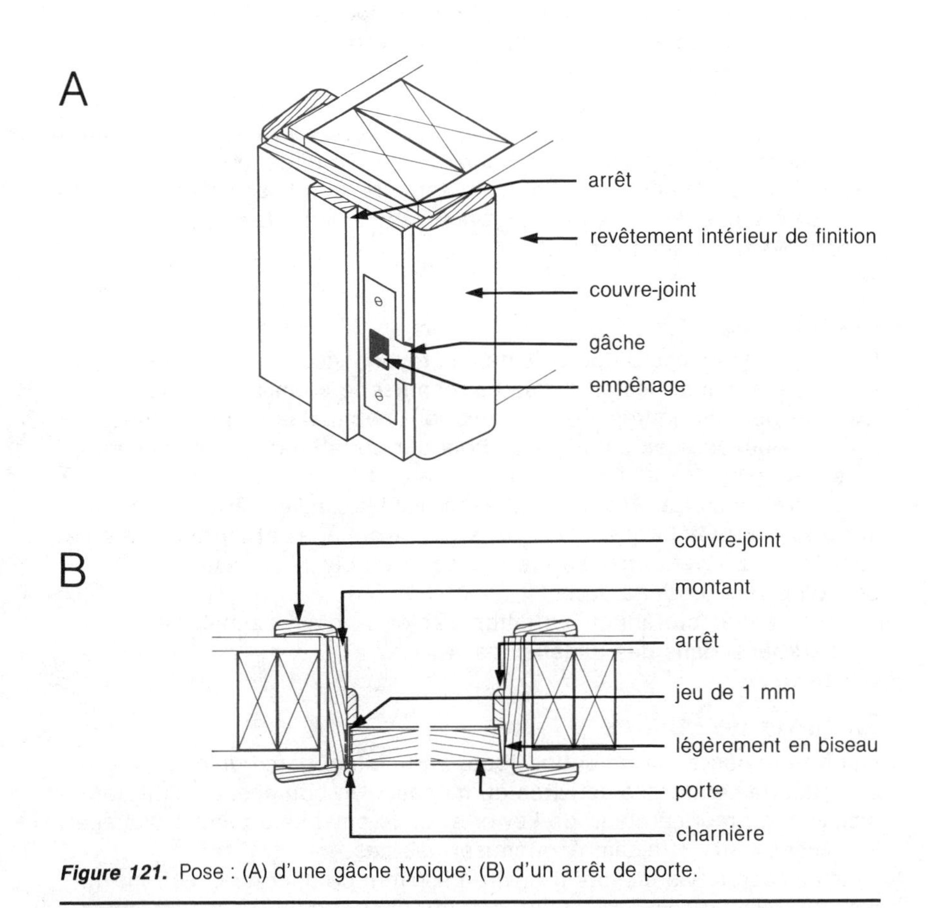

Figure 121. Pose : (A) d'une gâche typique; (B) d'un arrêt de porte.

Plinthes

Les plinthes dissimulent les intersections des murs et du plancher. Les plinthes sont fabriquées en divers profils et dimensions, mais doivent être assez épaisses pour dissimuler le joint du mur avec le revêtement de sol. Les plinthes en deux pièces sont constituées de la plinthe proprement dite doublée, au bas, d'un quart-de-rond *(Fig. 122 A)*. Les plinthes d'une seule pièce présentent une rive inférieure plus épaisse afin de dissimuler le joint du mur avec le revêtement de sol *(Fig. 122 B)*.

Lorsqu'on utilise une plinthe en deux pièces, la plinthe proprement dite est fixée à la lisse basse et aux poteaux suffisamment haut pour qu'elle ne touche pas au revêtement de sol. Le quart-de-rond est ensuite cloué au support de revêtement de sol avec de longs clous fins enfoncés de biais de manière à le presser contre la plinthe et le revêtement de sol. Lorsqu'on utilise une plinthe d'une seule pièce on l'applique fermement contre le revêtement de sol, puis on la cloue à la lisse basse ou aux poteaux. La plinthe d'une seule pièce ou le quart-de-rond se posent après l'installation du revêtement de sol souple ou après le ponçage du parquet de bois dur.

Aux angles intérieurs, les plinthes peuvent présenter un joint à onglet ou un joint profilé. On exécute celui-ci en plaçant une première moulure contre l'angle et en découpant l'extrémité de la seconde selon le profil de la première. Les angles extérieurs sont assemblés à onglet. On n'utilise que des clous à finir; on chasse ensuite les têtes et on remplit les trous ainsi formés.

Menuiserie

On installe les placards de cuisine, les rayonnages, les tablettes de cheminée et les autres éléments de menuiserie en même temps que les boiseries intérieures. Ces travaux sont habituellement effectués avant le ponçage des parquets de bois dur ou la pose du revêtement de sol souple.

Les placards et autres éléments semblables peuvent être fabriqués sur place ou préfabriqués. Les placards, rayonnages et autres éléments semblables peuvent être fabriqués à partir de diverses essences de bois ou divers produits du bois.

Des armoires préfabriquées faites d'acier ou d'autres matériaux existent aussi dans des dimensions variées.

Placards de cuisine

La cuisine mérite une attention toute particulière parce qu'elle constitue le centre des activités du ménage. Un bon agencement des placards, du régrigérateur, de l'évier et de la cuisinière permet d'alléger les tâches tout en faisant économiser des pas.

Les placards bas mesurent environ 900 mm de hauteur et offrent un plan de travail d'environ 600 mm de profondeur. Ils peuvent comporter divers agencements de portes et de tiroirs. Ils comportent même parfois un élément d'angle doté de rayons pivotants. Le plan de travail et son dosseret (bordure arrière surélevée) sont recouverts de plastique stratifié ou d'un autre matériau imperméable.

Pour laisser de l'espace pour les travaux domestiques, les placards hauts sont installés à 400 mm environ au-dessus du plan de travail. Cette distance doit être portée à 600 mm au moins lorsque le placard est situé directement au-dessus de la cuisinière. Les rayons, qui peuvent être réglables, mesurent habituellement de 275 à 300 mm de profondeur. On peut également prévoir une retombée du plafond au-dessus des placards hauts, tel qu'illustré à la *figure 123*.

Penderies et placards de chambre incorporés

Bien qu'il en existe un grand nombre de modèles, les penderies comprennent ordinairement des tablettes et une barre à cintres ou un rail métallique. On peut doter la penderie d'une porte intérieure

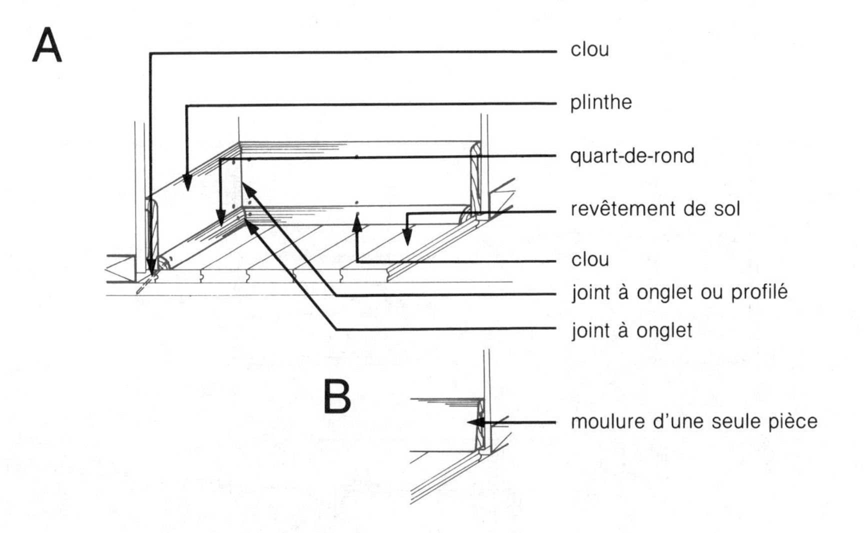

Figure 122. Plinthe : (A) en deux pièces; (B) d'une seule pièce.

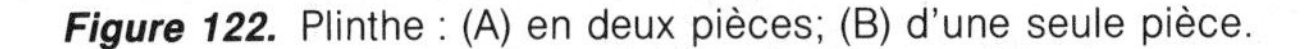

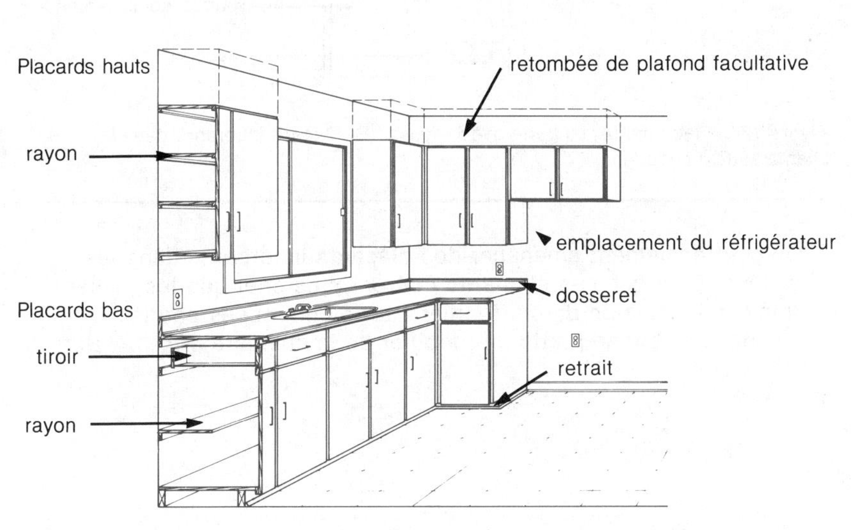

Figure 123. Une disposition des placards de cuisine.

ordinaire *(Fig. 124 A)*, mais on utilise souvent des portes coulissantes jumelées ou multiples, qui sont accrochées à un rail et se déplacent sur des galets fixés aux portes *(Fig. 124 C)*. On utilise aussi les portes pliantes constituées d'étroits vantaux de bois ou de métal, ou les portes accordéon composées d'une ossature métallique recouverte de vinyle.

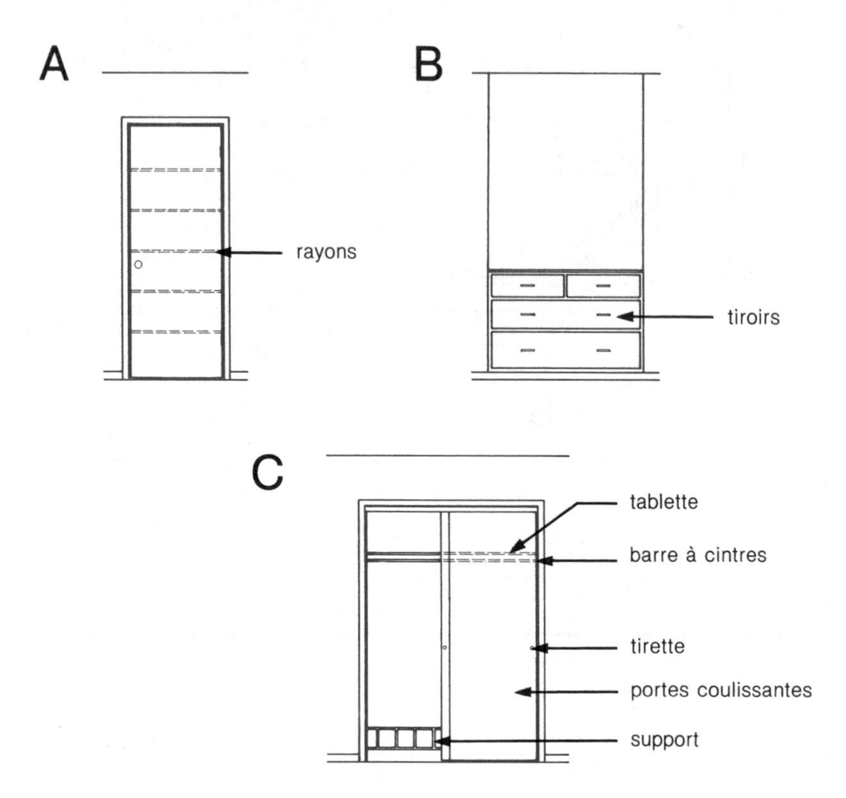

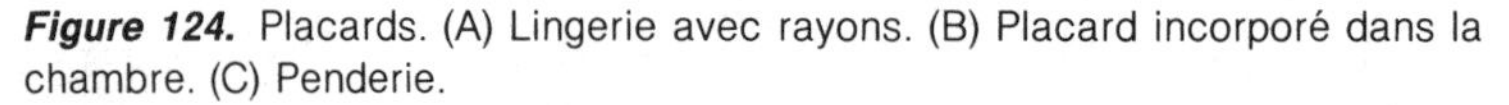
Figure 124. Placards. (A) Lingerie avec rayons. (B) Placard incorporé dans la chambre. (C) Penderie.

On peut également aménager des placards incorporés dans les chambres. Bien que ces éléments coûtent plus cher que les placards ordinaires, l'inclusion de chiffonniers et de commodes permet d'éliminer une bonne partie du mobilier de la chambre *(Fig. 124 B).*

Escaliers

Les escaliers doivent être conçus, disposés et construits de façon à assurer la sécurité et à offrir suffisamment d'échappée et d'espace pour le déplacement du mobilier. En règle générale, une maison comporte deux types d'escalier : l'un qui sépare les pièces aménagées et qu'on appelle habituellement l'escalier principal, et l'autre qui conduit aux endroits servant uniquement à l'entreposage, à la lessive et à l'installation de chauffage, comme les sous-sols non aménagés et les combles. L'escalier principal est construit de façon à pouvoir se monter aisément et constitue souvent un élément architectural de premier ordre, tandis que l'escalier menant à un sous-sol non aménagé ou à un vide sous comble est souvent plus étroit, plus raide et fait de matériaux de moindre qualité. Toutefois, lorsque le sous-sol ou les combles sont aménagés en logement, les dimensions de l'escalier doivent être similaires à celles de l'escalier principal. Les escaliers peuvent être préfabriqués ou fabriqués à pied d'œuvre.

Terminologie

Les termes généralement employés dans la conception et l'exécution des escaliers et illustrés aux *figures 125 à 128* se définissent comme suit :

Balustre : élément vertical décoratif d'un garde-corps, reliant la main courante à la marche, du côté du vide d'un escalier, d'un palier ou d'un balcon. Se nomme simplement montant lorsqu'il n'est pas décoratif *(Fig. 125 D)*.

Contremarche : élément vertical placé sous une marche. (Il arrive qu'un escalier n'ait pas de contremarches; les marches ne sont alors supportées que par les limons ou crémaillères.)

Crémaillère : élément semblable au limon, mais découpé pour recevoir les marches et contremarches *(Fig. 127 B et C)*.

Échappée : distance verticale mesurée depuis l'extrémité du nez d'une marche jusqu'à la face inférieure du plafond au-dessus *(Fig. 126)*.

Garde-corps : barrière établie le long des côtés ouverts d'un escalier, d'un palier ou d'un balcon.

Giron : largeur utile de la marche mesurée horizontalement entre deux contremarches successives *(Fig. 126)*.

Hauteur de marche : distance verticale entre deux plans horizontaux successifs *(Fig. 126)*.

Hauteur utile (du limon) : hauteur du limon après qu'il a été entaillé ou découpé pour recevoir les extrémités des marches et des contremarches *(Fig. 126)*.

Limon :	élément entaillé dans son épaisseur pour recevoir les extrémités des marches et des contremarches *(Fig. 125 C).*
Main courante :	partie supérieure d'un garde-corps, ou élément similaire fixé au mur, qu'on saisit pour monter ou descendre l'escalier. Tout escalier en à au moins une.
Marche :	surface plane reliant deux contremarches successives.
Marche d'angle :	marche d'un quartier tournant dont les rives convergent vers un point central selon un angle de 30°.
Nez :	saillie de la marche au-delà de la face de la contremarche *(Fig. 126).*
Palier :	plate-forme de largeur et de longueur au moins égales à la largeur de l'escalier, qui sert d'habitude à changer de direction à angle droit, sans recours aux marches d'angle.
Pilastre :	poteau principal du garde-corps, au pied et à la tête de l'escalier, de même qu'aux paliers.

Rapport hauteur-giron

Le rapport entre la hauteur et le giron des marches doit être conforme aux règles établies. L'expérience a démontré qu'une hauteur de 180 à 190 mm et un giron d'environ 250 mm procurent confort et sécurité. Ce sont les dimensions que l'on retrouve couramment dans les escaliers principaux.

Bien que ces dimensions soient souhaitables, l'espace ne les autorise pas toujours. Si tel est le cas, il convient de respecter les limites suivantes : des marches de tout escalier doivent avoir une hauteur d'au plus 200 mm, un giron d'au moins 210 mm et une largeur réelle d'au moins 235 mm.

Conception de l'escalier

L'escalier peut comporter une seule volée sans palier intermédiaire, ou deux ou trois volées avec changement de direction. La meilleure solution et la plus sécuritaire consiste à construire un palier à chaque changement de direction, mais on peut aussi avoir recours à des marches d'angle. La longueur et la largeur d'un palier ne doivent pas être inférieures à la largeur de l'escalier. Tout escalier doit avoir une largeur de 860 mm au moins entre les faces des murs.

Les schémas de la *figure 128* illustrent les divers agencements d'escaliers possibles. Si l'exiguïté des lieux nécessite l'utilisation de marches d'angle, celles-ci doivent former un angle de 30°, de sorte qu'il faudra trois marches pour réaliser un changement de direction de 90°. On ne doit pas installer plus d'un quartier tournant entre deux étages.

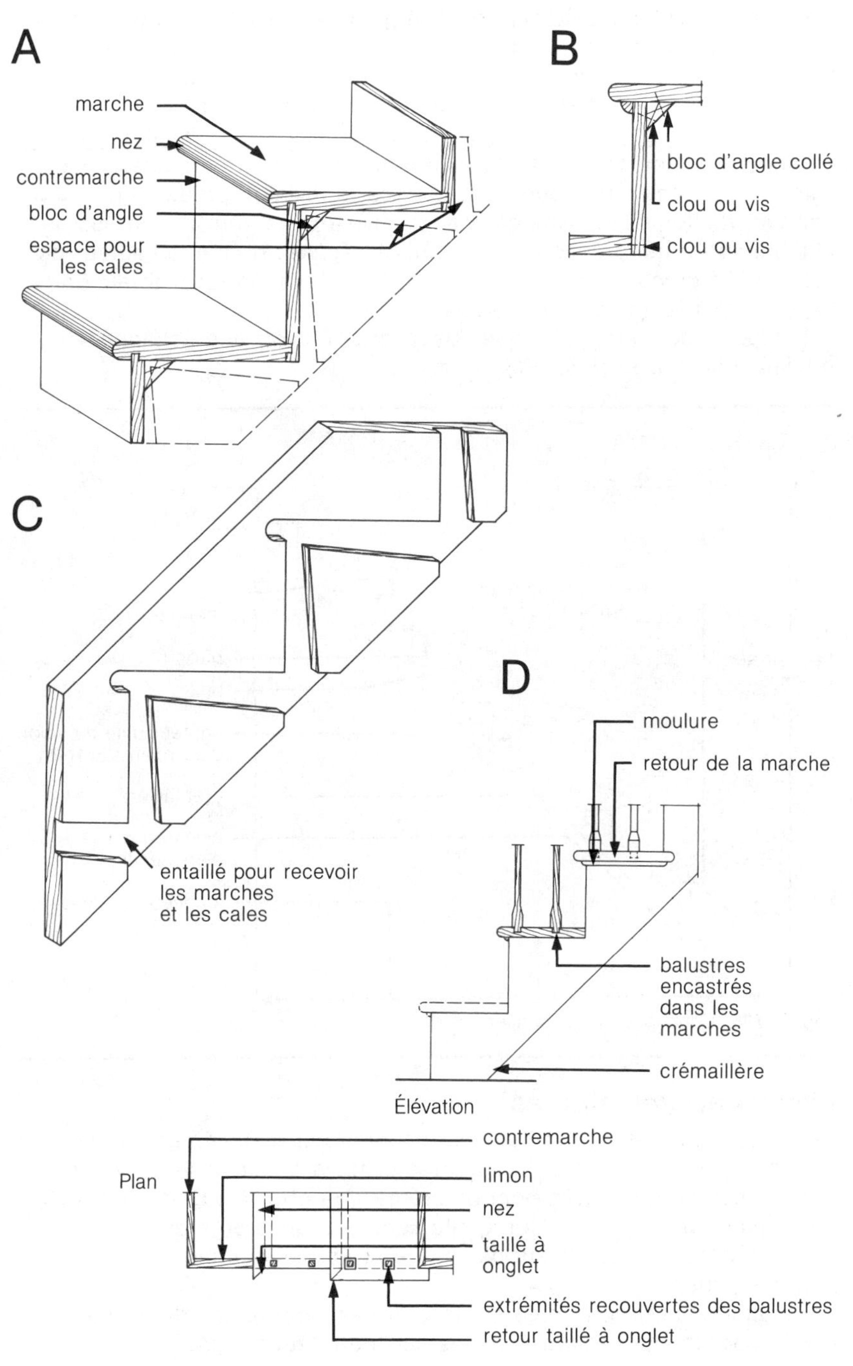

Figure 125. Eléments d'un escalier. (A) Marches et contremarches assemblées à rainure et languette. (B) Marches et contremarches assemblées à l'aide de blocs d'angle. (C) Limon entaillé. (D) Crémaillère, balustres et retour du nez taillé à onglet.

Une fois que l'emplacement et la largeur de l'escalier et du palier, le cas échéant, ont été déterminés, l'étape suivante consiste à établir la hauteur de marche et le giron. Lorsqu'une hauteur de marche acceptable a été choisie, on divise la hauteur exacte entre les deux planchers en cause par la hauteur de marche choisie. Si la division produit un nombre entier, celui-ci indique le nombre de contremarches nécessaire. Il n'est pas rare, cependant, que cette division produise un nombre fractionnaire. Dans ce cas, on divise la hauteur d'étage par le nombre entier qui précède ou qui suit; le résultat donne la hauteur de marche. On établit ensuite le giron en divisant la longueur totale de l'escalier par le nombre de marches.

Il importe de se rappeler que l'escalier doit avoir une échappée minimale de 1,95 m *(Fig. 126)*.

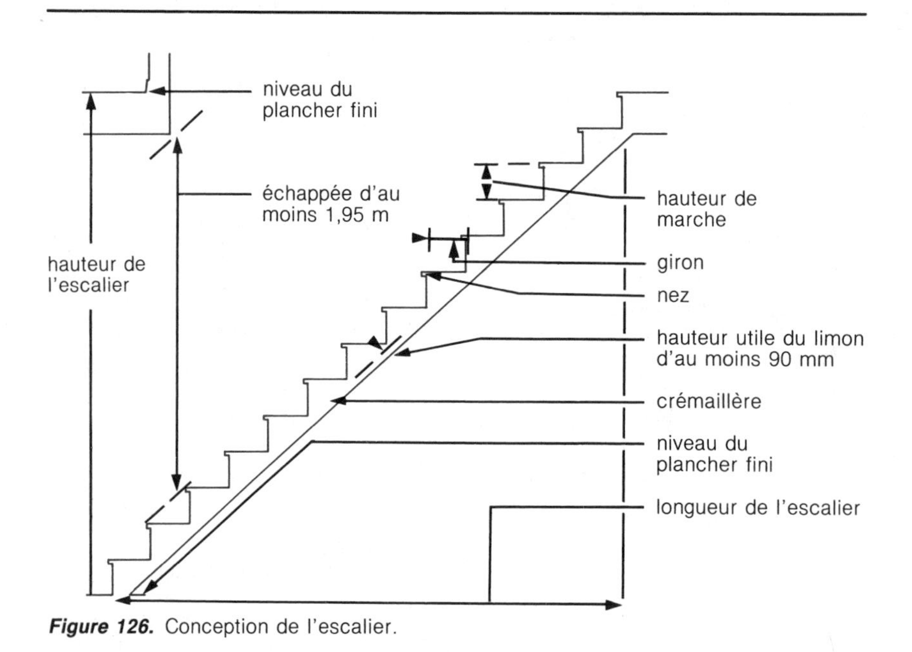

Figure 126. Conception de l'escalier.

Limons et crémaillères

Les marches et les contremarches reposent sur des éléments d'appui qui doivent être solidement supportés et fixés à leur position exacte. Ces éléments prennent le nom de crémaillère *(Fig. 125 D et 127 B et C)* ou de limon *(Fig. 125 C)* selon qu'ils sont découpés en crans ou entaillés dans leur épaisseur d'après le profil des marches et contremarches.

Les limons et crémaillères ne doivent pas avoir moins de 25 mm d'épaisseur lorsqu'ils sont appuyés sur toute leur longueur et pas moins de 38 mm lorsqu'ils ne sont appuyés qu'à la base et au sommet de l'escalier. Ils doivent avoir une hauteur hors tout minimale de 235 mm et la hauteur utile des crémaillères doit être d'au moins

90 mm. On doit utiliser un troisième appui, limon ou crémaillère, lorsque l'escalier mesure plus de 900 mm de largeur. Cette distance peut être portée à 1,2 m lorsque des contremarches supportent la partie avant des marches. Les marches non supportées par des contremarches doivent mesurer au moins 38 mm d'épaisseur. Cette épaisseur peut être réduite à 25 mm lorsque l'écartement des limons ou crémaillères est de 750 mm ou moins, ou lorsque des contremarches supportent les marches.

Dans le cas d'un escalier appuyé d'un côté sur un mur, le faux-limon (du côté du mur) peut être entaillé selon le profil exact des marches et contremarches, en laissant suffisamment d'espace à l'arrière de celles-ci pour y insérer des coins *(Fig. 125 C)*. La partie supérieure de la contremarche peut être assemblée sous la marche à l'aide de blocs d'angle collés aux deux surfaces et vissés; le bas de la contremarche est vissé à l'arrière de la marche *(Fig. 125 B)*. Une autre méthode consiste à pratiquer une rainure sous l'avant des marches et à la rive inférieure des contremarches, qui recevra une feuillure correspondante taillée à l'arrière des marches et à la rive supérieure des contremarches *(Fig. 125 A)*. Le faux-limon est cloué au mur, les clous étant enfoncés à l'emplacement des marches et contremarches. Les marches et les contremarches sont assemblées les unes aux autres, puis on les engage à force dans les entailles du faux-limon en poussant vers l'avant de l'escalier; elles sont maintenues en place par des coins collés et enfoncés solidement dans les entailles. Le faux-limon

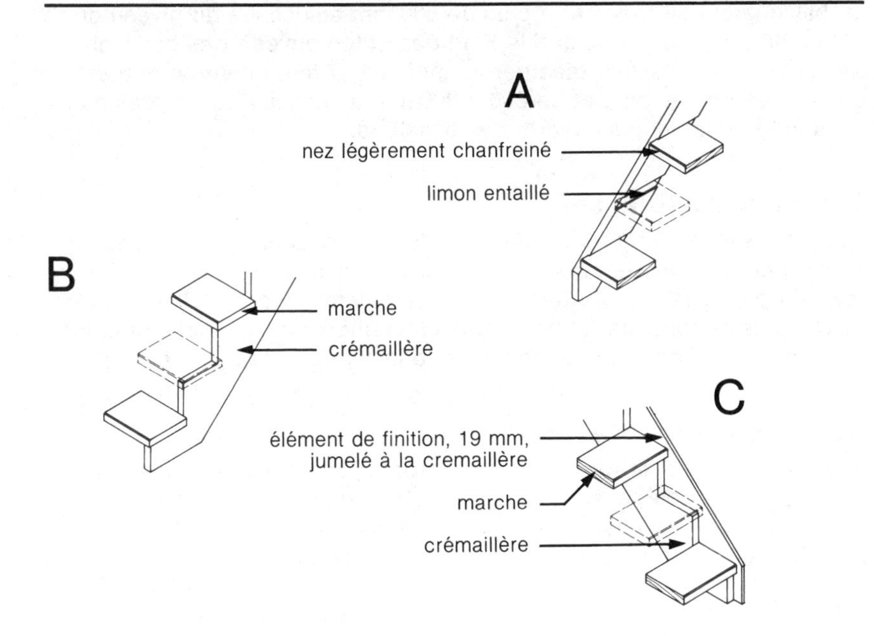

Figure 127. Escalier de sous-sol. (A) Limon entaillé au profil des marches. (B) Crémaillère. (C) Elément de finition cloué à la face extérieure d'une crémaillère.

apparaît ainsi au-dessus du profil des marches et des contremarches comme un élément de finition contre le mur et il assure souvent la continuité avec les plinthes des deux niveaux.

Lorsqu'on a une crémaillère du côté opposé au mur, on la découpe en fonction des marches et contremarches. L'extrémité correspondante des contremarches est assemblée à onglet à la crémaillère, et le nez des marches peut se poursuivre latéralement sur leur extrémité libre *(Fig. 125 D)*.

Pilastres, mains courantes et garde-corps

La main courante est un élément parallèle aux volées d'escaliers, qu'on saisit pour les monter ou les descendre; le garde-corps est une barrière qui entoure les ouvertures pour prévenir les chutes.

Il doit y avoir une main courante sur au moins un côté des escaliers de trois contremarches ou plus d'une largeur inférieur à 1,1 m, et sur les deux côtés des escaliers de 1,1 m ou plus. Dans le cas des escaliers encloisonnés, la main courante est fixée au mur au moyen de consoles; pour ce qui est des escaliers ouverts sur un ou deux côtés, la main courante constitue la partie supérieure du garde-corps du côté ouvert. Les mains courantes doivent être fixées entre 800 et 920 mm au-dessus du nez des marches, à 40 mm du mur au moins, et construites de telle manière que rien ne vienne en interrompre la continuité.

Un garde-corps doit être placé le long des côtés ouverts des paliers ou balcons qui se trouvent à plus de 600 mm au-dessus du niveau du sol ou du plancher, ainsi que le long des côtés ouverts des escaliers. Les garde-corps doivent mesurer au moins 1,07 m de hauteur autour des paliers ou balcons, et de 800 à 900 mm au-dessus du nez des marches le long des côtés ouverts des escaliers.

Escaliers de sous-sol

Les limons entaillés *(Fig. 127 A)* constituent probablement le mode de support de marches le plus courant pour les escaliers de sous-sol, mais on peut également utiliser des crémaillères *(Fig. 127 B)*. Une autre façon de faire consiste à utiliser des crémaillères auxquelles est cloué un élément de finition, comme l'indique la *figure 127 C*.

Marches extérieures et perrons

Il faut apporter autant de soin à bien proportionner les marches et les contremarches des perrons ou des escaliers d'accès aux terrasses que dans le cas des escaliers intérieurs. Le rapport hauteur-giron ne doit pas être supérieur à celui recommandé précédemment pour les escaliers principaux.

Les marches et les perrons extérieurs doivent reposer sur une base solide. S'ils ont leurs propres fondations, celles-ci doivent se prolonger jusqu'au sol non remué, sous le niveau du gel. Les marches et les

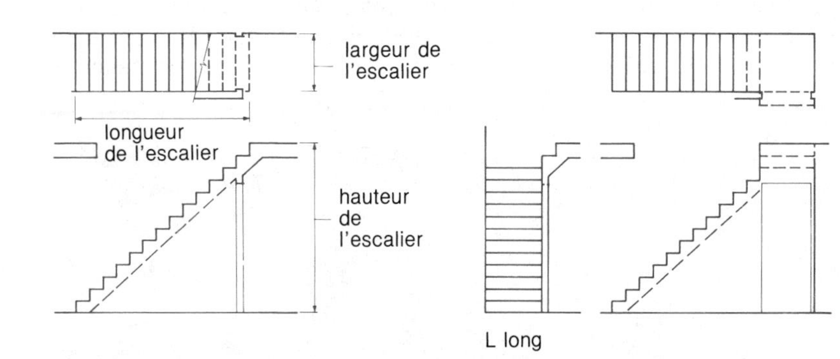

L long

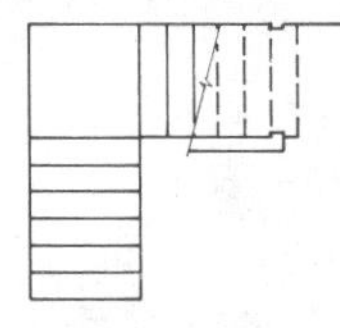

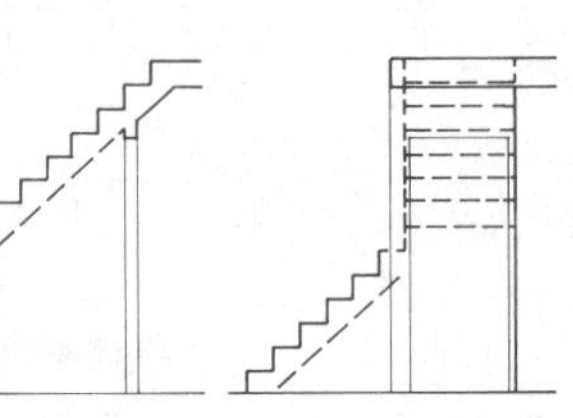

L large

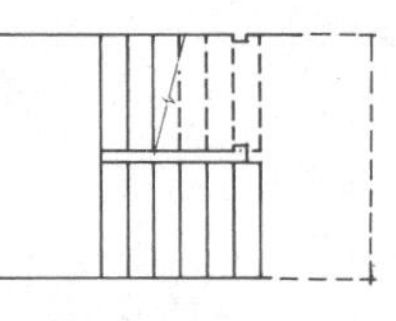

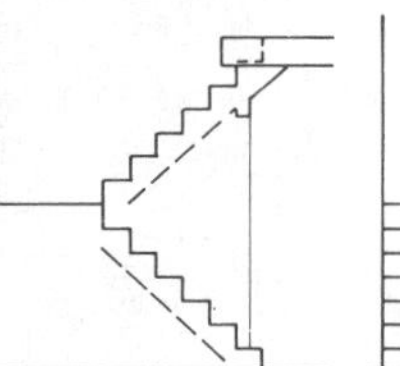

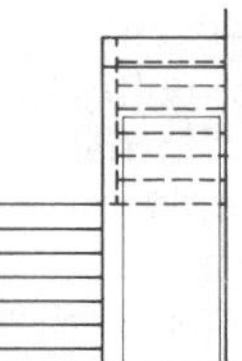

U étroit

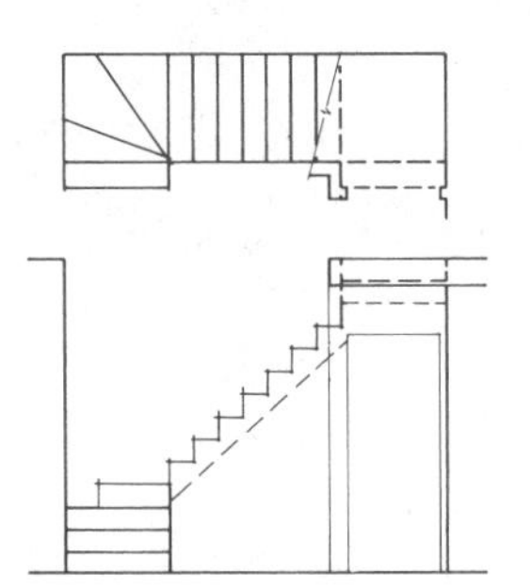

L double avec des marches tournantes

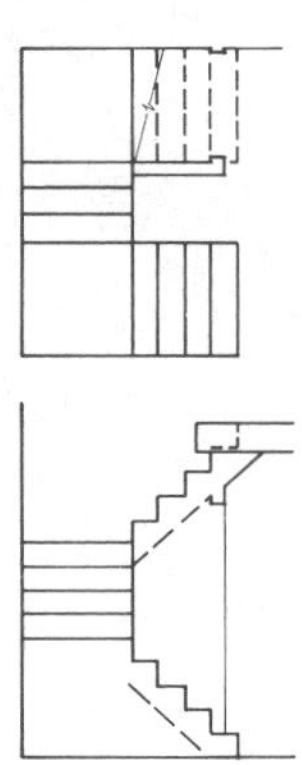

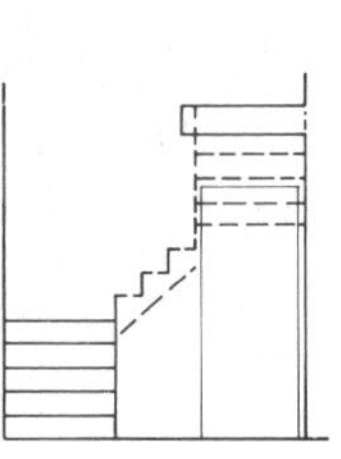

U large

Figure 128. Diverses formes d'escalier.

perrons extérieurs installés à l'entrée sont généralement constitués d'éléments de béton préfabriqués très résistants à l'humidité, au gel et aux chocs. Si les marches et les perrons doivent être bétonnés à pied d'œuvre, il faut utiliser du béton à air occlus ayant une résistance à la compression d'au moins 30 MPa.

Solins

On pose des solins où il faut empêcher l'infiltration d'eau par les joints entre des matériaux différents. Il importe de poser le solin avec soin et de choisir les matériaux qui conviennent le mieux à un endroit particulier.

Les épaisseurs et types de matériaux recommandés pour l'exécution des solins sont les suivants :

solins apparents : tôle de plomb de 1,73 mm, tôle d'acier galvanisé de 0,33 mm, tôle de cuivre de 0,36 mm, tôle de zinc de 0,46 mm, ou tôle d'aluminium de 0,48 mm.

Solins dissimulés : tôle de plomb de 1,73 mm, tôle d'acier galvanisé de 0,33 mm, tôle de cuivre de 0,36 mm, tôle de zinc de 0,46 mm, matériau de couverture en rouleau de type S, polyéthylène de 0,15 mm, et cuivre ou aluminium de 0,05 mm collé sur du feutre ou du papier kraft.

Les solins d'aluminium doivent être isolés de la maçonnerie ou du béton ou recouverts d'une membrane imperméable pour réduire au minimum les risques de corrosion.

Il faut prévoir des solins à l'intersection des murs et du toit, du toit et de la cheminée, au-dessus des baies de portes et de fenêtres, aux noues et aux autres endroits critiques du point de vue de l'étanchéité.

Le point de rencontre de deux matériaux différents constitue un exemple typique de construction nécessitant l'utilisation de solins, comme l'illustre *la figure 129.* Le stucco est séparé du bardage de bois par un larmier en bois. Pour que l'eau ne s'infiltre pas dans le mur, on pose un solin profilé sur le larmier de façon à former un jet d'eau à sa rive extérieure. Le solin doit se prolonger d'au moins 75 mm au-dessus du larmier et sous le papier de revêtement. On utilise aussi ce genre de solin à la partie supérieure des fenêtres et des portes, à moins que celles-ci ne soient bien protégées par le débord de toit; si la distance verticale entre le dessus de la boiserie et le dessous du débord est supérieure au quart de la largeur de surplomb de celui-ci, il faut poser un solin.

Les traverses supérieures et les appuis des baies pratiquées dans les murs à ossature de bois revêtus d'un placage de maçonnerie doivent être pourvus d'un solin. Le solin supérieur doit partir de la rive avant du linteau, recouvrir celui-ci et remonter sous le papier de revêtement. Dans le cas des appuis en maçonnerie jointoyée, le solin doit partir de la rive extérieure sous le seuil de maçonnerie et se prolonger jusqu'à la sous-face du seuil de bois.

On doit également poser un solin à la jonction du toit et des murs. Lorsqu'on utilise une couverture multicouche, il faut poser une chanlatte afin de ne pas avoir à plier la membrane à angle droit et éviter ainsi le risque de perforer la membrane. La couverture multicouche doit remonter d'au moins 150 mm le long du mur, sur la chanlatte et le revêtement intermédiaire. Le papier de revêtement doit ensuite être posé de façon à recouvrir la couverture d'au moins 100 mm. Lors de la pose du bardage, on doit laisser un dégagement d'au moins 50 mm entre celui-ci et le toit afin que les eaux qui s'écoulent sur le toit ne risquent pas de l'endommager *(Fig. 130)*.

Les colonnes de ventilation de la plomberie qui traversent le toit doivent être garnies d'un solin pour empêcher l'infiltration d'eau et d'humidité. On utilise généralement une feuille de néoprène ou une tôle de plomb à cet effet.

Il faut également poser un solin là où deux versants de toit forment une noue. La distinction entre noue à découvert et noue recouverte tient à la façon de poser les bardeaux. Les noues à découvert sont habituellement pourvues d'un solin métallique simple d'au moins 600 mm de largeur ou de deux couches de matériau de couverture en

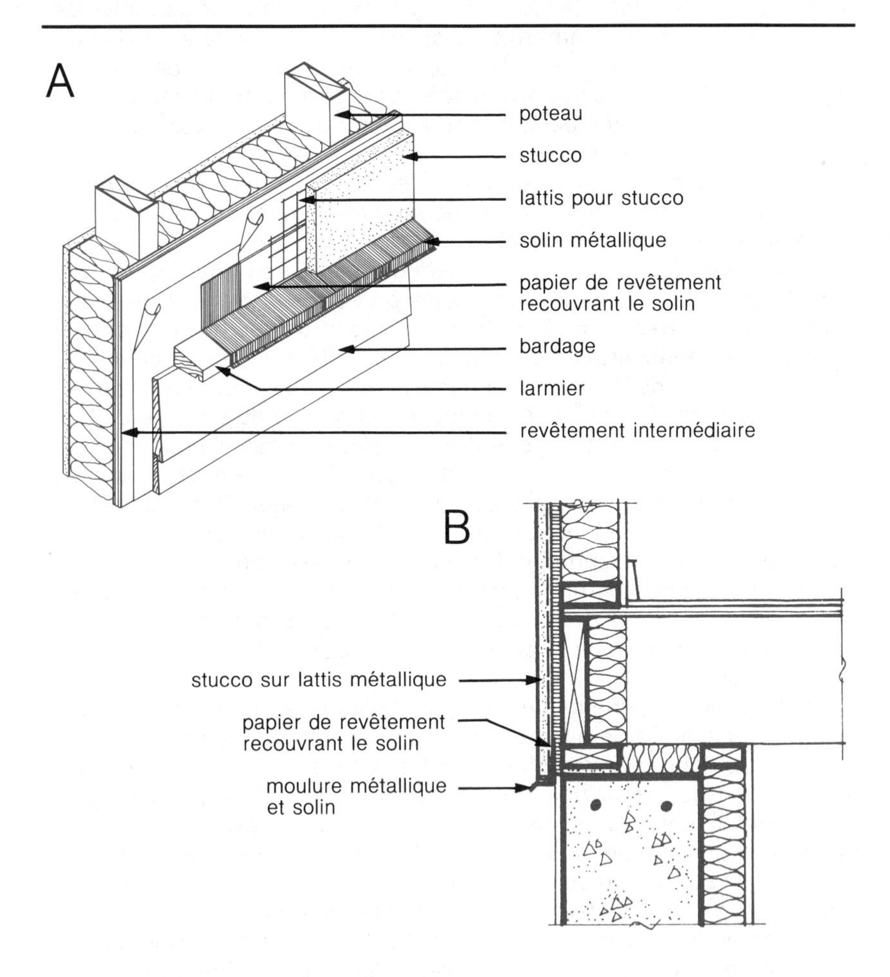

Figure 129. Solin typique isolant deux matériaux différents.

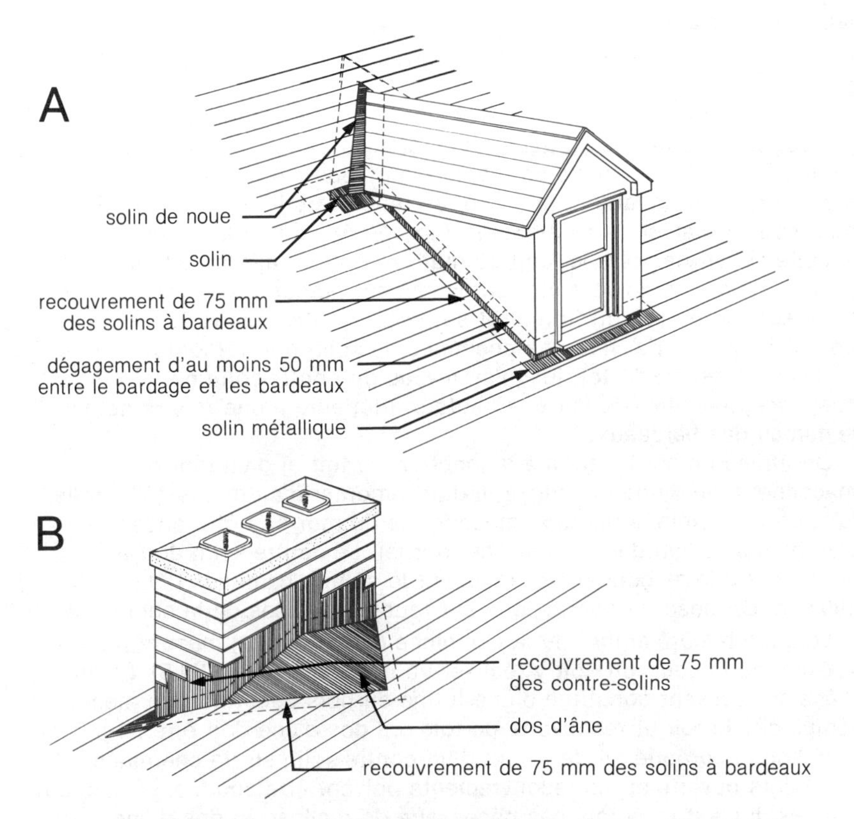

Figure 130. (A) Solin de noue à découvert et solins à bardeaux contre la lucarne. (B) Solin en dos d'âne utilisé pour une cheminée ayant plus de 750 mm de largeur.

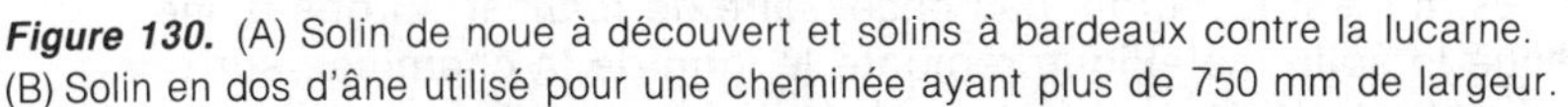

rouleau. Dans ce dernier cas, la couche inférieure peut être constituée d'un matériau de type S ou de type M à surface minérale (surface minérale tournée vers le bas) d'au moins 457 mm de largeur. Cette couche doit être centrée sur la noue et clouée, le long de ses rives, à entraxes de 400 à 450 mm. On applique ensuite une bande de mastic de 100 mm le long des rives de la couche inférieure, puis une couche de matériau de couverture de type M à surface minérale d'environ 914 mm de largeur. Cette couche supérieure est assujettie, le long de ses rives, avec juste assez de clous pour la maintenir en place jusqu'à la pose des bardeaux. Les bardeaux du toit doivent s'arrêter à une distance de 100 à 150 mm du centre de la noue, l'écart étant plus marqué à l'égout qu'au faîte *(Fig. 130 A).*

Les noues recouvertes doivent être pourvues d'un solin simple en métal, en polyéthylène de 0,15 mm ou en matériau de couverture de type S d'au moins 600 mm de largeur. Chaque rang de bardeaux d'asphalte se prolonge sur toute la largeur de la noue, sans toutefois qu'il se trouvent des clous à moins de 75 mm de l'axe de la noue au faîte et à moins de 125 mm à l'égout. Les bardeaux rigides doivent être taillés en suivant l'axe de la noue. Il convient toutefois de ne pas utiliser la méthode des noues recouvertes avec des bardeaux rigides sur des toits ayant une pente inférieure à 1:1,2.

L'angle des toits à bardeaux avec un mur ou une cheminée doit être protégé par des carrés de solin qu'on appelle parfois solins à bardeaux. On pose ces solins en même temps que les bardeaux, à raison d'un carré pour chaque rang, et on les replie vers le haut le long du mur, sous le papier de revêtement *(Fig. 130 A)*. Le bardage vient ensuite couvrir le solin le long du mur, exception faite du dégagement prévu. Ces carrés doivent être suffisamment grands pour bien protéger l'intersection du toit et du mur et se recouvrir d'au moins 75 mm. Sur un toit en pente, derrière une cheminée, le solin doit remonter le long de la cheminée et du toit jusqu'au niveau du contre-solin de la cheminée, mais jamais sur une hauteur inférieure à une fois et demie le pureau des bardeaux.

On utilise un contre-solin à la jonction du toit et d'un mur de maçonnerie ou d'une cheminée. Il doit remonter d'au moins 150 mm le long de la cheminée ou de la maçonnerie du mur et y être encastré d'au moins 25 mm dans le joint de mortier. Le contre-solin doit être serré contre la maçonnerie et recouvrir le solin à bardeaux d'au moins 100 mm. On pose un contre-solin sur toutes les faces de la cheminée.

Lorsque le côté amont de la cheminée (face au faîte) mesure plus de 750 mm de largeur, on doit y réaliser un dos d'âne *(Fig. 130 B)*. Le dos d'âne est souvent constitué d'une forme en bois construite en même temps que le toit et recouverte de tôle. Le dos d'âne doit être pourvu d'un solin approprié sur le toit et d'un contre-solin sur la cheminée. Les joints ouverts et les recouvrements doivent être soudés, scellés ou agrafés. Il n'est toutefois pas nécessaire de réaliser un dos d'âne lorsque le solin métallique remonte le long de la cheminée sur une hauteur égale à 1/6 de sa largeur, et le long du toit jusqu'au niveau correspondant. Dans ce cas, la partie du solin qui remonte sous les bardeaux ne doit jamais mesurer moins d'une fois et demie le pureau et celle qui remonte sur la cheminée, jamais moins de 150 mm.

Gouttières et descentes pluviales

Les gouttières et les descentes pluviales sont tellement répandues au Canada que beaucoup pensent qu'elles sont obligatoires. La plupart des codes du bâtiment ne les exigent toutefois pas. Leur utilisation contribue à réduire la quantité d'eau souterraine à proximité des fondations et assure, par le fait même, une protection accrue contre les infiltrations d'eau par les fondations. Elles peuvent toutefois contribuer à la formation de digues de glace. (Voir la *figure 63* dans le chapitre sur le support et les matériaux de couverture.)

Les gouttières métalliques profilées sont fabriquées en longueurs variables. Les raccords tels que coins intérieurs et extérieurs, coudes et raccords de branchement à la descente pluviale, sont offerts suivant les dimensions et l'angle convenant aux besoins de l'installation. Les gouttières et les descentes pluviales se fabriquent également en plastique.

On pose les gouttières après le bardage. On les fixe sur la bordure de toit, aussi près que possible de la saillie des bardeaux et avec une pente légère vers la descente pluviale, à l'aide de clous protégés contre la corrosion enfoncés à entraxes d'environ 750 mm. Les clous passent à travers un tube d'écartement placé entre les faces internes de la gouttière et pénètrent dans la planche de bordure et le chevron de rive. Les joints entre les sections sont soudés ou scellés.

Les descentes pluviales peuvent être de section circulaire ou rectangulaire et celles de métal sont habituellement en tôle ondulée pour en accroître la rigidité. Ces tuyaux en tôle ondulée sont également moins susceptibles d'éclater sous l'engorgement de glace. Les cols de cygne constitués de coudes et de courtes sections de tuyau permettent de poser la descente contre le mur.

Les descentes pluviales sont fixées au mur à l'aide de crochets ou de brides à raison d'au moins deux à tous les 3 m.

Lorsque les descentes pluviales ne sont pas raccordées à l'égout pluvial, on se sert d'un coude muni d'une rallonge ou d'un déflecteur pluvial pour écarter l'eau du mur de fondation et éviter l'érosion. Le profil du terrain devrait normalement assurer l'évacuation de l'eau à l'écart de la maison et hors du terrain.

Garages et abris d'automobile

On peut classer les garages en trois catégories selon qu'ils sont attenants, distincts ou incorporés; le choix d'un type particulier dépend parfois de la nature et des dimensions du terrain. Si le terrain est suffisamment grand, le garage attenant possède de nombreux avantages. Il est moins froid en hiver et, lorsqu'il est pourvu d'une porte donnant sur la maison, il permet aux gens de se rendre à la voiture ou d'en revenir à l'abri des intempéries.

Les maisons à deux étages comportent parfois un garage incorporé surmonté d'une aire habitable. Il est également possible d'incorporer un garage au sous-sol lorsqu'il n'est pas trop difficile de descendre à ce niveau à partir de la rue; mais à cause des accumulations habituelles de neige et de glace dans certaines régions, l'entrée de garage doit alors être en pente douce et une rigole grillagée et un avaloir doivent être installés devant la porte du garage pour évacuer l'eau de ruissellement.

Ce serait une erreur que d'aménager un garage qui serait trop petit pour être pratique. La taille des voitures variant énormément, le garage devrait être assez long et large pour pouvoir y garer n'importe quel modèle de voiture, et disposer encore de suffisamment d'espace pour circuler autour. Il faut donc prévoir au moins 6,1 m entre les faces intérieures des murs avant et arrière. Si on décide d'aménager un établi ou du rangement au fond du garage, il faudra en majorer d'autant la longueur. Il faut prévoir une largeur libre d'au moins 3,05 m, bien qu'il soit préférable d'avoir 3,5 m ou plus pour que les portières puissent facilement s'ouvrir des deux côtés. Si le garage est prévu pour deux voitures, il doit avoir 5,55 m de largeur. Comme il arrive souvent, de plus, qu'on se serve du garage pour remiser outils de jardin, bicyclettes, moustiquaires, contre-fenêtres et autres articles, il faut aussi prévoir suffisamment d'espace supplémentaire à cette fin.

On traite des semelles et des fondations de garage dans le chapitre sur les semelles, fondations et planchers-dalles.

L'ossature et le bardage des murs et du toit du garage sont identiques à ceux de la maison. Le revêtement de finition intérieure est surtout une affaire de goût. Il faut prévoir une protection contre les émanations malsaines, mais il n'est pas nécessaire de prévoir des mesures particulières de protection contre l'incendie s'il s'agit d'un garage attenant ne desservant qu'une maison individuelle. Lorsque le garage doit être chauffé, il faut y installer un isolant thermique et un pare-vapeur et les recouvrir d'un revêtement de finition pour éviter qu'ils ne soient endommagés. La porte donnant sur la maison doit être pourvue d'un coupe-froid et d'un ferme-porte afin de protéger la maison contre les vapeurs de carburant et les gaz d'échappement.

Il existe plusieurs types de portes de garage, chacun présentant certains avantages propres. La porte basculante *(Fig. 131 A)* et la porte sectionnelle *(Fig. 131 B)* sont les modèles les plus courants. On utilise aussi parfois des portes battantes à charnières. La porte basculante fonctionne sur le principe du pivot et ses rails sont fixés au plafond, alors que les galets de roulement sont placés au centre et à la partie supérieure de la porte. La porte est également équipée de ressorts d'équilibrage montés de part et d'autre afin d'en faciliter la manœuvre. La porte sectionnelle est pourvue, à chacun de ses panneaux, de galets se déplacant dans un rail fixé de part et d'autre de la porte sur le mur et au plafond. Ces portes sont parfois équipées d'un ouvre-porte automatique.

Les abris d'automobile sont habituellement attenants à la maison et ouverts sur leurs trois autres côtés, du moins partiellement. Leur toit est généralement porté par des poteaux reposant sur des dés en béton. Ces dés doivent mesurer au moins 190 × 190 mm de section.

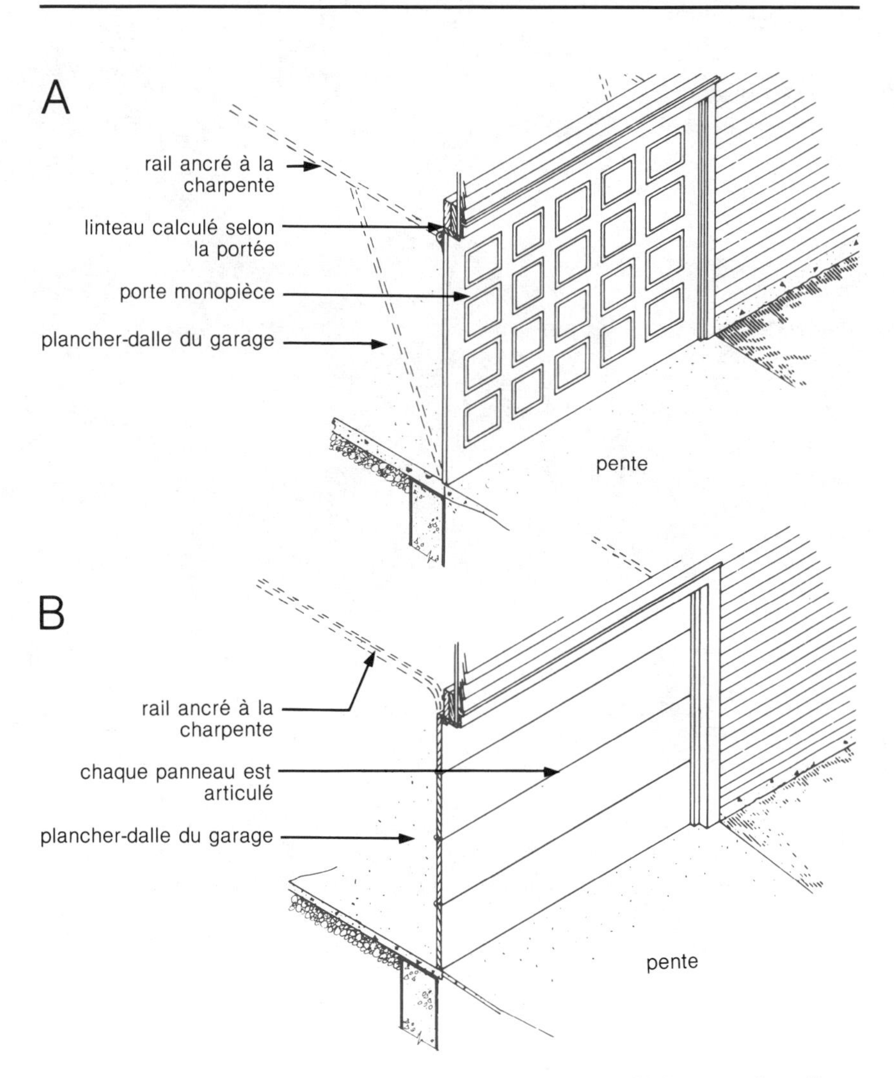

Figure 131. Types de portes de garage. (A) Porte basculante. (B) Porte sectionnelle.

On utilise fréquemment des dés ronds formés dans des cylindres de carton vendus expressément à cette fin. La base des dés doit être suffisamment large pour bien répartir les charges au sol de celui-ci, et être enfouie à une profondeur assez grande pour prévenir tout soulèvement sous l'effet du gel. Lorsque les poteaux sont en bois, les dés doivent se prolonger hors du sol d'au moins 150 mm afin que les poteaux soient bien protégés contre l'humidité du sol. Les poteaux doivent être solidement ancrés aux dés et à l'ossature du toit afin de bien résister aux forces de soulèvement du vent.

Cheminées et foyers à feu ouvert

En général, les cheminées et les foyers à feu ouvert sont des ouvrages de maçonnerie reposant sur des fondations appropriées, mais on utilise aussi des cheminées et des foyers préfabriqués légers qui ne requièrent pas de fondations. Toute cheminée doit avoir assez de tirage pour maintenir la combustion et en évacuer les produits.

Étant donné que les foyers classiques n'ont qu'un très faible rendement énergétique, leur valeur est plutôt d'ordre décoratif. On peut toutefois en augmenter l'efficacité en encastrant un élément métallique préfabriqué dans le foyer. De cette façon, la pièce peut être chauffée par rayonnement direct et par la circulation d'air chaud à travers l'élément préfabriqué. Ces installations sont rendues encore plus efficaces par l'addition de portes étanches et d'une prise d'air extérieur distincte.

L'inefficacité du chauffage au bois et les pertes de chaleur caractéristiques des foyers à feu ouvert peuvent être compensées par l'utilisation de poêles à bois. Les normes de sécurité relatives aux poêles à bois sont identiques à celles qui régissent les foyers à feu ouvert.

Les cheminées et les foyers doivent être construits avec soin de façon à éliminer tout danger d'incendie. Dans la mesure du possible, ils ne doivent pas être situés sur un mur extérieur. Lorsqu'ils se trouvent entièrement à l'intérieur de la maison, ils possèdent de précieux avantages :

- la chaleur qui autrement s'échapperait par la cheminée reste à l'intérieur de la maison;
- la maçonnerie se détériore moins sous l'effet de la condensation des gaz de combustion;
- s'ils sont construits en maçonnerie et sont situés près de fenêtres orientées vers le sud, ils contribuent à accroître l'inertie thermique de la maison en accumulant l'énergie solaire pendant la journée et en la libérant dans la maison pendant la nuit;
- la cheminée étant plus chaude, elle a un meilleur tirage et évacue mieux les gaz de combustion.

Cheminées

Les cheminées de maçonnerie doivent être construites sur une semelle de béton capable d'en supporter la charge. Étant donné qu'une cheminée peut abriter plusieurs conduits de fumée, ses dimensions minimales sont dictées par leur nombre, leur agencement et leur taille. La paroi d'une cheminée de maçonnerie doit avoir 75 mm d'épaisseur et être constituée d'éléments massifs.

Le conduit de fumée est la gaine verticale par laquelle la fumée et les gaz sont évacués à l'air libre. On peut n'utiliser qu'un seul conduit de fumée pour plusieurs appareils, comme un appareil de chauffage et un chauffe-eau, par exemple. Dans un tel cas, les raccordements au conduit de fumée doivent se faire un au-dessus l'un de l'autre pour assurer un bon tirage. La section du conduit de fumée dépend de la capacité des appareils qui lui sont raccordés. Les foyers doivent posséder leur propre conduit de fumée.

Le chemisage des conduits de fumée est habituellement constitué de boisseaux d'argile vernissés d'environ 600 mm de longueur qui sont installés lors de la mise en œuvre de la maçonnerie. On prendra soin de bien aligner les boisseaux les uns sur les autres, sur un lit continu de mortier. Lorsque la cheminée comporte plus d'un conduit de fumée, ceux-ci doivent être séparés les uns des autres par au moins 75 mm de maçonnerie massive ou de béton, ou par 90 mm de brique réfractaire dans le cas d'un chemisage en brique réfractaire *(Fig. 132)*. Le chemisage commence habituellement à 200 mm environ au-dessous du tuyau de raccordement et se prolonge de 50 à 100 mm au-dessus du couronnement de la cheminée.

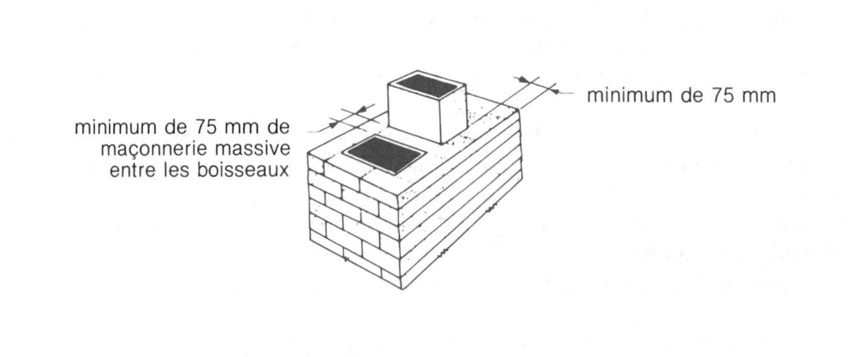

Figure 132. Pose des boisseaux.

La plupart des cheminées préfabriquées viennent en sections qui sont assemblées à pied d'œuvre. Elles sont relativement légères et peuvent être retenues par des ancrages spéciaux qui se fixent aux solives du plancher une fois que la cheminée a été montée. L'utilisation des cheminées préfabriquées appelle deux précautions :

1) on doit s'assurer que le modèle retenu a été mis à l'essai et homologué par les *Underwriters' Laboratories of Canada* (ULC); et
2) on doit également s'assurer que la cheminée est installée conformément aux directives du fabricant et aux conditions d'homologation établies par les ULC.

La cheminée doit se prolonger suffisamment au-dessus du toit pour éviter que la turbulence du vent ne refoule la fumée et les gaz de combustion vers le bas. Elle doit s'élever à 900 mm au moins au-dessus du point d'intersection le plus élevé entre la cheminée et le toit et à 600 mm au moins au-dessus du faîte ou de tout autre obstacle situé dans un rayon de trois mètres de la cheminée *(Fig. 133)*.

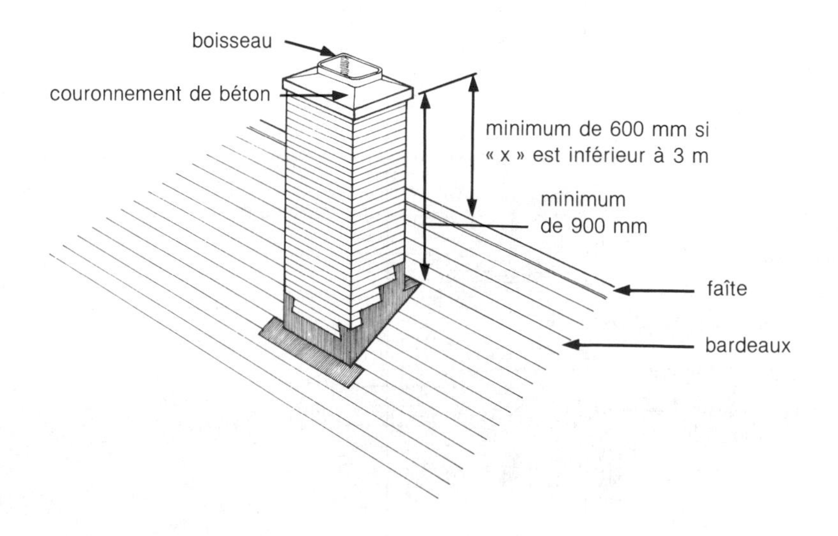

Figure 133. Hauteur de la cheminée au-dessus du faîte.

La cheminée doit être surmontée d'un couronnement pour écarter l'eau des joints de maçonnerie. Il est habituellement en béton. Le dessus du couronnement doit être incliné vers l'extérieur à partir du chemisage et se prolonger d'au moins 25 mm au-delà de la face de la cheminée afin de former un larmier.

Il faut prévoir une trappe de ramonage en métal près du bas de la cheminée pour permettre d'en retirer facilement la suie.

On peut utiliser la cheminée pour évacuer les produits de combustion des appareils à gaz; sinon, ceux-ci pourraient être équipés de conduits d'évacuation spéciaux approuvés à cette fin.

Foyers à feu ouvert

Pour obtenir un bon tirage dans une cheminée, il suffit d'appliquer les principes de conception établis. Tout foyer doit avoir une prise d'air extérieur afin d'en améliorer la combustion. Un chemisage doit recouvrir la paroi interne du conduit de fumée. La section de ce dernier doit être proportionnée à l'ouverture du foyer. Une règle couramment utilisée consiste à établir la section minimale du conduit de fumée à 1/10 de la superficie de l'ouverture du foyer; les dimensions extérieures du chemisage ne doivent cependant pas être inférieures à 200 × 300 mm. La *figure 134* illustre l'emplacement des divers éléments constituants d'un foyer à feu ouvert.

Voici d'autres principes couramment appliqués dans la construction des foyers ouverts d'un seul côté :

- l'avant du foyer doit être plus large que le contrecœur (paroi arrière) dont la partie supérieure doit être inclinée vers l'avant pour rejoindre la gorge et ainsi améliorer le rendement de chauffage;

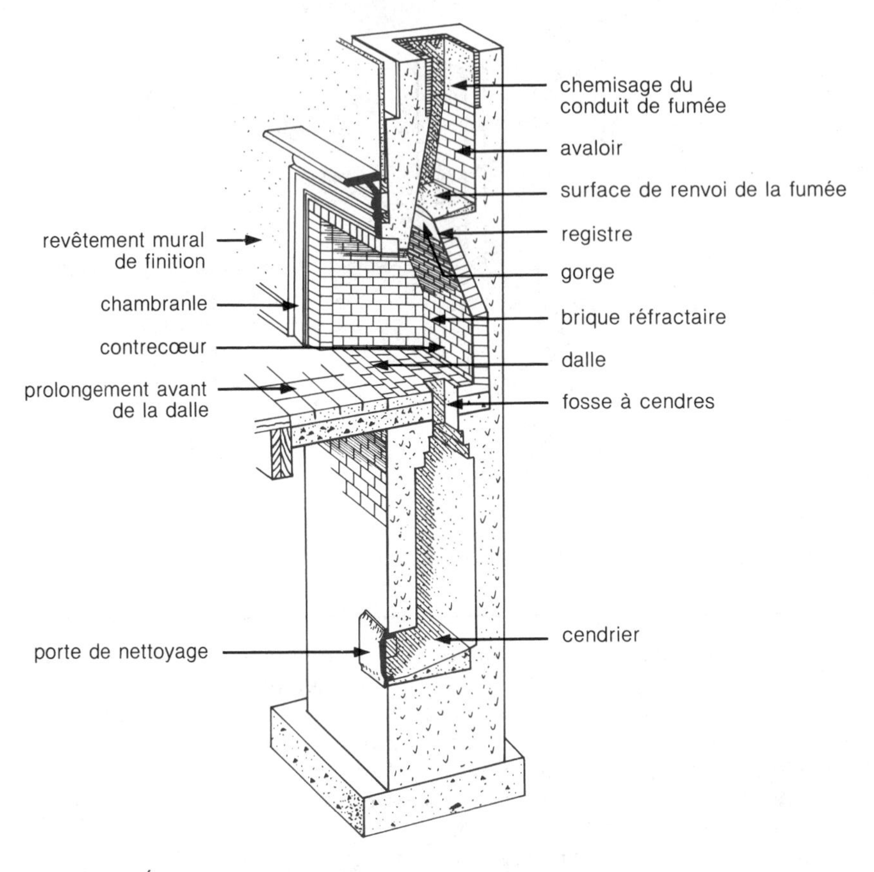

Figure 134. Éléments d'un foyer à feu ouvert.

- la largeur du contrecœur, qui doit s'élever sur la moitié de la hauteur de l'ouverture avant de commencer à s'incliner vers l'avant, correspond habituellement à peu près aux deux tiers de celle de l'ouverture du foyer;
- la surface de renvoi de la fumée, qui sert à réduire les inversions de tirage, est formée en ménageant la gorge aussi près de l'avant que possible. La gorge doit être aussi longue et étroite que possible, mais sa section totale doit être égale à celle du conduit de fumée;
- au-dessus de la gorge, les côtés se rapprochent en s'inclinant pour aboutir au conduit de fumée qui est généralement centré sur la largeur du foyer; cette inclinaison ne doit pas cependant faire plus de 45° avec la verticale.

Le chemisage du foyer doit être fait d'un matériau très résistant au feu. Un chemisage d'acier conçu à cette fin ou un revêtement de brique réfractaire de 50 mm sont considérés comme satisfaisants à cet égard. La brique réfractaire doit être posée à l'aide d'un mortier d'argile réfractaire ou de ciment pour hautes températures.

Pour le cas d'un chemisage en brique réfractaire de 50 mm d'épaisseur, les côtés et le contrecœur du foyer doivent avoir au moins 190 mm d'épaisseur, y compris l'épaisseur du chemisage. Lorsque la partie arrière du foyer donne sur l'extérieur, on pourra se contenter de 140 mm. Lorsqu'on utilise un chemisage d'acier comportant une chambre de circulation d'air, le contrecœur et les côtés peuvent être en éléments de maçonnerie massifs de 90 mm d'épaisseur ou en éléments creux de 190 mm.

Le registre est une grande plaque mobile installée dans la gorge du foyer et servant à régler le tirage grâce à une manette de commande disposée à l'avant du foyer. Il existe plusieurs types de registres; en en choisissant un bien proportionné à la gorge, on réduit les risques de mauvais fonctionnement du foyer. Le registre doit pouvoir se fermer complètement et être aussi étanche que possible, afin de minimiser les pertes de chaleur par la cheminée lorsque le foyer ne sert pas.

La dalle de l'âtre peut être au même niveau que le plancher de la maison, ou surélevée. Puisqu'elle est exposée à une grande chaleur, elle est habituellement en brique réfractaire. Son prolongement avant, qui n'est qu'une mesure de protection contre les étincelles, est habituellement constituée d'une plaque de béton armé de 100 mm recouverte de carreaux céramiques. Le prolongement de la dalle doit

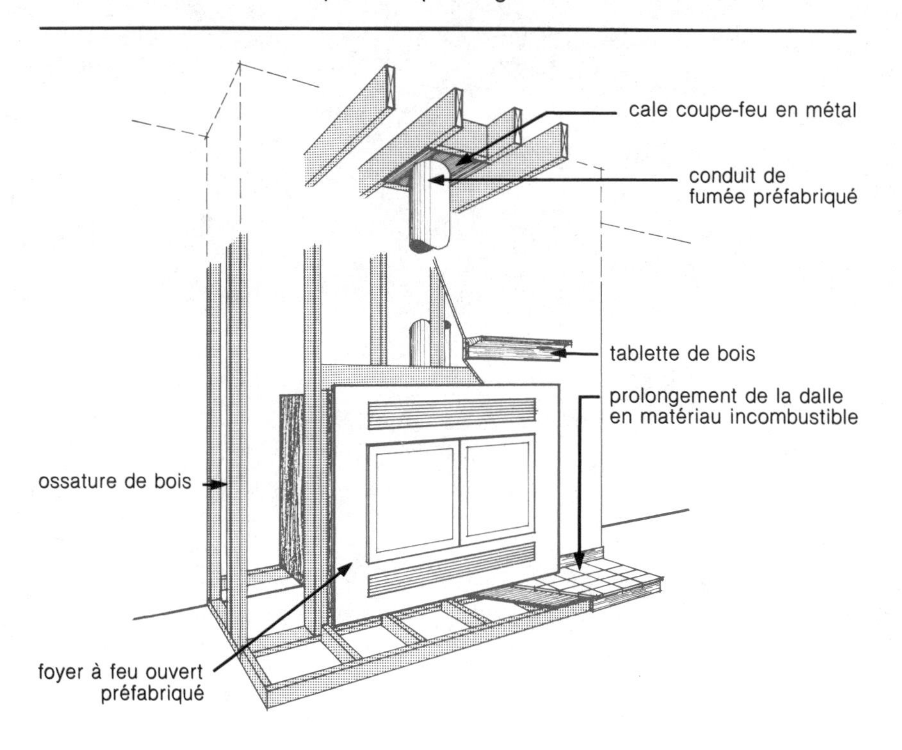

Figure 135. Éléments d'un foyer à feu ouvert préfabriqué.

s'avancer d'au moins 400 mm devant l'ouverture du foyer et s'étendre d'au moins 200 mm de chaque côté.

Il est d'usage, mais non indispensable, de ménager à l'arrière du foyer une fosse pour l'évacuation des cendres dans le cendrier. Une porte de nettoyage donne accès au cendrier, au sous-sol, permettant ainsi de retirer périodiquement les cendres.

Si le foyer est préfabriqué *(Fig. 135)*, on doit prendre les mêmes précautions que dans le cas d'une cheminée préfabriquée.

Écoulement des eaux de ruissellement, voies d'accès privées et trottoirs privés

Pour réaliser un bon aménagement paysager, il faut évaluer les besoins en ce qui a trait à l'écoulement des eaux de ruissellement, aux voies d'accès privées et aux trottoirs privés. Les voies d'accès et les trottoirs privés doivent être construits en matériaux qui s'harmonisent avec la maison et la cour.

Écoulement des eaux de ruissellement

Il faut établir un plan qui permette d'égoutter tout le terrain en dirigeant les eaux de ruissellement à l'écart de la maison. Les voies d'accès et les trottoirs privés doivent être suffisamment bas pour ne pas nuire à l'écoulement des eaux. Lorsque la maison tire son eau potable d'un puits, l'écoulement doit se faire à l'opposé du puits afin de prévenir la contamination de la source d'eau potable.

Voies d'accès privées

Par mesure de sécurité, une voie d'accès privée ne doit pas être trop fortement inclinée vers la rue, mais sa pente doit quand même être suffisante pour empêcher l'eau de s'y accumuler. Que la pente soit en travers ou le long de la voie d'accès, elle ne doit pas être inférieure à 1:60.

Les matériaux les plus couramment utilisés pour les voies d'accès privées sont le béton, l'asphalte et la pierre concassée. Il est préférable d'aménager une voie pleine largeur, mais une voie formée de deux bandes d'au moins de 600 mm de largeur espacées d'environ 1,5 m entre axes est aussi acceptable. Bien que moins coûteuse que la voie pleine largeur, la voie d'accès privée formée de deux bandes ne convient pas aux courbes ni aux aires de manœuvres automobiles.

Il est plus facile de circuler en auto sur une voie d'accès pleine largeur; de plus, si on l'élargit, elle peut aussi servir de trottoir privé. Une voie d'accès privée doit mesurer au moins 2,5 m de largeur et au moins 3 m lorsqu'elle sert en même temps de trottoir privé.

Avant de poser le revêtement d'une voie d'accès privé, il faut bien aplanir et compacter sa base. Les matières de faible consistance, de même que les pierres et les cailloux détachés doivent être enlevés sur une profondeur d'environ 100 mm et les trous ainsi formés doivent être remplis de matières solides bien compactées. S'il s'agit d'un sol récemment remblayé, il doit être bien compacté parce que tout affaissement du sol provoquerait des fissures dans la surface de roulement. Si celle-ci doit être en asphalte, la fondation de la voie d'accès doit être constituée d'une couche bien compactée de pierre concassée ou de gravier de 100 mm d'épaisseur au moins. La couche d'asphalte a généralement 40 mm d'épaisseur. On peut aussi utiliser une dalle de béton de 120 mm d'épaisseur sans fondation, ou une dalle de 75 mm d'épaisseur si elle est posée sur une couche de gravier de 120 mm.

La mise en place, le lissage et la cure du béton doivent se faire comme nous l'avons expliqué au chapitre qui traite des semelles, des fondations et des planchers-dalles. Un lissage excessif à la planchette aura pour résultat de faire remonter une trop grande quantité de laitance à la surface et de rendre celle-ci moins résistante. Les joints de retrait d'une voie d'accès privée doivent être placés à intervalles de 3 à 3,5 m. Les dalles ainsi formées doivent être aussi carrées que possible. On doit faire usage de joints d'isolement, constitués de garnitures de joint préformées ou de papier de revêtement, pour séparer la voie d'accès privée de la bordure de la rue, du plancher-dalle du garage et du mur de fondation. Les joints de retrait doivent être exécutés de la manière décrite au chapitre qui traite des semelles, des fondations et des planchers-dalles. La garniture de joint préformée des joints d'isolement doit s'étendre sur toute l'épaisseur du revêtement de la voie d'accès privée et avoir de 6 à 12 mm d'épaisseur.

Trottoirs privés

Les trottoirs privés sont couramment en béton coulé sur place ou en dalles préfabriquées. On utilise également d'autres types de matériaux, comme l'asphalte, la brique d'argile ou de béton, le gravier fin et la pierre concassée.

Les trottoirs privés doivent être construits sur une fondation bien compactée, et être légèrement inclinés de façon à évacuer les eaux de surface. On n'utilise habituellement pas de fondation sous les trottoirs privés en béton comme on le fait pour ceux en asphalte. Les trottoirs privés en béton doivent mesurer au moins 100 mm d'épaisseur et ceux en asphalte environ 40 mm. On doit réaliser des joints de retrait dans les trottoirs privés pour la même raison qu'on le fait dans les voies d'accès privées. L'espacement de ces joints correspond habituellement à environ une fois et demie la largeur du trottoir. Les dalles préfabriquées sont généralement posées sur un lit de sable servant de base de nivellement.

Mesures de protection contre la pourriture et les termites

Le bois utilisé dans des conditions lui permettant d'être toujours sec, ou de sécher avoir été exposé à l'eau, ne pourrit pas. Mais le bois et les produits de bois qui restent au contact de l'eau pendant de longues périodes risquent de pourrir. La plupart des éléments de bois d'une maison ne sont pas soumis à de telles conditions lorsque les mesures appropriées sont prises. La protection est assurée par les méthodes de conception et de construction, par l'utilisation de matériaux appropriés et, dans certains cas, par le traitement des matériaux.

Le chantier de construction doit être bien drainé et le bois non traité ne doit pas être laissé en contact avec le sol. Les murs de fondation doivent se prolonger d'au moins 150 mm au-dessus du sol. Les bardages en bois ou en matériaux dérivés ne doivent pas être posés à moins de 200 mm au-dessus du sol. Dans un vide sanitaire, le sol doit se trouver à 300 mm au moins sous les solives et les poutres, et cette distance doit être portée à 450 mm là où les termites constituent un problème.

Les éléments de construction tels que marches, porches, appuis de fenêtres et seuils de portes doivent être inclinés de manière à ne pas retenir l'eau. On doit installer des solins au-dessus des portes et des fenêtres et autres saillies susceptibles de présenter des risques d'infiltration d'eau. (Voir le chapitre sur les solins.) Les toits comportant un débord très saillant assure une plus grande protection au bardage et à d'autres éléments de la maison. Si l'entrée de la maison est couverte, la porte se trouve protégée.

Les marches, garde-corps et planchers de porches extérieurs en bois qui sont exposés à la pluie et à la neige risquent fort de pourrir. S'ils ne sont pas traités, ces éléments ne doivent pas être laissés en contact avec le sol. Il importe de protéger les veines d'extrémité qui absorbent l'eau aisément. Si le bois traité doit être coupé en chantier, on doit tremper les extrémités coupées dans un produit de conservation jusqu'à ce qu'elles en soient saturées. Les extrémités et les joints du bardage peuvent être traités en cours d'assemblage ou obturés ultérieurement pour parer à l'infiltration d'eau. Il importe d'utiliser un produit de calfeutrage de bonne qualité autour des bâtis de fenêtres et de portes, à la jonction d'un bardage en bois avec un placage de maçonnerie, en dessous des seuils de portes qui ne sont pas totalement protégés de la pluie et à d'autres endroits semblables, afin d'empêcher l'eau de s'infiltrer dans l'enveloppe.

Un vide sanitaire sans couvre-sol est susceptible de devenir très humide et d'exposer les éléments de charpente à des conditions favorisant la pourriture. Ce couvre-sol qui empêche l'humidité du sol d'atteindre le vide sanitaire doit être posé de la manière décrite dans le chapitre traitant de la ventilation. Le vide sanitaire doit en outre être ventilé en été.

Le bois est susceptible d'être rongé par les termites. Dans les régions où les termites prolifèrent, on doit prendre les précautions qui s'imposent pour protéger l'ossature contre leurs attaques. C'est lors de l'élaboration des plans et de la construction de la maison qu'il convient de prévoir la protection contre les termites. Il faut suivre les codes du bâtiment provinciaux ou municipaux qui traitent des mesures de protection à prendre contre les termites.

Peinture

La peinture a pour but de protéger les surfaces extérieures contre les intempéries et de rehausser l'apparence de la maison. Les surfaces intérieures sont peintes à des fins décoratives, mais aussi pour les protéger contre les niveaux d'humidité élevés que l'on retrouve surtout dans la cuisine, la salle de bains et la buanderie. Les surfaces peintes sont également plus faciles à nettoyer.

Il existe un large éventail de peintures, teintures et autres enduits pour les surfaces intérieures ou extérieures. Il importe de choisir des produits de bonne qualité et de les poser selon les directives du fabricant. Puisque la peinture ne représente qu'une faible partie du coût des travaux de peinture, l'utilisation de produits de mauvaise qualité représenterait une économie de bouts de chandelle. Une peinture de bonne qualité posée comme il se doit dure habituellement quatre ou cinq ans.

Les surfaces à peindre doivent être propres et exemptes de substances pouvant amoindrir l'adhérence de la peinture. Les trous laissés par les clous, les fissures et les autres défauts apparents doivent être remplis de mastic ou d'un autre produit d'obturation approprié après l'application de la couche d'impression. Les travaux de peinture ne doivent pas être exécutés lorsque la température est inférieure à 5° C. Les surfaces à peindre doivent être sèches.

Les enduits transparents posés pour protéger le bois sont altérés par les rayons directs du soleil. Ils durent donc peu longtemps dans ces conditions, habituellement un ou deux ans. Sous l'effet des rayons solaires, la pellicule se désagrège et se détache par plaques, laissant le bois à nu. Les parties de la pellicule qui restent deviennent alors dures et cassantes, et la préparation du bois pour une couche ultérieure s'avère souvent fastidieuse et difficile. Les teintures pénètrent dans le bois et ne laissent pas de pellicule visible en surface; elles protègent tous les côtés de la maison plus longtemps, quatre ans ou plus parfois. Les couches de teinture subséquentes sont aussi beaucoup plus faciles à appliquer, les surfaces ne nécessitant que peu de préparation.

Entretien

Une maison bien construite, avec les matériaux appropriés et conformément aux indications fournies dans le présent ouvrage, nécessite beaucoup moins d'entretien que celle dont la construction et les matériaux ne sont pas conformes à ces indications. Une construction bien faite et des matériaux de bonne qualité permettront certes de réduire les frais d'entretien, mais non de les éliminer complètement; on peut même s'attendre à devoir exécuter certains travaux d'entretien dès la première année d'occupation.

Dans une maison neuve par exemple, il arrive fréquemment que de petites fissures apparaissent sur les murs intérieurs et que certaines portes collent. Ces défauts surviennent habituellement pendant ou après la première saison de chauffage, lorsque le bois de l'ossature subit un léger retrait par suite d'une modification de sa teneur en humidité ou après que les éléments porteurs ont pris leur position définitive sous la charge.

Il arrive souvent aussi que les matériaux de remblayage autour des fondations se tassent et permettent ainsi aux eaux de ruissellement de s'accumuler le long du mur du sous-sol ou des fondations. Pour remédier à la situation, il suffit de remplir ces dépressions au fur et à mesure qu'elles apparaissent.

Le propriétaire avisé établit un programme d'entretien étalé sur plusieurs années. Tout comme les frais d'entretien peuvent être sensiblement réduits par une attention particulière apportée aux méthodes et aux matériaux utilisés pour la construction, l'établissement d'un programme d'entretien régulier permet de réduire davantage les frais d'entretien tout en augmentant la valeur marchande de la propriété et la durée utile d'une maison à ossature de bois.

Ouvrages de référence

L'aménagement des espaces intérieurs
Société canadienne d'hypothèques et de logement
LNH 5792
Architecture de paysage et entretien
Société canadienne d'hypothèques et de logement
LNH 5477

Annexe A

Tableau 1
Épaisseur minimale des murs de fondation

Type de mur de fondation	Épaisseur minimale du mur en mm	Hauteur maximale du niveau définitif du sol au-dessus du plancher du sous-sol ou du niveau du sol sous le bâtiment	
		Mur de fondation sans appuis latéraux à sa partie supérieure[(1) à (4)] en m	Mur de fondation avec appuis latéraux à sa partie supérieure[(1) à (4)] en m
Béton plein (Résistance min. de 15 MPa)	150	0,76	1,52
	200	1,22	2,13
	250	1,37	2,29
	300	1,52	2,29
Béton plein (Résistance min. de 20 MPa)	150	0,76	1,83
	200	1,22	2,29
	250	1,37	2,29
	300	1,52	2,29
Blocs de béton	140	0,61	0,61
	190	0,91	1,22
	240	1,22	1,83
	290	1,37	2,13

Remarques

(1) On estime que les murs de fondation sont appuyés latéralement à leur partie supérieure lorsque les solives de plancher viennent s'encastrer dans la partie supérieure du mur de fondation ou lorsque le plancher y est ancré au moyen de boulons d'ancrage; dans ce dernier cas, les solives peuvent être parallèles ou perpendiculaires au mur de fondation.

(2) Lorsqu'un mur de fondation comporte une ouverture ayant une largeur supérieure à 1,2 m ou des ouvertures sur plus de 25 p. 100 de sa longueur, la partie du mur au-dessous des ouvertures doit être considérée comme non appuyée latéralement, sauf si le mur dans lequel l'ouverture est pratiquée est armé pour lui permettre de résister aux pressions exercées par le sol.

(3) Lorsque la largeur du mur plein entre les fenêtres est inférieure à la largeur moyenne des fenêtres, celles-ci sont considérées comme une seule ouverture d'une largeur égale à la largeur globale des fenêtres.

(4) Lorsqu'un mur de fondation supporte des murs pleins en maçonnerie, on estime que le mur de fondation est appuyé latéralement par le plancher du premier étage.

Tableau 2
Dosage du béton (en volume)

Résistance du béton	Volume de ciment	Volumes de sable	Volumes de gros granulats
15 MPa	1	2	4 (jusqu'à 50 mm de diamètre)
	1	—	6 gravier tout-venant
20 MPa	1	1 3/4	3 (jusqu'à 40 mm de diamètre)
	1	—	4 3/4 gravier tout-venant

Tableau 3
Profondeur minimale des fondations

Type de sol	Fondations délimitant un sous-sol ou un vide sanitaire chauffé		Fondations ne délimitant aucun espace chauffé	
	Bon drainage du sol, au moins jusqu'à la limite de pénétration du gel	Mauvais drainage du sol	Bon drainage du sol, au moins jusqu'à la limite de pénétration du gel	Mauvais drainage du sol
Argile ou sol non défini	1,2 m	1,2 m	1,2 m sans jamais être inférieur à la limite de pénétration du gel	1,2 m sans jamais être inférieur à la limite de pénétration du gel
Limon	Aucune limite	Aucune limite	En dessous de la limite de pénétration du gel	En dessous de la limite de pénétration du gel
Sol à forte granulométrie	Aucune limite	Aucune limite	Aucune limite	En dessous de la limite de pénétration du gel
Roc	Aucune limite	Aucune limite	Aucune limite	Aucune limite

Tableau 4
Dimensions minimales des semelles filantes
(Longueur des solives supportées égale ou inférieure à 4,9 m. Surcharge de calcul maximale pour les planchers : 2,4 kN/m²)

Nombre de planchers supportés	Largeur minimale des semelles filantes, en mm		Surface minimale des semelles sous poteaux[1], en m²
	Pour support de murs extérieurs	Pour support de murs intérieurs	
1	250[2]	200[3]	0,4
2	350[2]	350[3]	0,75
3	450[2]	500[3]	1

Remarques
(1) Les dimensions sont calculées pour des poteaux dont l'entraxe est de 3 m. Pour tout autre espacement, la surface des semelles doit être déterminée en fonction de la distance en question.
(2) La largeur des semelles doit être augmentée de 65 mm pour chaque étage de construction à ossature en bois supportant un placage de maçonnerie. À l'exception des murs de fondation, la largeur des semelles doit être augmentée de 130 mm pour chaque étage de construction en maçonnerie.
(3) La largeur des semelles doit être augmentée de 100 mm pour chaque étage de construction en maçonnerie.

Tableau 5
Proportions pour mélanges de mortier (en volume)

Usages autorisés du mortier	Ciment Portlant	Ciment à maçonnerie (type H)	Chaux	Granulats
Tout usage[1]	1/2 à 1 1	1 —	— 1/4 à 1/2	
Tout usage[1], sauf pour un mur de fondation ou un pilier	— 1	1 —	— 1/2 à 1 1/4	Pas moins de 2 1/4 et pas plus de 3 fois la somme des volumes du ciment et de la chaux
Tout usage, sauf pour un mur porteur en éléments creux	1	—	1 1/4 à 2 1/2	
Toute cloison non porteuse et tout mur porteur en éléments pleins, sauf pour un mur de fondation	1 —	— —	2 1/4 à 4 1	

Remarque

(1) Ces mélanges ne doivent pas être utilisés avec des briques silico-calcaires ou des briques de béton.

Tableau 6
Débits courants — Qualités et usages

Dimensions (mm)	Qualité	Qualités couramment regroupées	Usages principaux	Catégorie de classification
Épaisseur : 38 à 89 mm Largeur : 38 à 89 mm	Select structural N° 1 N° 2	N° 2 et meilleur (N° 2 et Btr.)	Couramment utilisé dans la plupart des constructions. Offre une forte résistance, une grande rigidité et une belle apparence. Très apprécié pour les fermes, les chevrons et les solives de toit.	Charpente légère structurale
	N° 3[3]	—	Utilisé en construction lorsque l'apparence et une grande résistance importent peu (p. ex. : poteaux dans les murs non-porteurs.	
	Construction[3] Standard[3]	Standard et meilleur (Std. et Btr.)	Le plus couramment utilisé dans la construction générale de charpente. Possède une résistance moindre et permet des portées plus courtes que le N° 2 et Btr. des charpentes légères structurales, mais est plus forte et permet des portées plus longues que le N° 3.	Charpente légère

Tableau 6 (suite)
Débits courants — Qualités et usages

Dimensions (mm)	Qualité	Qualités couramment regroupées	Usages principaux	Catégorie de classification
	Utility[2]	—	Très économique lorsque la résistance n'est pas importante (p. ex. : poteaux, lisses et sablières dans les cloisons, entretoises et contreventements).	
	Economy[2]	—	Sert aux travaux de construction temporaires ou bon marché lorsque la résistance et l'apparence n'ont pas d'importance.	
Épaisseur : 38 à 89 mm Largeur : 114 mm et plus	Select structural N° 1 N° 2	N° 2 et Btr.	Couramment utilisé dans la plupart des constructions où une forte résistance et une grande rigidité sont désirées, comme pour les solives de plancher ou de toit et les chevrons.	Solives et madriers de charpente
	N° 3[3]	—	Utilisé en construction générale lorsque la résistance n'est pas importante.	
	Economy[2]	—	Sert aux travaux de construction temporaires ou bon marché lorsque la résistance et l'apparence n'ont pas d'importance.	
38 × 38 38 × 64 38 × 89 38 × 140 64 × 64 64 × 89 89 × 89	Stud[3]	—	Très employé; qualité spécialement destinée à tous les usages de poteaux.	Poteaux
	Economy Stud[2]	—	Sert aux travaux de construction temporaires ou bon marché lorsque la résistance et l'apparence n'ont pas d'importance.	

Remarques

(1) Pour faciliter le tri du bois à la scierie, les meilleures qualités sont regroupées et mises en marché ensemble. Chaque pièce de bois porte néanmoins une estampille de qualité.

(2) À l'exception des qualités Utility et Economy, toutes les qualités ont été cotées à la machine; la résistance et les portées admissibles ont donc été établies pour chacune.

(3) Les qualités Construction, Standard, Stud et N° 3 ne doivent pas servir à des fins structurales à moins de faire partie d'un ensemble composé de trois éléments parallèles ou plus, espacés à 610 mm entre axes ou moins, disposés ou joints de façon à supporter conjointement les charges.

Tableau 7
Reproduction de marques de qualité utilisées par des associations de producteurs canadiens de bois de construction et d'organismes habilités à marquer le bois de construction au Canada

Reproduction de la marque	Association ou organisme
A.F.P.A.® 00 S — P — F S-DRY STAND	Alberta Forest Products Association 11710 Kingsway Avenue Suite 204 Edmonton (Alb.) T5G 0X5
CLA S-P-F 100 No. 1 S-GRN.	Association canadienne de l'industrie du bois 27, avenue Goulburn Ottawa (Ont.) K1N 8C7
CLMA 1 S-GRN 1 1 D FIR-N	Cariboo Lumber Manufacturers' Association 197 Second Avenue North Suite 301 Williams Lake (C.-B.) V2G 1Z5
CFPA® 00 S-P-F S-DRY CONST	Central Forest Products Association P.O. Box 1169 Hudson Bay (Sask.) S0E 0Y0

Tableau 7
Reproduction de marques de qualité utilisées par des associations de producteurs canadiens de bois de construction et d'organismes habilités à marquer le bois de construction au Canada

Reproduction de la marque	Association ou organisme
COFI® W. CEDAR S-GRN.-(N) 100 No 3	Council of Forest Industries of British Columbia 1055 West Hastings Street Suite 1500 Vancouver (C.-B.) V6E 2H1 et Council of Forest Industries of British Columbia Northern Interior Lumber Sector 299 Victoria Street Suite 803 Prince George (C.-B.) V2L 2J5
ILMA® S-DRY 1 00 S—P—F	Interior Lumber Manufacturers' Association 2350 Hunter Road Suite 203 Kelowna (C.-B.) V1X 6C1
M L B SPRUCE PINE FIR STAND S-GRN MILL 11 — 466	Bureau du bois de sciage des Maritimes C.P. 459 Amherst (N.-É.) B4H 4A1
0 0 ® 2 COM S-DRY 113 S—P—F	MacDonald Inspection 211 School House Street Coquitlam (C.-B.) V3K 4X9

Tableau 7 (suite)
Reproduction de marques de qualité utilisées par des associations de producteurs canadiens de bois de construction et d'organismes habilités à marquer le bois de construction au Canada

Reproduction de la marque	Association ou organisme
NWT 10 CONST S-P-F S-GRN	N.W.T. Grade Stamping Agency P.O. Box 346 Sardis (C.-B.) V2R 1A7
PLIB NLGA RULE No 1 S-GRN 00 HEM-FIR-N	Pacific Lumber Inspection Bureau 1055 West Hastings Street Suite 1460 Vancouver (C.-B.) V6E 2G8
O.L.M.A.® 01-1 CONST. S-DRY SPRUCE - PINE - FIR	Association des manufacturiers de bois de sciage de l'Ontario 55, rue York Suite 1312 Toronto (Ont.) M5J 1R7
S-P-F S-GRN STUD 031	Association des manufacturiers de bois de sciage du Québec 3555, boul. Hamel O., Suite 200 Québec (Qc) G2E 2G6

Tableau 8
Reproduction de marques de qualité utilisées pour le bois classé mécaniquement

Reproduction de la marque	Association ou organisme
(Company Name) A.F.P.A.® 31 S-P-F MACHINE RATED S-DRY 2100f 1.8E	Alberta Forest Products Association 11710 Kingsway Avenue Suite 204 Edmonton (Alb.) T5G 0X5
	Interior Lumber Manufacturers Association 2350 Hunter Road Suite 203 Kelowna (C.-B.) V1X 6C1

Tableau 9
Essences commerciales de bois de construction

	Nom commercial des groupes d'essences	Estampille	Essences regroupées	Caractéristiques du bois
Très courants	Spruce-Pine-Fir	S-P-F	épinette (toutes les essences sauf l'épinette de Sitka) pin de Murray pin gris sapin concolore sapin baumier	Ces bois se ressemblent. Faciles à travailler et à peindre. Tiennent bien les clous. Généralement de couleur variant de blanc à jaune pâle.
	Douglas fir-Larch (North)(1)	D Fir-L (N)	sapin de Douglas mélèze de l'Ouest	Niveau élevé de dureté et bonne résistance à la pourriture. Tiennent bien les clous. Se collent et se peignent bien. Couleur varie de brun rougeâtre à blanc jaunâtre.
	Hem-Fir (North)(1)	Hem-Fir (N)	pruche de l'Ouest sapin gracieux	Faciles à travailler. Prennent bien la peinture et tiennent bien les clous. Se collent bien. Couleur varie de brun-jaune pâle à blanc.
Moins courants	Eastern hemlock-Tamarack (North)(1)	Hem-Tam (N)	pruche de l'Est mélèze d'Amérique	Surtout pour la construction générale. Plutôt dur et durable. Couleur varie de brun jaunâtre à blanchâtre.
	Coast species	Coast Species, souvent désignées individuellement comme suit :		
		D Fir (N)	sapin de Douglas	Voir les caractéristiques de chaque essence dans les groupes susmentionnés.
		Larch (N)	mélèze de l'Ouest	
		W Hem (N)	pruche de l'Ouest	
		Am Fir (N)	sapin gracieux	
		G Fir (N)	sapin grandissime	
		C Sitka	épinette de Sitka	Bois léger et souple, facile à travailler et à peindre. Tient bien les clous. Couleur variant de blanc crémeux à rose pâle; grande proportion de bois clair.

Tableau 9 (suite)
Essences commerciales de bois de construction

Nom commercial des groupes d'essences	Estampille	Essences regroupées	Caractéristiques du bois
Western cedars (North)[1]	W Cedar (N)	thuya géant cyprès jaune	Bois très résistant à la pourriture. Résistance mécanique plutôt faible. Très bonne apparence, se travaille facilement et prend bien les finis. Chaque essence a une coloration bien caractéristique : le cèdre rouge varie de brun rougeâtre pour le bois de coeur à pâle pour l'aubier; le cyprès jaune est d'une teinte jaune uniforme et chaude.
Northern species	North Species, ou désignations individuelles :	Toutes les essences ci-haut mentionnées, ainsi que :	Voir les caractéristiques de chaque essence dans les groupes susmentionnés.
	R Pine (N) P Pine	pin rouge pin Ponderosa	Bois assez résistant qui se travaille bien et donne un beau fini. Tient bien les clous et les vis. Moyennement durable; le sèchage produit très peu de gerces et de voilement. L'aubier est jaune pâle; le bois de coeur varie de brun pâle à rougeâtre.
	W W Pine	pin blanc de l'Ouest	Le plus tendre des pins canadiens, se travaille et se finit très bien. Moins résistant que la plupart des pins, il n'est pas porté à fendre ou gercer. Tient bien les clous. Peu de retrait, moins que toutes les autres essences canadiennes, sauf les cèdres. Excellent pour teindre, peindre ou vernir. L'aubier est presque blanc et la couleur du bois de coeur varie de blanc crémeux à jaune pâle.
	East White Pine (E W Pine) (N)	pin blanc de l'Est	
Northern aspen[2]	N Aspen	tremble grand tremble peuplier baumier	Bois léger de résistance moyenne. Se travaille facilement, se finit bien et tient bien les clous. Sa couleur varie de blanc à blanc-grisâtre.
Black cottonwood[2] [3]	B Cot	peuplier de l'Ouest	Caractéristiques semblables à celles du groupe N Aspen, mais moins résistant et moins rigide. Aucune contrainte de calcul disponible.

Remarques
[1] L'inscription «Nord» ou «N» sur l'estampille désigne le bois exporté aux É.-U.
[2] Les groupes d'essences N Aspen et B Cot sont théoriquement des bois durs, mais ils sont estampillés et commercialisés comme des bois résineux.
[3] Généralement non disponible au Canada.

Tableau 10
Dimensions métriques des débits courants et des planches

	Dimensions nominales (en pouces)	Dimensions réelles (en pouces)		Équivalents métriques (en mm)		Dimensions converties (en mm)
		Sec	Vert	Sec	Vert	
	2 × 2	$1\frac{1}{2} \times 1\frac{1}{2}$	$1\frac{9}{16} \times 1\frac{9}{16}$	38,1 × 38,1	39,69 × 39,69	38 × 38
	3	$2\frac{1}{2}$	$2\frac{9}{16}$	63,5	65,09	64
	4	$3\frac{1}{2}$	$3\frac{9}{16}$	88,9	90,49	89
	5	$5\frac{1}{2}$	$4\frac{5}{8}$	114,3	117,47	114
Débits courants	6	$5\frac{1}{2}$	$5\frac{5}{8}$	139,7	142,87	140
	8	$7\frac{1}{4}$	$7\frac{1}{2}$	184,15	190,5	184
	10	$9\frac{1}{4}$	$9\frac{1}{2}$	234,95	241,3	235
	12	$11\frac{1}{4}$	$11\frac{1}{2}$	285,75	292,1	286
	14	$13\frac{1}{4}$	$13\frac{1}{2}$	336,55	342,9	337
	16	$15\frac{1}{4}$	$15\frac{1}{2}$	387,35	393,7	387
	3 × 4 etc.	$2\frac{1}{2} \times 3\frac{1}{2}$	$2\frac{9}{16} \times 3\frac{9}{16}$	63,5 × 88,9	65,09 × 90,49	64 × 89
	4 × 4 etc.	$3\frac{1}{2} \times 3\frac{1}{2}$	$3\frac{9}{16} \times 3\frac{9}{16}$	88,9 × 88,9	90,49 × 90,49	89 × 89
	1 × 2	$\frac{3}{4} \times 1\frac{1}{2}$	$\frac{13}{16} \times 1\frac{9}{16}$	19 × 38,1	20,64 × 39,69	19 × 38
	3	$2\frac{1}{2}$	$2\frac{9}{16}$	63,5	65,09	64
	4	$3\frac{1}{2}$	$3\frac{9}{16}$	88,9	90,49	89
	5	$4\frac{1}{2}$	$4\frac{5}{8}$	114,3	117,47	114
Planches	6	$5\frac{1}{2}$	$5\frac{5}{8}$	139,7	142,87	140
	8	$7\frac{1}{4}$	$7\frac{1}{2}$	184,15	190,5	184
	10	$9\frac{1}{4}$	$9\frac{1}{2}$	234,95	241,3	235
	12	$11\frac{1}{4}$	$11\frac{1}{2}$	285,75	292,1	286
	14	$13\frac{1}{4}$	$13\frac{1}{2}$	336,55	342,9	337
	16	$15\frac{1}{4}$	$15\frac{1}{2}$	387,35	393,7	387
	$1\frac{1}{4} \times 2$ etc.	$1 \times 1\frac{1}{2}$	$1\frac{1}{32} \times 1\frac{9}{16}$	25,4 × 38,1	26,19 × 39,69	25 × 38
	$1\frac{1}{2} \times 2$ etc.	$1\frac{1}{4} \times 1\frac{1}{2}$	$1\frac{9}{32} \times 1\frac{9}{16}$	31,75 × 38,1	32,54 × 39,69	32 × 38

Tableau 11
Portées des solives de plafond —
vides sous toit non accessibles par un escalier

	Qualité	Nº 1			Nº 2			Nº 3		
	Espacement des solives (mm)	300	400	600	300	400	600	300	400	600
ESSENCES		PORTÉES ADMISSIBLES EN MÈTRES								
Douglas Fir-Larch (comprend sapin de Douglas et mélèze occidental)	38 × 89	3,4	3,09	2,69	3,28	2,98	2,6	3,15	2,82	2,31
	140	5,34	4,85	4,24	5,16	4,69	4,1	4,81	4,16	3,4
	184	7,04	6,4	5,59	6,81	6,18	5,4	6,34	5,49	4,48
	235	8,98	8,16	7,13	8,68	7,89	6,89	8,09	7,01	5,72
	286	10,93	9,93	8,67	10,56	9,6	8,38	9,84	8,52	6,96
Hem-Fir (comprend pruche de l'Ouest et sapin gracieux)	38 × 89	3,27	2,97	2,6	3,16	2,87	2,51	2,81	2,43	1,98
	140	5,15	4,67	4,08	4,97	4,51	3,87	4,15	3,59	2,93
	184	6,78	6,16	5,38	6,55	5,95	5,1	5,47	4,74	3,87
	235	8,66	7,87	6,87	8,36	7,6	6,51	6,98	6,05	4,94
	286	10,53	9,57	8,36	10,17	9,24	7,92	8,49	7,36	6,01
Eastern Hemlock-Tamarack (comprend pruche de l'Est et mélèze d'Amérique)	38 × 89	3,12	2,83	2,47	3,01	2,73	2,38	2,9	2,63	2,22
	140	4,9	4,45	3,89	4,73	4,29	3,75	4,55	4	3,26
	184	6,46	5,87	5,13	6,23	5,66	4,94	6,01	5,27	4,3
	235	8,25	7,49	6,55	7,95	7,22	6,31	7,66	6,73	5,49
	286	10,03	9,12	7,96	9,67	8,79	7,68	9,32	8,18	6,68
Coast Species (comprend sapin de Douglas, mélèze occidental, pruche de l'Ouest, sapin gracieux et épinette de Sitka)	38 × 89	3,27	2,97	2,6	3,16	2,87	2,51	2,78	2,4	1,96
	140	5,15	4,67	4,08	4,97	4,51	3,81	4,1	3,55	2,89
	184	6,78	6,16	5,38	6,55	5,95	5,02	5,4	4,68	3,82
	235	8,66	7,87	6,87	8,36	7,6	6,41	6,89	5,97	4,87
	286	10,53	9,57	8,36	10,17	9,24	7,79	8,38	7,26	5,93
Spruce-Pine-Fir (comprend épinette : toutes les essences, sauf l'épinette de Sitka), pin gris, pin de Murray, sapin baumier et sapin concolore)	38 × 89	3,09	2,8	2,45	2,98	2,71	2,37	2,74	2,37	1,94
	140	4,85	4,41	3,85	4,69	4,26	3,72	4,04	3,5	2,85
	184	6,4	5,81	5,08	6,18	5,62	4,91	5,33	4,61	3,76
	235	8,16	7,41	6,48	7,89	7,17	6,26	6,8	5,89	4,8
	286	9,93	9,02	7,88	9,6	8,72	7,62	8,27	7,16	5,84
Western Cedars (comprend thuya géant et cyprès jaune)	38 × 89	2,97	2,7	2,36	2,87	2,61	2,28	2,74	2,37	1,94
	140	4,67	4,24	3,71	4,51	4,1	3,58	4,04	3,5	2,85
	184	6,16	5,59	4,89	5,95	5,41	4,72	5,33	4,61	3,76
	235	7,86	7,14	6,24	7,6	6,9	6,03	6,8	5,89	4,8
	286	9,56	8,68	7,58	9,24	8,39	7,33	8,27	7,16	5,84
Northern Species (comprend toutes les essences de bois tendre visées par les normes de classement NLGA)	38 × 89	2,97	2,7	2,36	2,87	2,61	2,28	2,64	2,29	1,86
	140	4,67	4,24	3,71	4,51	4,1	3,58	3,87	3,35	2,73
	184	6,16	5,59	4,89	5,95	5,41	4,72	5,1	4,42	3,6
	235	7,86	7,14	6,24	7,6	6,9	6,03	6,51	5,64	4,6
	286	9,56	8,68	7,58	9,24	8,39	7,33	7,92	6,85	5,6
Northern Aspen (comprend tremble, grand tremble et peuplier baumier)	38 × 89	3,02	2,74	2,39	2,91	2,64	2,31	2,74	2,37	1,94
	140	4,74	4,31	3,76	4,57	4,16	3,63	4,04	3,5	2,85
	184	6,26	5,68	4,96	6,03	5,48	4,79	5,33	4,61	3,76
	235	7,98	7,25	6,33	7,7	6,99	6,11	6,8	5,89	4,8
	286	9,71	8,82	7,7	9,36	8,51	7,43	8,27	7,16	5,84

Tableau 12
Portées des solives de plancher — locaux d'habitation
(Surcharge de 1,9 kN/m²)

	Qualité	Nº 1			Nº 2			Nº 3		
	Espacement des solives (mm)	300	400	600	300	400	600	300	400	600
ESSENCES		PORTÉES ADMISSIBLES EN MÈTRES								
Douglas Fir-Larch (comprend sapin de Douglas et mélèze occidental)	38 × 89	2,17	1,98	1,72	2,1	1,91	1,67	1,88	1,63	1,33
	140	3,42	3,11	2,71	3,31	3	2,59	2,77	2,4	1,96
	184	4,51	4,1	3,58	4,36	3,96	3,42	3,66	3,17	2,59
	235	5,76	5,23	4,57	5,56	5,05	4,36	4,67	4,04	3,3
	286	7	6,36	5,56	6,77	6,15	5,31	5,68	4,92	4,01
Hem-Fir (comprend pruche de l'Ouest et sapin gracieux)	38 × 89	2,1	1,9	1,66	2,02	1,84	1,54	1,62	1,4	1,14
	140	3,3	2,99	2,49	3,16	2,73	2,23	2,39	2,07	1,69
	184	4,35	3,95	3,28	4,16	3,6	2,94	3,16	2,73	2,23
	235	5,55	5,04	4,19	5,31	4,6	3,76	4,03	3,49	2,85
	286	6,75	6,13	5,09	6,46	5,6	4,57	4,9	4,24	3,46
Eastern Hemlock-Tamarack (comprend pruche de l'Est et mélèze d'Amérique)	38 × 89	2	1,81	1,58	1,92	1,75	1,53	1,81	1,57	1,28
	140	3,14	2,85	2,49	3,03	2,75	2,4	2,66	2,31	1,88
	184	4,14	3,76	3,29	3,99	3,63	3,17	3,51	3,04	2,48
	235	5,28	4,8	4,19	5,09	4,63	4,04	4,48	3,88	3,17
	286	6,43	5,84	5,1	6,2	5,63	4,92	5,45	4,72	3,85
Coast Species (comprend sapin de Douglas, mélèze occidental, pruche de l'Ouest, sapin gracieux et épinette de Sitka)	38 × 89	2,1	1,9	1,66	2,02	1,84	1,52	1,6	1,39	1,13
	140	3,3	2,99	2,46	3,11	2,69	2,2	2,36	2,05	1,67
	184	4,35	3,95	3,24	4,1	3,55	2,9	3,12	2,7	2,2
	235	5,55	5,04	4,13	5,23	4,53	3,7	3,98	3,44	2,81
	286	6,75	6,13	5,03	6,36	5,51	4,5	4,84	4,19	3,42
Spruce-Pine-Fir (comprend épinette : toutes les essences, sauf l'épinette de Sitka), pin gris, pin de Murray, sapin baumier et sapin concolore)	38 × 89	1,98	1,79	1,57	1,91	1,73	1,49	1,58	1,37	1,12
	140	3,11	2,82	2,41	3	2,65	2,16	2,33	2,02	1,65
	184	4,1	3,72	3,18	3,96	3,49	2,85	3,07	2,66	2,17
	235	5,23	4,75	4,06	5,05	4,46	3,64	3,92	3,4	2,77
	286	6,36	5,78	4,93	6,15	5,42	4,43	4,77	4,13	3,37
Western Cedars (comprend thuya géant et cyprès jaune)	38 × 89	1,9	1,73	1,51	1,84	1,67	1,46	1,58	1,37	1,12
	140	2,99	2,72	2,37	2,89	2,63	2,18	2,33	2,02	1,65
	184	3,94	3,58	3,13	3,81	3,46	2,87	3,07	2,66	2,17
	235	5,03	4,57	3,99	4,87	4,42	3,67	3,92	3,4	2,77
	286	6,12	5,56	4,86	5,92	5,38	4,46	4,77	4,13	3,37
Northern Species (comprend toutes les essences de bois tendre visées par les normes de classement NLGA)	38 × 89	1,9	1,73	1,51	1,84	1,67	1,45	1,52	1,32	1,07
	140	2,99	2,72	2,33	2,89	2,56	2,09	2,23	1,93	1,58
	184	3,94	3,58	3,07	3,81	3,38	2,76	2,94	2,55	2,08
	235	5,03	4,57	3,92	4,87	4,31	3,52	3,76	3,25	2,65
	286	6,12	5,56	4,77	5,92	5,25	4,28	4,57	3,96	3,23
Northern Aspen (comprend tremble, grand tremble et peuplier baumier)	38 × 89	1,93	1,75	1,53	1,86	1,69	1,48	1,58	1,37	1,12
	140	3,04	2,76	2,41	2,93	2,65	2,16	2,33	2,02	1,65
	184	4,01	3,64	3,18	3,86	3,49	2,85	3,07	2,66	2,17
	235	5,11	4,65	4,06	4,93	4,46	3,64	3,92	3,4	2,77
	286	6,22	5,65	4,93	6	5,42	4,43	4,77	4,13	3,37

Tableau 13
Portées des solives de plancher — chambres et vides sous toit accessibles par un escalier (Surcharge de 1,4 kN/m²)

	Qualité	Nº 1			Nº 2			Nº 3		
	Espacement des solives (mm)	300	400	600	300	400	600	300	400	600
ESSENCES		PORTÉES ADMISSIBLES EN MÈTRES								
Douglas Fir-Larch (comprend sapin de Douglas et mélèze occidental)	38 × 89	2,41	2,19	1,91	2,33	2,11	1,85	2,14	1,86	1,51
	140	3,79	3,44	3,00	3,66	3,33	2,9	3,16	2,74	2,23
	184	4,99	4,54	3,96	4,83	4,38	3,83	4,17	3,61	2,95
	235	6,37	5,79	5,06	6,16	5,6	4,89	5,32	4,61	3,76
	286	7,75	7,04	6,15	7,49	6,81	5,95	6,47	5,6	4,57
Hem-Fir (comprend pruche de l'Ouest et sapin gracieux)	38 × 89	2,32	2,11	1,84	2,24	2,04	1,76	1,84	1,6	1,3
	140	3,65	3,32	2,83	3,52	3,11	2,54	2,73	2,36	1,93
	184	4,81	4,37	3,74	4,65	4,11	3,35	3,6	3,11	2,54
	235	6,14	5,58	4,77	5,93	5,24	4,28	4,59	3,97	3,24
	286	7,47	6,79	5,8	7,21	6,37	5,2	5,58	4,84	3,95
Eastern Hemlock-Tamarack (comprend pruche de l'Est et mélèze d'Amérique)	38 × 89	2,21	2,01	1,75	2,13	1,94	1,69	2,05	1,79	1,46
	140	3,48	3,16	2,76	3,35	3,04	2,66	3,03	2,63	2,14
	184	4,58	4,16	3,64	4,42	4,01	3,51	4	3,46	2,83
	235	5,85	5,32	4,64	5,64	5,12	4,48	5,11	4,42	3,61
	286	7,12	6,47	5,65	6,86	6,23	5,44	6,21	5,38	4,39
Coast Species (comprend sapin de Douglas, mélèze occidental, pruche de l'Ouest, sapin gracieux et épinette de Sitka)	38 × 89	2,32	2,11	1,84	2,24	2,04	1,73	1,82	1,58	1,29
	140	3,65	3,32	2,8	3,52	3,07	2,5	2,69	2,33	1,9
	184	4,81	4,37	3,69	4,65	4,04	3,3	3,55	3,07	2,51
	235	6,14	5,58	4,71	5,93	5,16	4,21	4,53	3,92	3,2
	286	7,47	6,79	5,73	7,21	6,28	5,12	5,51	4,77	3,89
Spruce-Pine-Fir (comprend épinette : toutes les essences sauf l'épinette de Sitka), pin gris, pin de Murray, sapin baumier et sapin concolore)	38 × 89	2,19	1,99	1,74	2,11	1,92	1,68	1,8	1,56	1,27
	140	3,44	3,13	2,73	3,33	3,02	2,46	2,65	2,3	1,88
	184	4,54	4,12	3,6	4,38	3,98	3,25	3,5	3,03	2,47
	235	5,79	5,26	4,59	5,6	5,08	4,15	4,47	3,87	3,16
	286	7,04	6,4	5,59	6,81	6,18	5,04	5,44	4,71	3,84
Western Cedars (comprend thuya géant et cyprès jaune)	38 × 89	2,11	1,91	1,67	2,04	1,85	1,61	1,8	1,56	1,27
	140	3,31	3,01	2,63	3,2	2,91	2,48	2,65	2,3	1,88
	184	4,37	3,97	3,47	4,22	3,84	3,27	3,5	3,03	2,47
	235	5,57	5,06	4,42	5,39	4,9	4,18	4,47	3,87	3,16
	286	6,78	6,16	5,38	6,55	5,95	5,08	5,44	4,71	3,84
Northern Species (comprend toutes les essences de bois tendre visées par les normes de classement NLGA)	38 × 89	2,11	1,91	1,67	2,04	1,85	1,61	1,73	1,5	1,22
	140	3,31	3,01	2,63	3,2	2,91	2,38	2,54	2,2	1,8
	184	4,37	3,97	3,47	4,22	3,84	3,14	3,35	2,9	2,37
	235	5,57	5,06	4,42	5,39	4,9	4,01	4,28	3,7	3,02
	286	6,78	6,16	5,38	6,55	5,95	4,88	5,2	4,51	3,68
Northern Aspen (comprend tremble, grand tremble et peuplier baumier)	38 × 89	2,14	1,94	1,7	2,06	1,87	1,64	1,8	1,56	1,27
	140	3,36	3,06	2,67	3,24	2,95	2,46	2,65	2,3	1,88
	184	4,44	4,03	3,52	4,28	3,89	3,25	3,5	3,03	2,47
	235	5,66	5,14	4,49	5,46	4,96	4,15	4,47	3,87	3,16
	286	6,89	6,26	5,47	6,64	6,03	5,04	5,44	4,71	3,84

Tableau 14
Portées des solives de toit — portant plafond
(Surcharge de 2,5 kN/m²)

	Qualité	Nº 1			Nº 2			Nº 3		
	Espacement des solives (mm)	300	400	600	300	400	600	300	400	600
ESSENCES		PORTÉES ADMISSIBLES EN MÈTRES								
Douglas Fir-Larch (comprend sapin de Douglas et mélèze occidental)	38 x 89	1,98	1,8	1,57	1,92	1,74	1,52	1,8	1,56	1,27
	140	3,12	2,83	2,48	3,02	2,74	2,39	2,66	2,3	1,88
	184	4,11	3,74	3,27	3,98	3,61	3,16	3,51	3,04	2,48
	235	5,25	4,77	4,17	5,08	4,61	4,03	4,48	3,88	3,17
	286	6,39	5,8	5,07	6,17	5,61	4,9	5,45	4,72	3,85
Hem-Fir (comprend pruche de l'Ouest et sapin gracieux)	38 x 89	1,91	1,74	1,52	1,85	1,68	1,46	1,55	1,34	1,1
	140	3,01	2,73	2,39	2,9	2,62	2,14	2,3	1,99	1,62
	184	3,97	3,6	3,15	3,83	3,46	2,82	3,03	2,62	2,14
	235	5,06	4,6	4,01	4,89	4,41	3,6	3,87	3,35	2,73
	286	6,16	5,59	4,88	5,95	5,37	4,38	4,7	4,07	3,32
Eastern Hemlock-Tamarack (comprend pruche de l'Est et mélèze d'Amérique)	38 x 89	1,82	1,65	1,44	1,76	1,59	1,39	1,69	1,51	1,23
	140	2,86	2,6	2,27	2,76	2,51	2,19	2,55	2,21	1,8
	184	3,78	3,43	3	3,64	3,31	2,89	3,37	2,92	2,38
	235	4,82	4,38	3,83	4,65	4,22	3,69	4,3	3,72	3,04
	286	5,87	5,33	4,65	5,65	5,14	4,49	5,23	4,53	3,7
Coast Species (comprend sapin de Douglas, mélèze occidental, pruche de l'Ouest, sapin gracieux et épinette de Sitka)	38 x 89	1,91	1,74	1,52	1,85	1,68	1,46	1,53	1,33	1,08
	140	3,01	2,73	2,36	2,9	2,58	2,11	2,27	1,96	1,6
	184	3,97	3,6	3,11	3,83	3,4	2,78	2,99	2,59	2,11
	235	5,06	4,6	3,97	4,89	4,34	3,55	3,81	3,3	2,7
	286	6,16	5,59	4,82	5,95	5,29	4,31	4,64	4,02	3,28
Spruce-Pine-Fir (comprend épinette : toutes les essences sauf l'épinette de Sitka), pin gris, pin de Murray, sapin baumier et sapin concolore)	38 x 89	1,8	1,64	1,43	1,74	1,58	1,38	1,52	1,31	1,07
	140	2,83	2,58	2,25	2,74	2,49	2,07	2,23	1,93	1,58
	184	3,74	3,4	2,97	3,61	3,28	2,73	2,95	2,55	2,08
	235	4,77	4,33	3,79	4,61	4,19	3,49	3,76	3,26	2,66
	286	5,8	5,27	4,61	5,61	5,1	4,25	4,58	3,96	3,23
Western Cedars (comprend thuya géant et cyprès jaune)	38 x 89	1,73	1,58	1,38	1,68	1,52	1,33	1,52	1,31	1,07
	140	2,73	2,48	2,16	2,64	2,4	2,09	2,23	1,93	1,58
	184	3,6	3,27	2,86	3,48	3,16	2,76	2,95	2,55	2,08
	235	4,59	4,17	3,64	4,44	4,03	3,52	3,76	3,26	2,66
	286	5,59	5,08	4,43	5,4	4,91	4,28	4,58	3,96	3,23
Northern Species (comprend toutes les essences de bois tendre visées par les normes de classement NLGA)	38 x 89	1,73	1,58	1,38	1,68	1,52	1,33	1,46	1,26	1,03
	140	2,73	2,48	2,16	2,64	2,4	2,01	2,14	1,85	1,51
	184	3,6	3,27	2,86	3,48	3,16	2,64	2,82	2,44	1,99
	235	4,59	4,17	3,64	4,44	4,03	3,38	3,6	3,12	2,55
	286	5,59	5,08	4,43	5,4	4,91	4,11	4,38	3,79	3,1
Northern Aspen (comprend tremble, grand tremble et peuplier baumier)	38 x 89	1,76	1,6	1,4	1,7	1,54	1,35	1,52	1,31	1,07
	140	2,77	2,52	2,2	2,67	2,43	2,07	2,23	1,93	1,58
	184	3,66	3,32	2,9	3,53	3,2	2,73	2,95	2,55	2,08
	235	4,67	4,24	3,7	4,5	4,09	3,49	3,76	3,26	2,66
	286	5,68	5,16	4,5	5,47	4,97	4,25	4,58	3,96	3,23

Tableau 15
Portées des solives de toit — portant plafond
(Surcharge de 2 kN/m²)

	Qualité	Nº 1			Nº 2			Nº 3		
	Espacement des solives (mm)	300	400	600	300	400	600	300	400	600
ESSENCES		PORTÉES ADMISSIBLES EN MÈTRES								
Douglas Fir-Larch (comprend sapin de Douglas et mélèze occidental)	38 × 89	2,14	1,94	1,7	2,07	1,88	1,64	1,98	1,71	1,4
	140	3,36	3,05	2,67	3,25	2,95	2,58	2,92	2,52	2,06
	184	4,43	4,03	3,52	4,29	3,89	3,4	3,84	3,33	2,72
	235	5,66	5,14	4,49	5,47	4,97	4,34	4,91	4,25	3,47
	286	6,88	6,25	5,46	6,65	6,04	5,28	5,97	5,17	4,22
Hem-Fir (comprend pruche de l'Ouest et sapin gracieux)	38 × 89	2,06	1,87	1,63	1,99	1,81	1,58	1,7	1,47	1,2
	140	3,24	2,94	2,57	3,13	2,84	2,34	2,52	2,18	1,78
	184	4,27	3,88	3,39	4,13	3,75	3,09	3,32	2,87	2,34
	235	5,45	4,95	4,33	5,27	4,78	3,95	4,23	3,67	2,99
	286	6,63	6,03	5,26	6,41	5,82	4,8	5,15	4,46	3,64
Eastern Hemlock-Tamarack (comprend pruche de l'Est et mélèze d'Amérique)	38 × 89	2,14	1,94	1,7	2,07	1,88	1,64	1,98	1,71	1,4
	140	3,36	3,05	2,67	3,25	2,95	2,58	2,92	2,52	2,06
	184	4,43	4,03	3,52	4,29	3,89	3,4	3,84	3,33	2,72
	235	5,66	5,14	4,49	5,47	4,97	4,34	4,91	4,25	3,47
	286	6,88	6,25	5,46	6,65	6,04	5,28	5,97	5,17	4,22
Coast Species (comprend sapin de Douglas, mélèze occidental, pruche de l'Ouest, sapin gracieux et épinette de Sitka)	38 × 89	2,06	1,87	1,63	1,99	1,81	1,58	1,7	1,47	1,2
	140	3,24	2,94	2,57	3,13	2,84	2,34	2,52	2,18	1,78
	184	4,27	3,88	3,39	4,13	3,75	3,09	3,32	2,87	2,34
	235	5,45	4,95	4,33	5,27	4,78	3,95	4,23	3,67	2,99
	286	6,63	6,03	5,26	6,41	5,82	4,8	5,15	4,46	3,64
Spruce-Pine-Fir (comprend épinette : toutes les essences sauf l'épinette de Sitka), pin gris, pin de Murray, sapin baumier et sapin concolore)	38 × 89	1,94	1,76	1,54	1,88	1,7	1,49	1,66	1,44	1,17
	140	3,05	2,77	2,42	2,95	2,68	2,27	2,45	2,12	1,73
	184	4,03	3,66	3,2	3,89	3,54	3	3,23	2,8	2,28
	235	5,14	4,67	4,08	4,97	4,51	3,82	4,12	3,57	2,91
	286	6,25	5,68	4,96	6,04	5,49	4,65	5,01	4,34	3,54
Western Cedars (comprend thuya géant et cyprès jaune)	38 × 89	1,87	1,7	1,48	1,81	1,64	1,43	1,66	1,44	1,17
	140	2,94	2,67	2,33	2,84	2,58	2,25	2,45	2,12	1,73
	184	3,88	3,52	3,08	3,75	3,41	2,97	3,23	2,8	2,28
	235	4,95	4,5	3,93	4,78	4,35	3,8	4,12	3,57	2,91
	286	6,02	5,47	4,78	5,82	5,29	4,62	5,01	4,34	3,54
Northern Species (comprend toutes les essences de bois tendre visées par les normes de classement NLGA)	38 × 89	1,87	1,7	1,48	1,81	1,64	1,43	1,6	1,38	1,13
	140	2,94	2,67	2,33	2,84	2,58	2,2	2,34	2,03	1,66
	184	3,88	3,52	3,08	3,75	3,41	2,9	3,09	2,68	2,18
	235	4,95	4,5	3,93	4,78	4,35	3,7	3,95	3,42	2,79
	286	6,02	5,47	4,78	5,82	5,29	4,5	4,8	4,16	3,39
Northern Aspen (comprend tremble, grand tremble et peuplier baumier)	38 × 89	1,9	1,72	1,51	1,83	1,66	1,45	1,66	1,44	1,17
	140	2,99	2,71	2,37	2,88	2,62	2,27	2,45	2,12	1,73
	184	3,94	3,58	3,13	3,8	3,45	3	3,23	2,8	2,28
	235	5,03	4,57	3,99	4,85	4,4	3,82	4,12	3,57	2,91
	286	6,11	5,55	4,85	5,9	5,36	4,65	5,01	4,34	3,54

Tableau 16
Portées des solives de toit — portant plafond (Surcharge de 1,5 kN/m²)

Qualité		Nº 1			Nº 2			Nº 3		
Espacement des solives (mm)		300	400	600	300	400	600	300	400	600
ESSENCES		PORTÉES ADMISSIBLES EN MÈTRES								
Douglas Fir-Larch (comprend sapin de Douglas et mélèze occidental)	38 x 89	2,35	2,14	1,87	2,27	2,07	1,8	2,18	1,91	1,56
	140	3,7	3,36	2,94	3,58	3,25	2,84	3,26	2,82	2,3
	184	4,88	4,43	3,87	4,72	4,29	3,74	4,3	3,72	3,04
	235	6,23	5,66	4,94	6,02	5,47	4,78	5,49	4,75	3,88
	286	7,57	6,88	6,01	7,32	6,65	5,81	6,67	5,78	4,72
Hem-Fir (comprend pruche de l'Ouest et sapin gracieux)	38 x 89	2,27	2,06	1,8	2,19	1,99	1,74	1,9	1,65	1,34
	140	3,57	3,24	2,83	3,44	3,13	2,62	2,81	2,44	1,99
	184	4,7	4,27	3,73	4,54	4,13	3,46	3,71	3,21	2,62
	235	6	5,45	4,76	5,8	5,27	4,41	4,73	4,1	3,35
	286	7,3	6,63	5,79	7,05	6,41	5,37	5,76	4,99	4,07
Eastern Hemlock-Tamarack (comprend pruche de l'Est et mélèze d'Amérique)	38 x 89	2,16	1,96	1,71	2,08	1,89	1,65	2,01	1,82	1,51
	140	3,4	3,09	2,7	3,28	2,98	2,6	3,13	2,71	2,21
	184	4,48	4,07	3,55	4,32	3,92	3,43	4,13	3,57	2,92
	235	5,72	5,19	4,54	5,51	5,01	4,37	5,27	4,56	3,72
	286	6,95	6,32	5,52	6,7	6,09	5,32	6,41	5,55	4,53
Coast Species (comprend sapin de Douglas, mélèze occidental, pruche de l'Ouest, sapin gracieux et épinette de Sitka)	38 x 89	2,27	2,06	1,8	2,19	1,99	1,74	1,88	1,63	1,33
	140	3,57	3,24	2,83	3,44	3,13	2,58	2,78	2,4	1,96
	184	4,7	4,27	3,73	4,54	4,13	3,4	3,66	3,17	2,59
	235	6	5,45	4,76	5,8	5,27	4,34	4,67	4,05	3,3
	286	7,3	6,63	5,79	7,05	6,41	5,29	5,68	4,92	4,02
Spruce-Pine-Fir (comprend épinette : toutes les essences sauf l'épinette de Sitka), pin gris, pin de Murray, sapin baumier et sapin concolore)	38 x 89	2,14	1,94	1,7	2,07	1,88	1,64	1,86	1,61	1,31
	140	3,36	3,05	2,67	3,25	2,95	2,54	2,74	2,37	1,93
	184	4,43	4,03	3,52	4,29	3,89	3,35	3,61	3,13	2,55
	235	5,66	5,14	4,49	5,47	4,97	4,28	4,61	3,99	3,26
	286	6,88	6,25	5,46	6,65	6,04	5,2	5,61	4,85	3,96
Western Cedars (comprend thuya géant et cyprès jaune)	38 x 89	2,06	1,87	1,63	1,99	1,81	1,58	1,86	1,61	1,31
	140	3,24	2,94	2,57	3,13	2,84	2,48	2,74	2,37	1,93
	184	4,27	3,88	3,39	4,13	3,75	3,27	3,61	3,13	2,55
	235	5,45	4,95	4,32	5,27	4,78	4,18	4,61	3,99	3,26
	286	6,63	6,02	5,26	6,41	5,82	5,08	5,61	4,85	3,96
Northern Species (comprend toutes les essences de bois tendre visées par les normes de classement NLGA)	38 x 89	2,06	1,87	1,63	1,99	1,81	1,58	1,79	1,55	1,26
	140	3,24	2,94	2,57	3,13	2,84	2,46	2,62	2,27	1,85
	184	4,27	3,88	3,39	4,13	3,75	3,24	3,46	2,99	2,44
	235	5,45	4,95	4,32	5,27	4,78	4,14	4,41	3,82	3,12
	286	6,63	6,02	5,26	6,41	5,82	5,03	5,37	4,65	3,79
Northern Aspen (comprend tremble, grand tremble et peuplier baumier)	38 x 89	2,09	1,9	1,66	2,02	1,83	1,6	1,86	1,61	1,31
	140	3,29	2,99	2,61	3,17	2,88	2,52	2,74	2,37	1,93
	184	4,34	3,94	3,44	4,18	3,8	3,32	3,61	3,13	2,55
	235	5,53	5,03	4,39	5,33	4,85	4,23	4,61	3,99	3,26
	286	6,73	6,11	5,34	6,49	5,9	5,15	5,61	4,85	3,96

Tableau 17
Portées des solives de toit — portant plafond
(Surcharge de 1 kN/m²)

Qualité		Nº 1			Nº 2			Nº 3		
	Espacement des solives (mm)	300	400	600	300	400	600	300	400	600
ESSENCES		PORTÉES ADMISSIBLES EN MÈTRES								
Douglas Fir-Larch (comprend sapin de Douglas et mélèze occidental)	38 × 89	2,69	2,45	2,14	2,6	2,37	2,07	2,5	2,21	1,8
	140	4,24	3,85	3,36	4,1	3,72	3,25	3,77	3,26	2,66
	184	5,59	5,08	4,43	5,4	4,91	4,29	4,96	4,3	3,51
	235	7,13	6,48	5,66	6,89	6,26	5,47	6,34	5,49	4,48
	286	8,67	7,88	6,88	8,38	7,62	6,65	7,71	6,67	5,45
Hem-Fir (comprend pruche de l'Ouest et sapin gracieux)	38 × 89	2,6	2,36	2,06	2,51	2,28	1,99	2,2	1,9	1,55
	140	4,08	3,71	3,24	3,94	3,58	3,03	3,25	2,81	2,3
	184	5,38	4,89	4,27	5,2	4,72	3,99	4,28	3,71	3,03
	235	6,87	6,24	5,45	6,64	6,03	5,1	5,47	4,73	3,87
	286	8,36	7,59	6,63	8,07	7,33	6,2	6,65	5,76	4,7
Eastern Hemlock-Tamarack (comprend pruche de l'Est et mélèze d'Amérique)	38 × 89	2,47	2,25	1,96	2,38	2,17	1,89	2,3	2,09	1,74
	140	3,89	3,53	3,09	3,75	3,41	2,98	3,61	3,13	2,55
	184	5,13	4,66	4,07	4,94	4,49	3,92	4,77	4,13	3,37
	235	6,55	5,95	5,19	6,31	5,73	5,01	6,08	5,27	4,3
	286	7,96	7,23	6,32	7,68	6,97	6,09	7,4	6,41	5,23
Coast Species (comprend sapin de Douglas, mélèze occidental, pruche de l'Ouest, sapin gracieux et épinette de Sitka)	38 × 89	2,6	2,36	2,06	2,51	2,28	1,99	2,17	1,88	1,53
	140	4,08	3,71	3,24	3,94	3,58	2,98	3,21	2,78	2,27
	184	5,38	4,89	4,27	5,2	4,72	3,93	4,23	3,66	2,99
	235	6,87	6,24	5,45	6,64	6,03	5,02	5,4	4,67	3,81
	286	8,36	7,59	6,63	8,07	7,33	6,1	6,56	5,68	4,64
Spruce-Pine-Fir (comprend épinette : toutes les essences sauf l'épinette de Sitka), pin gris, pin de Murray, sapin baumier et sapin concolore)	38 × 89	2,45	2,22	1,94	2,37	2,15	1,88	2,15	1,86	1,52
	140	3,85	3,5	3,05	3,72	3,38	2,93	3,16	2,74	2,23
	184	5,08	4,61	4,3	4,91	4,46	3,87	4,17	3,61	2,95
	235	6,48	5,88	5,14	6,26	5,69	4,94	5,32	4,61	3,76
	286	7,88	7,16	6,25	7,62	6,92	6,01	6,47	5,61	4,58
Western Cedars (comprend thuya géant et cyprès jaune)	38 × 89	2,36	2,14	1,87	2,28	2,07	1,81	2,15	1,86	1,52
	140	3,71	3,37	2,94	3,58	3,25	2,84	3,16	2,74	2,23
	184	4,89	4,44	3,88	4,72	4,29	3,75	4,17	3,61	2,95
	235	6,24	5,66	4,95	6,03	5,48	4,78	5,32	4,61	3,76
	286	7,58	6,89	6,02	7,33	6,66	5,82	6,47	5,61	4,58
Northern Species (comprend toutes les essences de bois tendre visées par les normes de classement NLGA)	38 × 89	2,36	2,14	1,87	2,28	2,07	1,81	2,07	1,79	1,46
	140	3,71	3,37	2,94	3,58	3,25	2,84	3,03	2,62	2,14
	184	4,89	4,44	3,88	4,72	4,29	3,74	3,99	3,46	2,82
	235	6,24	5,66	4,95	6,03	5,48	4,78	5,1	4,41	3,6
	286	7,58	6,89	6,02	7,33	6,66	5,81	6,2	5,37	4,38
Northern Aspen (comprend tremble, grand tremble et peuplier baumier)	38 × 89	2,39	2,17	1,9	2,31	2,1	1,83	2,15	1,86	1,52
	140	3,76	3,42	2,99	3,63	3,3	2,88	3,16	2,74	2,23
	184	4,96	4,51	3,94	4,79	4,35	3,8	4,17	3,61	2,95
	235	6,33	5,75	5,03	6,11	5,55	4,85	5,32	4,61	3,76
	286	7,7	7	6,11	7,43	6,75	5,9	6,47	5,61	4,58

Tableau 18
Chevrons — ne portant pas plafond
(Charges de neige au sol de 4,2 et 3,3 kPa)

		Charges de neige au sol	4,2 kPa			3,3 kPa		
		Espacement des chevrons (mm)	300	400	600	300	400	600
Essences	Qualité	Dimensions métriques	PORTÉES MAXIMALES ADMISSIBLES EN MÈTRES					
Douglas Fir-Larch (comprend sapin de Douglas et mélèze occidental)	N° 1	38 × 89	2,5	2,27	1,96	2,69	2,45	2,14
		38 × 140	3,93	3,5	2,86	4,24	3,85	3,16
		38 × 184	5,19	4,62	3,77	5,59	5,08	4,16
		38 × 235	6,62	5,9	4,81	7,13	6,48	5,31
		38 × 286	8,05	7,17	5,86	8,67	7,88	6,46
	N° 2	38 × 89	2,42	2,19	1,79	2,6	2,37	1,97
		38 × 140	3,64	3,15	2,57	4,02	3,48	2,84
		38 × 184	4,8	4,16	3,39	5,3	4,59	3,74
		38 × 235	6,13	5,3	4,33	6,76	5,85	4,78
		38 × 286	7,45	6,45	5,27	8,22	7,12	5,81
	N° 3	38 × 89	1,87	1,62	1,32	2,06	1,78	1,46
		38 × 140	2,75	2,38	1,95	3,04	2,63	2,15
		38 × 184	3,63	3,15	2,57	4,01	3,47	2,83
		38 × 235	4,64	4,01	3,28	5,12	4,43	3,62
		38 × 286	5,64	4,88	3,99	6,22	5,39	4,4
Hem-Fir (comprend pruche de l'Ouest et sapin gracieux)	N° 1	38 × 89	2,39	2,07	1,69	2,6	2,29	1,86
		38 × 140	3,49	3,03	2,47	3,86	3,34	2,72
		38 × 184	4,61	3,99	3,26	5,08	4,4	3,59
		38 × 235	5,88	5,09	4,16	6,49	5,62	4,59
		38 × 286	7,15	6,19	5,06	7,89	6,83	5,58
	N° 2	38 × 89	2,17	1,88	1,53	2,39	2,07	1,69
		38 × 140	3,13	2,71	2,21	3,46	2,99	2,44
		38 × 184	4,13	3,58	2,92	4,56	3,95	3,22
		38 × 235	5,27	4,57	3,73	5,82	5,04	4,11
		38 × 286	6,42	5,56	4,54	7,08	6,13	5
	N° 3	38 × 89	1,61	1,39	1,14	1,77	1,54	1,25
		38 × 140	2,38	2,06	1,68	2,62	2,27	1,85
		38 × 184	3,13	2,71	2,22	3,46	3	2,44
		38 × 235	4	3,46	2,83	4,41	3,82	3,12
		38 × 286	4,87	4,21	3,44	5,37	4,65	3,8
Eastern Hemlock-Tamarack (comprend pruche de l'Est et mélèze d'Amérique)	N° 1	38 × 89	2,3	2,09	1,82	2,47	2,25	1,96
		38 × 140	3,61	3,28	2,75	3,89	3,53	3,04
		38 × 184	4,76	4,33	3,63	5,13	4,66	4,01
		38 × 235	6,08	5,52	4,64	6,55	5,95	5,12
		38 × 286	7,39	6,71	5,64	7,96	7,23	6,22
	N° 2	38 × 89	2,21	2,01	1,72	2,38	2,17	1,89
		38 × 140	3,48	3,03	2,47	3,75	3,34	2,72
		38 × 184	4,59	3,99	3,26	4,94	4,4	3,59
		38 × 235	5,86	5,09	4,16	6,31	5,62	4,59
		38 × 286	7,12	6,19	5,06	7,68	6,83	5,58
	N° 3	38 × 89	1,8	1,56	1,27	1,99	1,72	1,4
		38 × 140	2,64	2,29	1,87	2,92	2,53	2,06
		38 × 184	3,49	3,02	2,46	3,85	3,33	2,72
		38 × 235	4,45	3,85	3,15	4,91	4,25	3,47
		38 × 286	5,41	4,69	3,83	5,97	5,17	4,22

Tableau 18 (suite)
Chevrons — ne portant pas plafond
(Charges de neige au sol de 4,2 et 3,3 kPa)

		Charges de neige au sol	4,2 kPa			3,3 kPa		
		Espacement des chevrons (mm)	300	400	600	300	400	600
Essences	Qualité	Dimensions métriques	PORTÉES MAXIMALES ADMISSIBLES EN MÈTRES					
Coast Species (comprend sapin de Douglas, mélèze occidental, pruche de l'Ouest, sapin gracieux et épinette de Sitka)	N° 1	38 × 89	2,37	2,05	1,67	2,6	2,26	1,85
		38 × 140	3,45	2,99	2,44	3,81	3,3	2,69
		38 × 184	4,55	3,94	3,22	5,02	4,35	3,55
		38 × 235	5,81	5,03	4,11	6,41	5,55	4,53
		38 × 286	7,06	6,12	4,99	7,79	6,75	5,51
	N° 2	38 × 89	2,14	1,85	1,51	2,36	2,04	1,67
		38 × 140	3,09	2,67	2,18	3,41	2,95	2,41
		38 × 184	4,07	3,52	2,88	4,49	3,89	3,17
		38 × 235	5,19	4,5	3,67	5,73	4,96	4,05
		38 × 286	6,32	5,47	4,47	6,97	6,04	4,93
	N° 3	38 × 89	1,59	1,38	1,12	1,75	1,52	1,24
		38 × 140	2,35	2,03	1,66	2,59	2,24	1,83
		38 × 184	3,09	2,68	2,19	3,41	2,96	2,41
		38 × 235	3,95	3,42	2,79	4,36	3,77	3,08
		38 × 286	4,8	4,16	3,39	5,3	4,59	3,75
Spruce-Pine-Fir (comprend épinette : toutes les essences sauf l'épinette de Sitka) pin gris, pin de Murray, sapin baumier et sapin concolore)	N° 1	38 × 89	2,27	2	1,64	2,45	2,21	1,8
		38 × 140	3,39	2,93	2,39	3,74	3,23	2,64
		38 × 184	4,46	3,87	3,16	4,93	4,27	3,48
		38 × 235	5,7	4,93	4,03	6,29	5,44	4,44
		38 × 286	6,93	6	4,9	7,65	6,62	5,41
	N° 2	38 × 89	2,1	1,81	1,48	2,31	2	1,63
		38 × 140	3,04	2,63	2,15	3,35	2,9	2,37
		38 × 184	4,01	3,47	2,83	4,42	3,83	3,12
		38 × 235	5,11	4,43	3,61	5,64	4,88	3,99
		38 × 286	6,22	5,38	4,4	6,86	5,94	4,85
	N° 3	38 × 89	1,57	1,36	1,11	1,73	1,5	1,22
		38 × 140	2,31	2	1,63	2,55	2,21	1,8
		38 × 184	3,05	2,64	2,16	3,37	2,92	2,38
		38 × 235	3,89	3,37	2,75	4,3	3,72	3,04
		38 × 286	4,74	4,1	3,35	5,23	4,53	3,69
Western Cedars (comprend thuya géant et cyprès jaune)	N° 1	38 × 89	2,19	1,99	1,65	2,36	2,14	1,83
		38 × 140	3,43	2,97	2,42	3,71	3,28	2,67
		38 × 184	4,52	3,92	3,2	4,89	4,32	3,53
		38 × 235	5,77	5	4,08	6,24	5,51	4,5
		38 × 286	7,02	6,08	4,96	7,58	6,71	5,48
	N° 2	38 × 89	2,11	1,84	1,5	2,28	2,03	1,66
		38 × 140	3,06	2,65	2,16	3,38	2,93	2,39
		38 × 184	4,04	3,5	2,85	4,46	3,86	3,15
		38 × 235	5,15	4,46	3,64	5,69	4,92	4,02
		38 × 286	6,27	5,43	4,43	6,92	5,99	4,89
	N° 3	38 × 89	1,57	1,36	1,11	1,73	1,5	1,22
		38 × 140	2,31	2	1,63	2,55	2,21	1,8
		38 × 184	3,05	2,64	2,16	3,37	2,92	2,38
		38 × 235	3,89	3,37	2,75	4,3	3,72	3,04
		38 × 286	4,74	4,1	3,35	5,23	4,53	3,69

Tableau 18 (suite)
Chevrons — ne portant pas plafond
(Charges de neige au sol de 4,2 et 3,3 kPa)

		Charges de neige au sol	4,2 kPa			3,3 kPa		
		Espacement des chevrons (mm)	300	500	600	300	400	600
Essences	Qualité	Dimensions métriques	PORTÉS MAXIMALES ADMISSIBLES EN MÈTRES					
Northern Species (comprend toutes les essences de bois tendre visées par les normes de classement NLGA)	Nº 1	38 × 89	2,19	1,95	1,59	2,36	2,14	1,75
		38 × 140	3,27	2,83	2,31	3,61	3,13	2,55
		38 × 184	4,32	3,74	3,05	4,76	4,12	3,37
		38 × 235	5,51	4,77	3,89	6,08	5,26	4,3
		38 × 286	6,7	5,8	4,74	7,39	6,4	5,23
	Nº 2	38 × 89	2,04	1,76	1,44	2,25	1,95	1,59
		38 × 140	2,94	2,54	2,08	3,24	2,81	2,29
		38 × 184	3,87	3,35	2,74	4,27	3,7	3,02
		38 × 235	4,94	4,28	3,49	5,46	4,72	3,86
		38 × 286	6,01	5,21	4,25	6,64	5,75	4,69
	Nº 3	38 × 89	1,51	1,31	1,07	1,67	1,44	1,18
		38 × 140	2,21	1,92	1,56	2,44	2,12	1,73
		38 × 184	2,92	2,53	2,06	3,22	2,79	2,28
		38 × 235	3,73	3,23	2,63	4,11	3,56	2,91
		38 × 286	4,54	3,93	3,21	5	4,33	3,54
Northern Aspen (comprend tremble, grand tremble et peuplier baumier)	Nº 1	38 × 89	2,22	2	1,64	2,39	2,17	1,8
		38 × 140	3,39	2,93	2,39	3,74	3,23	2,64
		38 × 184	4,46	3,87	3,16	4,93	4,27	3,48
		38 × 235	5,7	4,93	4,03	6,29	5,44	4,44
		38 × 286	6,93	6	4,9	7,65	6,62	5,41
	Nº 2	38 × 89	2,11	1,83	1,49	2,31	2,02	1,65
		38 × 140	3,04	2,63	2,15	3,35	2,9	2,37
		38 × 184	4,01	3,47	2,83	4,42	3,83	3,12
		38 × 235	5,11	4,43	3,61	5,64	4,88	3,99
		38 × 286	6,22	5,38	4,4	6,86	5,94	4,85
	Nº 3	38 × 89	1,57	1,36	1,11	1,73	1,5	1,22
		38 × 140	2,31	2	1,63	2,55	2,21	1,8
		38 × 184	3,05	2,64	2,16	3,37	2,92	2,38
		38 × 235	3,89	3,37	2,75	4,3	3,72	3,04
		38 × 286	4,74	4,1	3,35	5,23	4,53	3,69

Tableau 19
Chevrons — ne portant pas plafond
(Charges de neige au sol de 2,5 et 1,7 kPa)

		Charges de neige au sol	2,5 kPa			1,7 kPa		
		Espacement des chevrons (mm)	300	400	600	300	400	600
Essences	Qualité	Dimensions métriques	PORTÉES ADMISSIBLES EN MÈTRES					
Douglas Fir-Larch (comprend sapin de Douglas et mélèze occidental)	N° 1	38 × 89	2,97	2,69	2,35	3,4	3,09	2,69
		38 × 140	4,66	4,24	3,57	5,34	4,85	4,2
		38 × 184	6,15	5,59	4,71	7,04	6,4	5,54
		38 × 235	7,85	7,13	6,01	8,98	8,16	7,07
		38 × 286	9,54	8,67	7,31	10,93	9,93	8,6
	N° 2	38 × 89	2,87	2,6	2,23	3,28	2,98	2,6
		38 × 140	4,51	3,93	3,21	5,16	4,63	3,78
		38 × 184	5,94	5,19	4,23	6,81	6,1	4,98
		38 × 235	7,59	6,62	5,4	8,68	7,79	6,36
		38 × 286	9,23	8,05	6,57	10,56	9,47	7,73
	N° 3	38 × 89	2,33	2,02	1,65	2,74	2,38	1,94
		38 × 140	3,44	2,98	2,43	4,04	3,5	2,86
		38 × 184	4,53	3,92	3,2	5,33	4,62	3,77
		38 × 235	5,78	5,01	4,09	6,81	5,89	4,81
		38 × 286	7,03	6,09	4,97	8,28	7,17	5,85
Hem-Fir (comprend pruche de l'Ouest et sapin gracieux)	N° 1	38 × 89	2,86	2,58	2,11	3,27	2,97	2,48
		38 × 140	4,36	3,77	3,08	5,13	4,44	3,63
		38 × 184	5,75	4,98	4,06	6,76	5,86	4,78
		38 × 235	7,33	6,35	5,18	8,63	7,47	6,1
		38 × 286	8,92	7,73	6,31	10,5	9,09	7,42
	N° 2	38 × 89	2,7	2,34	1,91	3,16	2,76	2,25
		38 × 140	3,91	3,39	2,76	4,6	3,98	3,25
		38 × 184	5,16	4,46	3,64	6,07	5,25	4,29
		38 × 235	6,58	5,7	4,65	7,74	6,71	5,47
		38 × 286	8	6,93	5,66	9,42	8,16	6,66
	N° 3	38 × 89	2,01	1,74	1,42	2,36	2,04	1,67
		38 × 140	2,97	2,57	2,1	3,49	3,02	2,47
		38 × 184	3,91	3,39	2,76	4,6	3,99	3,25
		38 × 235	4,99	4,32	3,53	5,87	5,09	4,15
		38 × 286	6,07	5,26	4,29	7,15	6,19	5,05
Eastern Hemlock-Tamarack (comprend pruche de l'Est et mélèze d'Amérique)	N° 1	38 × 89	2,72	2,47	2,16	3,12	2,83	2,47
		38 × 140	4,28	3,89	3,4	4,9	4,45	3,89
		38 × 184	5,65	5,13	4,48	6,46	5,87	5,13
		38 × 235	7,21	6,55	5,72	8,25	7,49	6,55
		38 × 286	8,76	7,96	6,95	10,03	9,12	7,96
	N° 2	38 × 89	2,62	2,38	2,08	3,01	2,73	2,38
		38 × 140	4,13	3,75	3,08	4,73	4,29	3,63
		38 × 184	5,44	4,94	4,06	6,23	5,66	4,78
		38 × 235	6,95	6,31	5,18	7,95	7,22	6,1
		38 × 286	8,45	7,68	6,31	9,67	8,79	7,42
	N° 3	38 × 89	2,25	1,95	1,59	2,65	2,29	1,87
		38 × 140	3,3	2,86	2,33	3,88	3,36	2,74
		38 × 184	4,35	3,77	3,07	5,12	4,43	3,62
		38 × 235	5,55	4,81	3,92	6,53	5,66	4,62
		38 × 286	6,75	5,85	4,77	7,95	6,88	5,62

Tableau 19 (suite)
Chevrons — ne portant pas plafond
(Charges de neige au sol de 2,5 et 1,7 kPa)

		Charges de neige au sol	2,5 kPa			1,7 kPa		
		Espacement des chevrons (mm)	300	400	600	300	400	600
Essences	Qualité	Dimensions métriques	PORTÉES ADMISSIBLES EN MÈTRES					
Coast Species (comprend sapin de Douglas, mélèze occidental, pruche de l'Ouest, sapin gracieux et épinette de Sitka)	N° 1	38 × 89	2,86	2,56	2,09	3,27	2,97	2,46
		38 × 140	4,31	3,73	3,04	5,07	4,39	3,58
		38 × 184	5,68	4,92	4,01	6,68	5,79	4,72
		38 × 235	7,24	6,27	5,12	8,53	7,38	6,03
		38 × 286	8,81	7,63	6,23	10,37	8,98	7,33
	N° 2	38 × 89	2,67	2,31	1,89	3,14	2,72	2,22
		38 × 140	3,85	3,33	2,72	4,53	3,92	3,2
		38 × 184	5,08	4,4	3,59	5,98	5,17	4,22
		38 × 235	6,48	5,61	4,58	7,62	6,6	5,39
		38 × 286	7,88	6,82	5,57	9,27	8,03	6,56
	N° 3	38 × 89	1,98	1,72	1,4	2,33	2,02	1,65
		38 × 140	2,93	2,53	2,07	3,44	2,98	2,43
		38 × 184	3,86	3,34	2,73	4,54	3,93	3,21
		38 × 235	4,93	4,26	3,48	5,8	5,02	4,1
		38 × 286	5,99	5,19	4,23	7,05	6,11	4,98
Spruce-Pine-Fir (comprend épinette : toutes les essences sauf l'épinette de Sitka) pin gris, pin de Murray, sapin baumier et sapin concolore)	N° 1	38 × 89	2,69	2,45	2,04	3,09	2,8	2,4
		38 × 140	4,22	3,66	2,99	4,85	4,3	3,51
		38 × 184	5,57	4,82	3,94	6,4	5,68	4,63
		38 × 235	7,11	6,15	5,02	8,16	7,24	5,91
		38 × 286	8,64	7,49	6,11	9,93	8,81	7,19
	N° 2	38 × 89	2,6	2,26	1,85	2,98	2,67	2,18
		38 × 140	3,79	3,28	2,68	4,46	3,86	3,15
		38 × 184	5	4,33	3,53	5,88	5,09	4,16
		38 × 235	6,38	5,52	4,51	7,5	6,5	5,31
		38 × 286	7,76	6,72	5,48	9,13	7,9	6,45
	N° 3	38 × 89	1,96	1,7	1,38	2,31	2	1,63
		38 × 140	2,89	2,5	2,04	3,4	2,94	2,4
		38 × 184	3,81	3,3	2,69	4,48	3,88	3,17
		38 × 235	4,86	4,21	3,43	5,72	4,95	4,04
		38 × 286	5,91	5,12	4,18	6,95	6,02	4,92
Western Cedars (comprend thuya géant et cyprès jaune)	N° 1	38 × 89	2,59	2,36	2,06	2,97	2,7	2,36
		38 × 140	4,08	3,7	3,02	4,67	4,24	3,56
		38 × 184	5,38	4,88	3,99	6,16	5,59	4,69
		38 × 235	6,86	6,23	5,09	7,86	7,14	5,99
		38 × 286	8,35	7,58	6,19	9,56	8,68	7,29
	N° 2	38 × 89	2,51	2,28	1,87	2,87	2,61	2,2
		38 × 140	3,82	3,31	2,7	4,5	3,89	3,18
		38 × 184	5,04	4,36	3,56	5,93	5,13	4,19
		38 × 235	6,43	5,57	4,54	7,56	6,55	5,35
		38 × 286	7,82	6,77	5,53	9,2	7,97	6,51
	N° 3	38 × 89	1,96	1,7	1,38	2,31	2	1,63
		38 × 140	2,89	2,5	2,04	3,4	2,94	2,4
		38 × 184	3,81	3,3	2,69	4,48	3,88	3,17
		38 × 235	4,86	4,21	3,43	5,72	4,95	4,04
		38 × 286	5,91	5,12	4,18	6,95	6,02	4,92

Tableau 19 (suite)
Chevrons — ne portant pas plafond
(Charges de neige au sol de 2,5 et 1,7 kPa)

		Charges de neige au sol	2,5 kPa			1,7 kPa		
		Espacement des chevrons (mm)	300	500	600	300	400	600
Essences	Qualité	Dimensions métriques	PORTÉS ADMISSIBLES EN MÈTRES					
Northern Species (comprend toutes les essences de bois tendre visées par les normes de classement NLGA)	N° 1	38 × 89	2,59	2,36	1,98	2,97	2,7	2,33
		38 × 140	4,08	3,54	2,89	4,67	4,16	3,4
		38 × 184	5,38	4,66	3,81	6,16	5,49	4,48
		38 × 235	6,86	5,95	4,86	7,86	7	5,72
		38 × 286	8,35	7,24	5,91	9,56	8,52	6,95
	N° 2	38 × 89	2,51	2,2	1,8	2,87	2,59	2,11
		38 × 140	3,67	3,17	2,59	4,31	3,74	3,05
		38 × 184	4,83	4,18	3,42	5,69	4,93	4,02
		38 × 235	6,17	5,34	4,36	7,26	6,29	5,13
		38 × 286	7,5	6,5	5,3	8,83	7,65	6,24
	N° 3	38 × 89	1,89	1,63	1,33	2,22	1,92	1,57
		38 × 140	2,76	2,39	1,95	3,25	2,82	2,3
		38 × 184	3,64	3,16	2,58	4,29	3,71	3,03
		38 × 235	4,65	4,03	3,29	5,47	4,74	3,87
		38 × 286	5,66	4,9	4	6,66	5,77	4,71
Northern Aspen (comprend tremble, grand tremble et peuplier baumier)	N° 1	38 × 89	2,64	2,39	2,04	3,02	2,74	2,39
		38 × 140	4,14	3,66	2,99	4,74	4,3	3,51
		38 × 184	5,46	4,82	3,94	6,26	5,68	4,63
		38 × 235	6,97	6,15	5,02	7,98	7,24	5,91
		38 × 286	8,48	7,49	6,11	9,71	8,81	7,19
	N° 2	38 × 89	2,54	2,28	1,86	2,91	2,64	2,19
		38 × 140	3,79	3,28	2,68	4,46	3,86	3,15
		38 × 184	5	4,33	3,53	5,88	5,09	4,16
		38 × 235	6,38	5,52	4,51	7,5	6,5	5,31
		38 × 286	7,76	6,72	5,48	9,13	7,9	6,45
	N° 3	38 × 89	1,96	1,7	1,38	2,31	2	1,63
		38 × 140	2,89	2,5	2,04	3,4	2,94	2,4
		38 × 184	3,81	3,3	2,69	4,48	3,88	3,17
		38 × 235	4,86	4,21	3,43	5,72	4,95	4,04
		38 × 286	5,91	5,12	4,18	6,95	6,02	4,92

Tableau 20
Portées maximales pour poutres composées — supportant un plancher(2) au plus

Essences	Qualité(1)	Longueur de solive supportée, en m(3)(4)	PORTÉES ADMISSIBLES EN MÈTRES POUR : 38 × 184		38 × 235		38 × 286	
			3 po	4 po	3 po	4 po	3 po	4 po
Douglas Fir-Larch (comprend sapin de Douglas et mélèze occidental)	N° 1	2,4	3,7	4,27	4,72	5,45	5,74	6,63
		3	3,31	3,82	4,22	4,87	5,13	5,93
		3,6	3,02	3,49	3,85	4,45	4,69	5,41
		4,2	2,76	3,23	3,53	4,12	4,29	5,01
		4,8	2,46	3,02	3,14	3,85	3,82	4,69
	N° 2	2,4	3,33	3,84	4,24	4,9	5,16	5,96
		3	2,97	3,44	3,79	4,38	4,62	5,33
		3,6	2,71	3,14	3,46	4	4,22	4,87
		4,2	2,51	2,9	3,2	3,7	3,9	4,51
		4,8	2,35	2,71	3	3,46	3,65	4,22
Hem-Fir (comprend pruche de l'Ouest et sapin gracieux)	N° 1	2,4	3,19	3,69	4,1	4,71	4,96	5,72
		3	2,85	3,3	3,64	4,21	4,43	5,12
		3,6	2,61	3,01	3,33	3,84	4,05	4,67
		4,2	2,3	2,79	2,93	3,56	3,57	4,33
		4,8	2,06	2,61	2,62	3,33	3,19	4,05
	N° 2	2,4	2,86	3,31	3,65	4,22	4,45	5,13
		3	2,56	2,96	3,27	3,77	3,98	4,59
		3,6	2,34	2,7	2,98	3,45	3,63	4,19
		4,2	2,16	2,5	2,76	3,19	3,36	3,88
		4,8	2,02	2,34	2,58	2,98	3,14	3,63
Eastern Hemlock-Tamarack (comprend pruche de l'Est et mélèze d'Amérique)	N° 1	2,4	3,56	4,11	4,54	5,25	5,53	6,38
		3	3,18	3,68	4,06	4,69	4,94	5,71
		3,6	2,91	3,36	3,71	4,28	4,51	5,21
		4,2	2,69	3,11	3,43	3,97	4,18	4,82
		4,8	2,46	2,91	3,14	3,71	3,82	4,51
	N° 2	2,4	3,19	3,69	4,07	4,71	4,96	5,72
		3	2,85	3,3	3,64	4,21	4,43	5,12
		3,6	2,61	3,01	3,33	3,84	4,05	4,67
		4,2	2,41	2,79	3,08	3,56	3,75	4,33
		4,8	2,26	2,61	2,88	3,33	3,5	4,05
Coast Species (comprend sapin de Douglas, mélèze occidental, pruche de l'Ouest, sapin gracieux et épinette de Sitka)	N° 1	2,4	3,15	3,64	4,02	4,65	4,9	5,65
		3	2,64	3,26	3,37	4,16	4,1	5,06
		3,6	2,26	2,89	2,88	3,69	3,51	4,49
		4,2	1,99	2,53	2,54	3,23	3,09	3,93
		4,8	1,79	2,26	2,28	2,88	2,77	3,51
	N° 2	2,4	2,82	3,26	3,6	4,16	4,38	5,06
		3	2,52	2,91	3,22	3,72	3,92	4,52
		3,6	2,26	2,66	2,88	3,39	3,51	4,13
		4,2	1,99	2,46	2,54	3,14	3,09	3,82
		4,8	1,79	2,26	2,28	2,88	2,77	3,51
Spruce-Pine-Fir (comprend épinette : toutes les essences sauf l'épinette de Sitka) pin gris, pin de Murray, sapin baumier et sapin concolore)	N° 1	2,4	3,09	3,57	3,95	4,56	4,8	5,55
		3	2,77	3,19	3,53	4,08	4,3	4,96
		3,6	2,44	2,92	3,11	3,72	3,79	4,53
		4,2	2,14	2,7	2,74	3,45	3,33	4,19
		4,8	1,92	2,44	2,45	3,11	2,98	3,79
	N° 2	2,4	2,78	3,21	3,54	4,09	4,31	4,98
		3	2,48	2,87	3,17	3,66	3,85	4,45
		3,6	2,26	2,62	2,89	3,34	3,52	4,06
		4,2	2,1	2,42	2,68	3,09	3,26	3,76
		4,8	1,92	2,26	2,45	2,89	2,98	3,52

Tableau 20 (suite)
Portées maximales pour poutres composées — supportant un plancher[2] au plus

Essences	Qualité[1]	Longueur de solive supportée, m[3] [4]	PORTÉES ADMISSIBLES EN MÈTRES POUR : 38 × 184		38 × 235		38 × 286	
			3 po	4 po	3 po	4 po	3 po	4 po
Western Cedars (comprend thuya géant et cyprès jaune)	N° 1	2,4	3,13	3,62	4	4,62	4,86	5,62
		3	2,8	3,24	3,58	4,13	4,35	5,02
		3,6	2,56	2,95	3,26	3,77	3,97	4,59
		4,2	2,26	2,73	2,88	3,49	3,51	4,25
		4,8	2,02	2,56	2,58	3,26	3,14	3,97
	N° 2	2,4	2,8	3,23	3,57	4,12	4,34	5,02
		3	2,5	2,89	3,19	3,69	3,88	4,49
		3,6	2,28	2,64	2,91	3,37	3,55	4,1
		4,2	2,11	2,44	2,7	3,12	3,28	3,79
		4,8	1,98	2,27	2,52	2,91	3,07	3,55
Northern Species (comprend toutes les essences de bois tendre visées par les normes de classement NLGA)	N° 1	2,4	2,99	3,45	3,82	4,41	4,64	5,36
		3	2,64	3,09	3,37	3,94	4,1	4,8
		3,6	2,26	2,82	2,88	3,6	3,51	4,38
		4,2	1,99	2,53	2,54	3,23	3,09	3,93
		4,8	1,79	2,26	2,28	2,88	2,77	3,51
	N° 2	2,4	2,68	3,1	3,43	3,96	4,17	4,81
		3	2,4	2,77	3,07	3,54	3,73	4,3
		3,6	2,19	2,53	2,8	3,23	3,4	3,93
		4,2	1,99	2,34	2,54	2,99	3,09	3,64
		4,8	1,79	2,19	2,28	2,8	2,77	3,4
Northern Aspen (comprend tremble, grand tremble et peuplier baumier)	N° 1	2,4	3,09	3,57	3,95	4,56	4,8	5,55
		3	2,69	3,19	3,44	4,08	4,18	4,96
		3,6	2,3	2,92	2,94	3,72	3,58	4,53
		4,2	2,03	2,58	2,59	3,29	3,15	4,01
		4,8	1,82	2,3	2,32	2,94	2,83	3,58
	N° 2	2,4	2,78	3,21	3,54	4,09	4,31	4,98
		3	2,48	2,87	3,17	3,66	3,85	4,45
		3,6	2,26	2,62	2,89	3,34	3,52	4,06
		4,2	2,03	2,42	2,59	3,09	3,15	3,76
		4,8	1,82	2,26	2,32	2,89	2,83	3,52

Remarques

(1) Qualités conformes aux NLGA Standard Grading Rules for Canadian Lumber (1984) publiées par la National Lumber Grades Authority (Vancouver).

(2) Le présent tableau indique les portées maximales admissibles des poutres principales composées d'éléments d'une épaisseur nominale de 38 mm pour une essence, une section et une qualité données. Les portées admissibles des poutres en bois massif ou composées dont les dimensions et la qualité ne sont pas mentionnées, doivent être calculées au moyen de formules techniques établies.

(3) La longueur de solive supportée correspond à la moitié de la somme des portées de solives des deux côtés de la poutre.

(4) Dans le cas des longueurs de solive supportées comprises entre les valeurs mentionnées au tableau, on peut déterminer les portées de poutre maximales par interpolation simple.

Tableau 21
Portées maximales pour poutres composées — supportant deux planchers[2] au plus

Essences	Qualité[1]	Longueur de solive supportée, en m[3][4]	PORTÉES ADMISSIBLES EN MÈTRES POUR : 38 × 184		38 × 235		38 × 286	
			3 po	4 po	3 po	4 po	3 po	4 po
Douglas Fir-Larch (comprend sapin de Douglas et mélèze occidental)	N° 1	2,4	2,78	3,24	3,55	4,13	4,32	5,03
		3	2,3	2,9	2,93	3,7	3,57	4,5
		3,6	1,97	2,51	2,52	3,21	3,07	3,9
		4,2	1,74	2,2	2,23	2,81	2,71	3,42
		4,8	1,57	1,97	2,01	2,52	2,44	3,07
	N° 2	2,4	2,52	2,91	3,21	3,72	3,92	4,52
		3	2,26	2,61	2,87	3,33	3,5	4,05
		3,6	1,97	2,38	2,52	3,04	3,07	3,69
		4,2	1,74	2,2	2,23	2,81	2,71	3,42
		4,8	1,57	1,97	2,01	2,52	2,44	3,07
Hem-Fir (comprend pruche de l'Ouest et sapin gracieux)	N° 1	2,4	2,31	2,8	2,95	3,57	3,59	4,34
		3	1,92	2,44	2,45	3,12	2,99	3,79
		3,6	1,66	2,1	2,12	2,68	2,58	3,25
		4,2	1,48	1,85	1,89	2,36	2,29	2,87
		4,8	1,34	1,66	1,71	2,12	2,08	2,58
	N° 2	2,4	2,17	2,51	2,77	3,2	3,37	3,89
		3	1,92	2,24	2,45	2,86	2,99	3,48
		3,6	1,66	2,05	2,12	2,62	2,58	3,18
		4,2	1,48	1,85	1,89	2,36	2,29	2,87
		4,8	1,34	1,66	1,71	2,12	2,08	2,58
Eastern Hemlock-Tamarack (comprend pruche de l'Est et mélèze d'Amérique)	N° 1	2,4	2,7	3,12	3,45	3,98	4,19	4,84
		3	2,3	2,79	2,93	3,56	3,57	4,33
		3,6	1,97	2,51	2,52	3,21	3,07	3,9
		4,2	1,74	2,2	2,23	2,81	2,71	3,42
		4,8	1,57	1,97	2,01	2,52	2,44	3,07
	N° 2	2,4	2,42	2,8	3,09	3,56	3,76	4,34
		3	2,16	2,51	2,76	3,19	3,36	3,88
		3,6	1,97	2,28	2,52	2,91	3,07	3,54
		4,2	1,74	2,11	2,23	2,7	2,71	3,28
		4,8	1,57	1,97	2,01	2,52	2,44	3,07
Coast Species (comprend sapin de Douglas, mélèze occidental, pruche de l'Ouest, sapin gracieux et épinette de Sitka)	N° 1	2,4	2	2,55	2,55	3,25	3,11	3,95
		3	1,67	2,11	2,14	2,69	2,6	3,28
		3,6	1,45	1,82	1,86	2,32	2,26	2,82
		4,2	1,3	1,61	1,66	2,06	2,02	2,5
		4,8	1,18	1,45	1,51	1,86	1,84	2,26
	N° 2	2,4	2	2,47	2,55	3,15	3,11	3,84
		3	1,67	2,11	2,14	2,69	2,6	3,28
		3,6	1,45	1,82	1,86	2,32	2,26	2,82
		4,2	1,3	1,61	1,66	2,06	2,02	2,5
		4,8	1,18	1,45	1,51	1,86	1,84	2,26
Spruce-Pine-Fir (comprend épinette : toutes les essences sauf l'épinette de Sitka) pin gris, pin de Murray, sapin baumier et sapin concolore)	N° 1	2,4	2,16	2,71	2,75	3,46	3,35	4,21
		3	1,8	2,28	2,3	2,91	2,79	3,53
		3,6	1,56	1,96	1,99	2,5	2,42	3,04
		4,2	1,39	1,73	1,77	2,21	2,16	2,69
		4,8	1,26	1,56	1,61	1,99	1,96	2,42
	N° 2	2,4	2,1	2,43	2,69	3,1	3,27	3,77
		3	1,8	2,17	2,3	2,77	2,79	3,38
		3,6	1,56	1,96	1,99	2,5	2,42	3,04
		4,2	1,39	1,73	1,77	2,21	2,16	2,69
		4,8	1,26	1,56	1,61	1,99	1,96	2,42

Tableau 21 (suite)
Portées maximales pour poutres composées — supportant deux planchers[2] au plus

Essences	Qualité[1]	Longueur de solive supportée, en m[3][4]	PORTÉES ADMISSIBLES EN MÈTRES POUR : 38 × 184		38 × 235		38 × 286	
			3 po	4 po	3 po	4 po	3 po	4 po
Western Cedars (comprend thuya géant et cyprès jaune)	Nº 1	2,4	2,27	2,74	2,9	3,5	3,53	4,26
		3	1,89	2,4	2,41	3,06	2,94	3,73
		3,6	1,64	2,06	2,09	2,63	2,54	3,2
		4,2	1,45	1,82	1,86	2,32	2,26	2,82
		4,8	1,32	1,64	1,68	2,09	2,05	2,54
	Nº 2	2,4	2,12	2,45	2,71	3,13	3,29	3,81
		3	1,89	2,19	2,41	2,8	2,94	3,4
		3,6	1,64	2	2,09	2,55	2,54	3,11
		4,2	1,45	1,82	1,86	2,32	2,26	2,82
		4,8	1,32	1,64	1,68	2,09	2,05	2,42
Northern Species (comprend toutes les essences de bois tendre visées par les normes de classement NLGA)	Nº 1	2,4	2	2,55	2,55	3,25	3,11	3,95
		3	1,67	2,11	2,14	2,69	2,6	3,28
		3,6	1,45	1,82	1,86	2,32	2,26	2,82
		4,2	1,3	1,61	1,66	2,06	2,02	2,5
		4,8	1,18	1,45	1,51	1,86	1,84	2,26
	Nº 2	2,4	2	2,35	2,55	3	3,11	3,65
		3	1,67	2,1	2,14	2,68	2,6	3,26
		3,6	1,45	1,82	1,86	2,32	2,26	2,82
		4,2	1,3	1,61	1,66	2,06	2,02	2,5
		4,8	1,18	1,45	1,51	1,86	1,84	2,26
Northern Aspen (comprend tremble, grand tremble et peuplier baumier)	Nº 1	2,4	2,04	2,6	2,6	3,32	3,17	4,03
		3	1,7	2,15	2,18	2,75	2,65	3,34
		3,6	1,48	1,85	1,89	2,37	2,3	2,88
		4,2	1,32	1,64	1,69	2,09	2,05	2,55
		4,8	1,2	1,48	1,53	1,89	1,87	2,3
	Nº 2	2,4	2,04	2,43	2,6	3,1	3,17	3,77
		3	1,7	2,15	2,18	2,75	2,65	3,34
		3,6	1,48	1,85	1,89	2,37	2,3	2,88
		4,2	1,32	1,64	1,69	2,09	2,05	2,55
		4,8	1,2	1,48	1,53	1,89	1,87	2,3

Remarques

(1) Qualités conformes aux *NLGA Standard Grading Rules for Canadian Lumber* (1984) publiées par la *National Lumber Grades Authority* (Vancouver).

(2) Le présent tableau indique les portées maximales admissibles des poutres principales composées d'éléments d'une épaisseur nominale de 38 mm pour une essence, une section et une qualité données. Les portées admissibles des poutres en bois massif ou composées dont les dimensions et la qualité ne sont pas mentionnées, doivent être calculées au moyen de formules techniques établies.

(3) La longueur de solive supportée correspond à la moitié de la somme des portées de solives des deux côtés de la poutre.

(4) Dans le cas des longueurs de solive supportées comprises entre les valeurs mentionnées au tableau, on peut déterminer les portées de poutre maximales par interpolation simple.

Tableau 22
Épaisseur minimale du support de revêtement de sol

	Épaisseur minimale du support en mm pour un espacement maximal des solives de		
	300 mm	400 mm	600 mm
Contreplaqué	15,5	15,5	18,5
Panneaux de copeaux	15,9	15,9	19
Panneaux de particules	15,9	15,9	25,4
Bois de construction	17	17	19

Tableau 23
Fixation du revêtement intermédiaire et du support de revêtement de sol

Élément de l'ossature	Longueur minimale des fixations (mm)				Quantité minimale ou espacement maximal des fixations
	Clous ordinaires ou vrillés	Clous annelés	Clous à couverture	Agrafes	
Contreplaqué ou panneaux de copeaux d'au plus 10 mm d'épaisseur	51	45	S/O	38	Espacement entre axes de 150 mm le long des rives et de 300 mm le long des appuis intermédiaires
Contreplaqué ou panneaux de copeaux de 10 mm à 20 mm	51	45	S/O	51	
Contreplaqué ou panneaux de copeaux de plus de 20 mm	57	51	S/O	S/O	
Revêtement intermédiaire en panneaux de fibres d'au plus 13 mm	S/O	S/O	44	38	
Revêtement intermédiaire en panneaux de plâtre d'au plus 13 mm	S/O	S/O	44	S/O	
Planches en bois de 184 mm de largeur ou moins	51	S/O	S/O	51	2 par appui
Planches en bois de plus de 184 mm de largeur	51	S/O	S/O	51	3 par appui

Tableau 24
Clouage des éléments d'ossature

Détails d'exécution	Longueur minimale des clous, en mm	Quantité minimale ou espacement maximal des clous
Solives de plancher aux lisses basses et sablières — clouage en biais	82	2
Lattes de bois ou bandes d'acier à la face inférieure des solives	57	2
Entretoises croisées entre les solives	57	2 à chaque extrémité
Chevêtres ou solives d'enchevêtrure jumelés	76	300 mm entre axes
Solives de plancher aux poteaux (charpente à claire-voie)	76	2
Lambourdes aux poutres de bois	82	2 par solive
Éclisses (entures) de solives (voir *tableau 27*)	76	2 à chaque extrémité
Solives boîteuses au chevêtre — clouage en extrémité	82 101	5 3
Chevêtre aux solives d'enchevêtrure — clouage en extrémité	82 101	5 3
Poteaux aux lisses basses et sablières — clouage en biais ou clouage en extrémité	63 82	4 2
Poteaux jumelés aux ouvertures, ou poteaux aux angles ou intersections d'une cloison ou d'un mur	76	750 mm entre axes
Sablières jumelées	76	600 mm entre axes
Lisse basse ou lisse d'assise aux solives ou à des entretoises massives (murs extérieurs)(1)	82	400 mm entre axes
Cloisons intérieures aux éléments d'ossature ou aux supports de revêtements de sol	82	600 mm entre axes
Élement d'ossature formant linteau au-dessus d'une ouverture pratiquée dans une cloison non porteuse — clouage aux deux extrémités	82	2
Linteaux aux poteaux	82	2 à chaque extrémité
Solives de plafond aux sablières — clouage en biais aux deux extrémités	82	2
Chevrons, fermes ou solives de toit aux sablières — clouage en biais	82	3

Tableau 24 (suite)
Clouage des éléments d'ossature

Détails d'exécution	Longueur minimale des clous, en mm	Quantité minimale ou espacement maximal des clous
Lisse de chevrons à chacune des solives de plafond	101	2
Chevrons aux solives (faîtière supportée)	76	3
Chevrons aux solives (faîtière non supportée)	76	voir *tableau 27*
Gousset d'assemblage à l'extrémité supérieure des chevrons	57	4
Chevrons aux faîtières — clouage en biais	57	4
Chevrons aux faîtières — clouage en extrémité	82	3
Faux entraits aux chevrons — clouage aux deux extrémités	76	3
Faux entrait à son appui latéral	57	2
Empannons à l'arêtier ou au chevron de noue	82	2
Contre-fiches aux chevrons	76	3
Contre-fiches aux cloisons porteuses — clouage en biais	82	2
Platelage en madriers d'au plus 138 × 140 mm au support	82	2
Platelage en madriers de plus de 138 × 140 mm au support	82	3
Platelage en madriers de 138 mm sur chant au support — clouage en biais	76	1
Madriers de 138 mm sur chant entre eux	76	450 mm entre axes

Remarque

(1) Le mur extérieur peut également être fixé à l'ossature du plancher en prolongeant le revêtement intermédiaire en contreplaqué ou en panneaux de copeaux jusqu'à cette ossature et en le fixant à cette dernière au moyen de clous ou d'agrafes selon le *tableau 23*. On peut aussi relier l'ossature du mur à celle du plancher au moyen de bandes en métal galvanisé de 50 mm de largeur et d'au moins 0,41 mm d'épaisseur, espacées de 1,2 m au plus et clouées à chaque extrémité avec au moins 2 clous de 63 mm.

Tableau 25
Dimensions et espacement des poteaux

	Mur extérieur — Espacement maximal et hauteur maximale (en mètres) sans appuis (entre parenthèses, hauteur sans appui)			
Dimensions des poteaux (mm)	Toit avec ou sans vide sous toit	Plus un plancher	Plus deux planchers	Plus trois planchers
38 × 64	400 (2,4)	—	—	—
38 × 89	600 (3)	400 (3)	300 (3)	—
38 × 140	600 (3)	600 (3)	400 (3,6)	300 (1,8)

	Mur intérieur — Espacement maximal et hauteur maximale (en mètres) sans appui (entre parenthèses, hauteur sans appui)					
Dimensions des poteaux (mm)	Aucune charge	Vide sous toit (non accessible)	Plus un plancher	Plus deux planchers	Toit plus deux planchers	Toit plus trois planchers
38 × 38	400 (2,4)	—	—	—	—	—
38 × 64	600 (3)	600 (3)	400 (2,4)	—	—	—
38 × 89 (plat)	400 (3,6)	400 (2,4)	—	—	—	—
38 × 89	600 (3,6)	600 (3,6)	600 (3,6)	400 (3,6)	300 (3,6)	—
38 × 140	600 (3,6)	600 (3,6)	600 (3,6)	600 (3,6)	400 (4,2)	300 (4,2)

Tableau 26
Portées pour diverses hauteurs de linteaux

Emplacement des linteaux	Charges supportées, y compris charges permanentes et plafonds	Hauteur des linteaux (mm)	Portée maximale admissible (m)
Murs intérieurs	Vide sous toit non accessible par un escalier	89	1,22
		140	1,83
		184	2,44
		235	3,05
		286	3,81
	Vide sous toit accessible par un escalier Charge de toit Vide sous toit non accessible par un escalier plus 1 plancher	89	0,61
		140	0,91
		184	1,22
		235	1,52
		286	1,83
	Vide sous toit accessible par un escalier, plus 1 plancher Charge de toit, plus 1 plancher Vide sous toit non accessible par un escalier, plus 2 ou 3 planchers	89	—
		140	0,76
		184	0,91
		235	1,22
		286	1,52
	Vide sous toit accessible par un escalier, plus 2 ou 3 planchers Charge de toit, plus 2 ou 3 planchers	89	—
		140	0,61
		184	0,91
		235	1,07
		286	1,22
Murs extérieurs	Toit avec ou sans vide sous toit accessible	89	1,12
		140	1,68
		184	2,24
		235	2,79
		286	3,35
	Toit avec ou sans vide sous toit accessible, plus 1 plancher	89	0,56
		140	1,40
		184	1,96
		235	2,24
		286	2,51
	Toit avec ou sans vide sous toit accessible, plus 2 ou 3 planchers	89	0,56
		140	1,12
		184	1,68
		235	1,96
		286	2,24

Tableau 27
Clouage minimal des chevrons aux solives
(Faîte non supporté)

		Chevrons fixés à chaque solive						Chevrons fixés aux solives tous les 1,2 m					
		Largeur de bâtiment, jusqu'à 8 m			Largeur de bâtiment, jusqu'à 9,8 m			Largeur de bâtiment, jusqu'à 8 m			Largeur de bâtiment, jusqu'à 9,8 m		
		Charge de neige sur le toit, en kPa											
Pente du toit	Espacement des chevrons (mm)	1 ou moins	1,5	2 ou plus	1 ou moins	1,5	2 ou plus	1 ou moins	1,5	2 ou plus	1 ou moins	1,5	2 ou plus
1:3	400	4	5	6	5	7	8	11	—	—	—	—	—
	600	6	8	9	8	—	—	11	—	—	—	—	—
1:2,4	400	4	4	5	5	6	7	7	10	—	9	—	—
	600	5	7	8	7	9	11	7	10	—	—	—	—
1:2	400	4	4	4	4	4	5	6	8	9	8	—	—
	600	4	5	6	5	7	8	6	8	9	8	—	—
1:1,71	400	4	4	4	4	4	4	5	6	8	7	9	11
	600	4	4	5	5	6	7	5	6	8	7	9	11
1:1,33	400	4	4	4	4	4	4	4	5	6	5	6	7
	600	4	4	4	4	4	5	4	5	6	5	6	7
1:1	400	4	4	4	4	4	4	4	4	4	4	4	5
	600	4	4	4	4	4	4	4	4	4	4	4	5

Remarques
(1) Clous de 76 mm au moins.
(2) Les solives de plafond doivent être assemblées les unes aux autres avec au moins un clou de plus par éclisse (enture) que le nombre exigé pour un assemblage chevron sur solive.

Tableau 28
Épaisseur minimale du support de couverture sur toits en pente(1)

		Épaisseur du support en mm pour espacements de fermes ou de chevrons de		
		300 mm	400 mm	600 mm
Contreplaqué	Rives supportées(2)	7,5	7,5	9,5
	Rives non supportées	9,5	9,5	12,5
Panneaux de copeaux	Rives supportées	9,5	9,5	11,1
	Rives non supportées	9,5	11,1	12,7
Bois de construction(3)		17	17	19

Remarques

(1) L'épaisseur du support de couverture pour toits plats servant de terrasse piétonnière est identique à celle du support de revêtement de sol (*tableau 22*).

(2) Les rives supportées entre panneaux sont fixées au moyen d'agrafes en H ou de cales d'au moins 38 × 38 mm entre les fermes ou les chevrons.

(3) Les qualités de bois de construction minimales pour le support doivent être comme suit et porter le numéro de paragraphe du *National Lumber Grades Authority* ou la qualité équivalente s'il s'agit d'un autre système de classification :

N° 3 ou «Common» Paragraphe 113
Standard Paragraphe 114
N° 4 ou «Common» Paragraphe 118

Tableau 29
Agrafage

A) Bardeaux d'asphalte à un support de bois —
tige 1,6 mm d'épaisseur, longueur 22,2 mm, couronne 11,1 mm, protégées contre la corrosion,
1/3 de plus d'agrafes que le nombre de clous requis.
tige 1,6 mm d'épaisseur, longueur 19 mm, couronne 25,4 mm, protégées contre la corrosion,
nombre d'agrafes égal au nombre de clous requis.

B) Bardeaux de cèdre à un support de bois —
tige 1,6 mm d'épaisseur, longueur 28,6 mm, couronne 9,5 mm, protégées contre la corrosion.

C) Lattis en plâtre de 9,5 mm d'épaisseur —
tige 1,6 mm d'épaisseur, longueur 25,4 mm, couronne 19 mm.
Lattis en plâtre de 12,7 mm d'épaisseur —
tige 1,6 mm d'épaisseur, longueur 28,6 mm, couronne 19 mm.

D) Revêtement d'ossature murale en contreplaqué de 7,5 mm et 9,5 mm —
tige 1,6 mm d'épaisseur, longueur 38,1 mm, couronne 9,5 mm.

E) Support de couverture en contreplaqué de 9,5 mm —
tige 1,6 mm d'épaisseur, longueur 38,1 mm, couronne 9,5 mm.

F) Revêtement d'ossature murale en panneau de fibres de 11,1 mm et de 12,7 mm —
tige 1,6 mm d'épaisseur, longueur 38,1 mm, couronne 9,5 mm.

G) Couche de pose de 6,4 mm —
tige 1,2 mm d'épaisseur, couronne 9,5 mm.

H) Couche de pose en panneaux de fibres durs de 7,9 mm et de 9,5 mm —
tige 1,2 mm d'épaisseur, longueur 28,6 mm, couronne 7,9 mm.

I) Lattis métallique —
tige 2 mm d'épaisseur, longueur 38,1 mm, couronne 19 mm.

Tableau 30
Types de couvertures et pentes de toit minimales et maximales

Types de couverture	Pente minimale	Pente maximale
Couverture multicouche		
Enduit d'asphalte (avec gravillons)	1 pour 50	1 pour 4
Enduit d'asphalte (sans gravillons)	1 pour 25	1 pour 2
Enduit d'asphalte (avec matériau de couverture asphalté à large recouvrement)	1 pour 6	Aucune limite
Enduit de goudron (avec gravillons)	1 pour 50	1 pour 25
Enduit d'application à froid	1 pour 25	1 pour 1,33
Bardeaux d'asphalte		
Pour pente courante	1 pour 3	Aucune limite
Pour faible pente	1 pour 6	Aucune limite
Couverture en rouleaux		
Lisse ou à surfaçage minéral	1 pour 4	Aucune limite
Matériau de couverture en rouleau à recouvrement de 480 mm	1 pour 6	Aucune limite
Feutre posé à froid	1 pour 50	1 pour 1,33
Bardeaux de sciage	1 pour 4	Aucune limite
Bardeaux de fente	1 pour 3	Aucune limite
Tôles ondulées	1 pour 4	Aucune limite
Bardeaux en tôle	1 pour 4	Aucune limite
Tuiles d'argile	1 pour 2	Aucune limite
Panneaux de polyester renforcés de fibres de verre	1 pour 4	Aucune limite

Tableau 31
Pureau maximal des bardeaux de sciage (couverture)

	Pureau maximal, en mm		
Pente de toit	Bardeaux de 400 mm	Bardeaux de 450 mm	Bardeaux de 600 mm
1:3 ou moins	95	105	145
plus de 1:3	125	140	190

Tableau 32
Composition d'une couverture multicouche

Genre de couverture	Quantité de bitume par mètre carré de surface de toit		Nombre de couches de papier de rêvetement posées à sec et de feutre pour couverture			Quantité minimale de granulats de surfaçage par mètre carré de surface de toit
			Support en planches ou en contreplaqué		Autres supports	
	Bitume appliqué à la vadrouille entre couches	Bitume étendu	Papier de revê-tement posé à sec	Feutre pour cou-verture	Feutre pour cou-verture	
Asphalte et granulats	1 kg	3 kg	1	4[1]	3[2]	20 kg de gravier ou pierre concassée, ou 15 kg de laitier sur toit plat : 15 kg de gravier ou pierre concassée, ou 10 kg de laitier sur toit en pente 1:4. Quantité proportionnelle pour pente intermédiaire
Goudron et granulats	1,2 kg	3,6 kg	1	4[1]	3[2]	
Feutre de verre et granulats	1,2 kg	3 kg	—	3[3]	2[4]	
Asphalte — surface lisse	1 kg	1,2 kg	1	4[1]	3[2]	—
Feutre de verre — surface lisse	1 kg	1 kg	—	3[3]	3[4]	—
Enduit d'application à froid	0,75 L ciment posé à froid	2 L couche supérieure posée à froid	—	2	—	—

Remarques

[1] Deux couches de feutre posées à sec sur le papier de revêtement et deux couches recouvertes de bitume. Lorsque le support est en contreplaqué ou en panneaux de copeaux, les couches de feutre ou de papier de revêtement posées à sec ne sont pas obligatoires si les joints des panneaux de contreplaqué ou de copeaux sont pontés et si le support est enduit d'une couche de bitume, puis recouvert de trois couches de feutre collées entre elles au moyen de bitume appliqué à la vadrouille et si le tout est recouvert de bitume étendu conformément au tableau.

[2] Toutes les couches de feutre sont enduites de bitume appliqué à la vadrouille.

[3] Feutre posé à sec et deux couches de feutre de verre enduites de bitume appliqué à la vadrouille.

[4] Toutes les couches de feutre de verre sont enduites de bitume appliqué à la vadrouille.

Tableau 33
Épaisseur minimale du revêtement intermédiaire des murs extérieurs

Type de revêtement[1]	Épaisseur minimale (mm) Sur supports à entraxes de 400 mm	Sur supports à entraxes de 600 mm
Panneaux de fibres	9,5	11,1
Plaques de plâtre	9,5	12,7
Contreplaqué (type extérieur)	6	7,5
Panneaux de copeaux	6,35	7,9
Bois de construction	17,5	17,5
Polystyrène expansé (types 1 et 2)	38	38
Polystyrène expansé (types 3 et 4)	25	25
Uréthanne et isocyanurate (types 1, 2 et 4)	38	38
Uréthanne et isocyanurate (type 3)	25	25
Résines phénoliques	25	25

Remarque
[1] Les revêtements isolants tels que fibres de verre, polystyrène expansé, polystyrène extrudé, polyuréthane et résines phénoliques ne procurent pas de support latéral. On doit donc contreventer les murs.

Tableau 34
Pureau et épaisseur des bardeaux de sciage et des bardeaux de fente rainurés mécaniquement, pour usage sur les murs

Longueur du bardeaux, en mm	Pureau maximal Simple épaisseur en mm	Pureau maximal Double épaisseur en mm	Épaisseur min. de la rive infér., en mm
400	190	305	10
450	216	356	11
600	292	406	13

Tableau 35
Dosage du stucco (en volume)

Ciment Portland	Ciment à maçonnerie, type H	Chaux	Granulats
1	—	$^{1}/_{4}$ à 1	$3^{1}/_{4}$ à 4 parties pour 1 partie de matériau cimentaire
1	1	—	

Tableau 36
Valeurs RSI minimales pour les maisons et les petits bâtiments

Résistance thermique minimale (valeur RSI), m^2 °C/W

	Nombre maximal de degrés-jours Celsius[1]			
Composante	jusqu'à 3500	5000	6500	8000 et plus
Mur au-dessus du niveau du sol (sauf les murs de fondation) séparant un espace chauffé d'un espace non chauffé, ou de l'extérieur	3,0	3,6	4,1	4,5
Mur de fondation séparant un espace chauffé d'un espace non chauffé, de l'extérieur ou du sol contigu[2]	2,2	2,2	2,2	2,2
Toit ou plafond séparant un espace chauffé d'un espace non chauffé, ou de l'extérieur	4,7	5,6	6,4	7,1
Plancher séparant un espace chauffé d'un espace non chauffé, ou de l'extérieur	4,7	4,7	4,7	4,7
Isolant au pourtour des dalles sur terre-plein se trouvant à moins de 600 mm sous le niveau du sol contigu				
a) des conduits de chauffage, des tuyaux ou des résistances sont enfouis dans les dalles ou en dessous	1,3	1,7	2,1	2,5
b) autres dalles que celles qui sont décrites en a)	0,8	1,3	1,7	2,1

Remarques

(1) Lorsque le nombre de degrés-jours pour une région ne concorde pas avec les valeurs du tableau, la valeur minimale de résistance thermique requise peut être obtenue par interpolation à partir des valeurs données au tableau.

(2) Toute paroi d'un mur de fondation dont plus de la moitié de la surface est exposée, de même que les parties du mur de fondation à ossature de bois au-dessus du niveau définitif du sol, doivent comporter une valeur de résistance thermique conforme aux exigences concernant les murs se trouvant au-dessus du niveau définitif du sol.

Tableau 37
Dimensions des lames de parquets en bois

Type de revêtement de sol	Espacement maximal des solives, en mm	Épaisseur minimale du revêtement de sol, en mm	
		Avec support de revêtement	Sans support de revêtement
Lames bouvetées en bois dur (utilisation intérieure seulement)	400 600	7,9 7,9	19 33,3
Lames bouvetées en bois tendre (utilisation intérieure ou extérieure)	400 600	19 19	19 31,7
Lames équarries en bois tendre (utilisation extérieure seulement)	400 600	— —	25,4 38,1

Tableau 38
Clouage des lames de parquet

Épaisseur du parquet, en mm	Longueur minimale des clous, en mm	Espacement maximal des clous, en mm
7,9	38[1]	200
11,1	51	300
19	57	400
25,4	63	400
31,7	70	600
38,1	83	600

Remarque
[1] Il peut être fait usage d'agrafes d'au moins 29 mm de longueur, 1,19 mm de diamètre ou d'épaisseur de tige et d'au moins 4,76 mm de couronne.

Annexe B

Modèles de ferme de toit et tableaux de clouage

Cette section peut servir de guide quant aux modèles courants de ferme en « W » assemblés par clouage, et traite d'une vaste gamme de conditions d'emploi en plus de donner des détails sur les fermes comportant les caractéristiques suivantes :

portées :	de 4,98 à 11,07 mm
pentes de toit :	1:4, 1:3 et 1:2,4
surcharges de neige sur le toit :	1,08, 1,44 et 1,79 kPa
espacement des fermes :	entraxes de 600 mm

On calcule les surcharges de neige sur le toit en les supposant égales à 60 p. 100 des charges de neige au sol. Le *tableau B.4* de la présente annexe donne les charges de neige au sol pour un certain nombre de centres urbains au Canada. La réduction de l'espacement des fermes permet d'augmenter la surcharge de neige admissible sur le toit.

Les modèles de ferme sont fondés sur l'emploi de bois de construction classé selon les règles de classification « NLGA Standard Grading Rules for Canadian Lumber » de 1984 :

Membrures supérieures et inférieures :	épinette de catégorie n° 1 ou l'équivalent
Membrures d'âme :	épinette de catégorie n° 2 ou l'équivalent

Les essences suivantes sont tenues pour équivalentes de l'épinette :

sapin baumier
pin de Murray
pin ponderosa
sapin concolore.

Les fermes peuvent être fabriquées à partir des essences suivantes, plus résistantes :

sapin de Douglas
cyprès jaune
mélèze occidental
mélèze d'Amérique
pruche de l'Ouest
pin gris
sapin gracieux
pruche de l'Est
sapin grandissime.

On ne peut pas construire de fermes avec les essences suivantes, qui sont moins résistantes :

thuya géant
pin rouge
pin argenté
pin blanc
peuplier
cèdre blanc.

Tous les goussets (plaques d'assemblage) doivent être constitués de contreplaqué de sapin de Douglas de 12,5 mm d'épaisseur, catégorie « revêtement intermédiaire » (ou de catégorie supérieure), conforme à la norme CSA 0121-M1978. Le fil des plis extérieurs du contreplaqué doit être parallèle à la membrure inférieure, sauf pour les goussets reliant les membrures d'âme aux membrures supérieures, le fil de face de ces derniers devant être parallèle aux membrures d'âme.

Les fermes doivent être installées d'aplomb et chacune de leurs extrémités doit être clouée en biais au mur avec trois clous de 82 mm. La membrure supérieure doit être contreventée latéralement par le support de couverture ou par des fourrures à entraxes d'au plus 450 mm.

La *figure B.4* montre en gros la façon de renforcer la ferme lorsque ses extrémités (ou une seule d'entre elles) doivent être en porte-à-faux.

Les membrures de la ferme ne doivent être ni entaillées, ni percées, ni autrement affaiblies pour faciliter l'installation de la plomberie, des conduits de chauffage, des fils électriques, ou pour toute autre raison.

Les modèles de ferme illustrés ne sont pas destinés à être utilisés dans les bâtiments où le vide sous toit est accessible par un escalier, ou lorsque la membrure inférieure peut être soumise à des surcharges concentrées.

Tableau B.1
Pente 1:2,4 exclusivement — Ferme en W clouée
Portée : 4,98 à 9,15 m — Goussets : contreplaqué de 12,5 mm

Tableau de clouage

Dim. des membrures supérieures (mm)	Dim. de la membrure inférieure (mm)	Surcharge de neige sur le toit kPa	Portée	Nombre de clous au joint					
			m	1	2	3	4	5	6
38 × 89	38 × 89	1,08	4,98	7	7	2	2	3	5
			5,59	8	7	2	3	3	5
			6,2	9	8	2	3	4	6
			6,81	10	9	2	3	4	6
			7,42	10	10	2	3	4	7
			8,03	11	10	3	4	5	7
			8,64	12	11	3	4	5	8
			9,15	12	12	3	4	5	8
38 × 89	38 × 89	1,44	4,98	10	9	2	3	4	6
			5,59	11	10	3	4	4	7
			6,2	12	11	3	4	5	8
			6,81	13	12	3	4	5	8
			7,42	14	13	3	4	6	9
			8,03	15	14	4	5	6	10
			8,64	16	15	4	5	6	10
38 × 89	38 × 89	1,79	4,98	14	13	3	4	5	9
			5,59	16	14	4	5	6	10
			6,2	17	16	4	5	7	11
			6,81	19	17	4	6	7	12
			7,42	20	19	4	6	8	13
			8,03	22	20	5	7	9	14
38 × 140	38 × 89	1,44	9,15	15	14	4	5	5	10
38 × 140	38 × 89	1,79	8,64	17	16	4	5	5	12
			9,15	18	17	4	5	5	12

Remarques

Bois de construction
- épinette catégorie n° 1 ou l'équivalent pour les membrures supérieures et inférieures
- épinette catégorie n° 2 ou l'équivalent pour les membrures d'âme

Clous
- clou ordinaire de 76 mm en fil d'acier
- les rangées de clous sont en chicane, les pointes de clous repliées perpendiculairement au fil de face du contreplaqué
- la *figure B.5* illustre la réalisation des assemblages

Contreplaqué
- sapin de Douglas catégorie « revêtement intermédiaire », 12,5 mm, exclusivement
- fil de face parallèle à la membrure inférieure, sauf pour les goussets reliant la membrure d'âme à la membrure supérieure au point médian de chaque demi-portée

Généralités
- pour une rigidité maximale, assembler à joint serré les membrures supérieures au faîte
- il est permis d'utiliser des fermes de portée intermédiaire à condition que soient respectées les exigences de clouage données pour la portée supérieure

Surcharge
- surcharge de neige sur le toit égale à 0,6 fois la charge de neige au sol

Espacement
- les fermes sont installées à entraxes de 600 mm

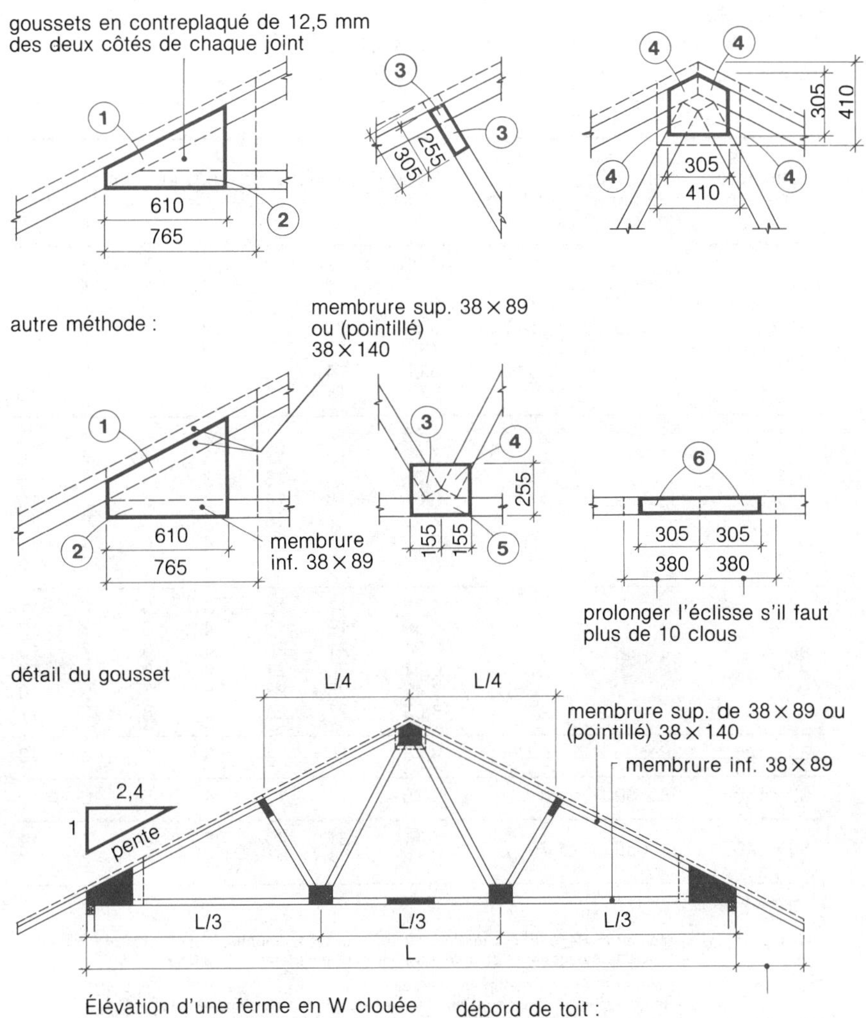

Toutes les cotes sont en mm
à moins d'indication contraire

Figure B.1 Pente : 1:2,4

Tableau B.2
Pente 1:3 exclusivement — Ferme en W clouée
Portée : 4,98 à 9,15 m — Goussets : contreplaqué de 12,5 mm

Tableau de clouage

Dim. des membrures supérieures (mm)	Dim. de la membrure inférieure (mm)	Surcharge de neige sur le toit kPa	Portée m	Nombre de clous au joint 1	2	3	4	5	6
38 × 89	38 × 89	1,08	4,98	9	8	2	3	3	5
			5,59	10	9	2	3	4	6
			6,2	11	10	2	3	4	7
			6,81	12	11	2	4	4	7
			7,42	13	12	3	4	5	8
			8,03	14	13	3	4	5	9
			8,64	15	14	3	4	5	9
38 × 89	38 × 89	1,44	4,98	12	11	2	4	4	7
			5,59	13	12	3	4	5	8
			6,2	15	13	3	4	5	9
			6,81	16	14	3	5	6	10
			7,42	17	16	4	5	6	11
			8,03	19	17	4	6	7	11
			8,64	20	18	4	6	7	12
38 × 89	38 × 89	1,79	4,98	17	16	3	5	6	11
			5,59	19	18	4	5	7	12
			6,2	21	20	4	6	7	13
			6,81	23	21	4	7	8	14
			7,42	25	23	5	7	9	16
			8,03	27	25	5	8	10	17
38 × 140	38 × 89	1,08	9,15	15	14	3	4	5	10
38 × 140	38 × 89	1,44	9,15	18	17	4	5	6	12
38 × 140	38 × 89	1,79	8,64	21	20	5	6	7	14
			9,15	22	21	5	6	7	15

Remarques

Bois de construction	— épinette catégorie n° 1 ou l'équivalent pour les membrures supérieures et inférieures — épinette catégorie n° 2 ou l'équivalent pour les membrures d'âme
Clous	— clou ordinaire de 76 mm en fil d'acier — les rangées de clous sont en chicane, les pointes de clous repliées perpendiculairement au fil de face du contreplaqué — la *figure B.5* illustre la réalisation des assemblages
Contreplaqué	— sapin de Douglas catégorie « revêtement intermédiaire », 12,5 mm, exclusivement — fil de face parallèle à la membrure inférieure, sauf pour les goussets reliant la membrure d'âme à la membrure supérieure au point médian de chaque demi-portée
Généralités	— pour une rigidité maximale, assembler à joint serré les membrures supérieures au faîte — il est permis d'utiliser des fermes de portée intermédiaire à condition que soient respectées les exigences de clouage données pour la portée supérieure
Surcharge	— surcharge de neige sur le toit égale à 0,6 fois la charge de neige au sol
Espacement	— les fermes sont installées à entraxes de 600 mm

goussets en contreplaqué de 12,5 mm
des deux côtés de chaque joint

1
765
2
3
305
355
3
4
4
305
355
4
305
410
4

autre méthode :

membrure sup. 38 × 89 ou
(pointillé) 38 × 140

1
2
610
765
membrure
inf. 38 × 89
3
4
155
155
5
6
305
305
380
380

détail du gousset

prolonger l'éclisse s'il faut
plus de 10 clous

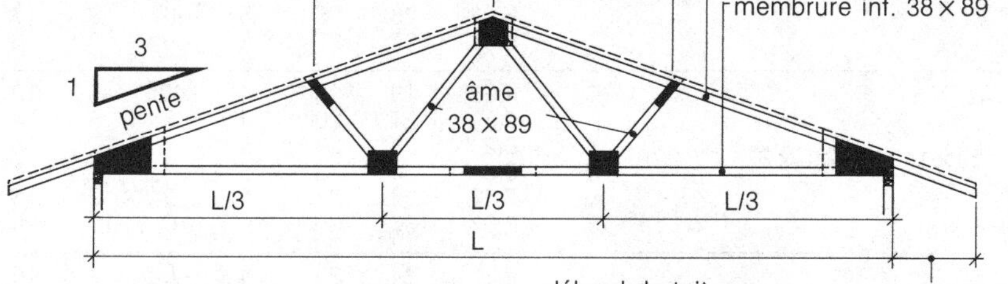

Élévation d'une ferme en W clouée

débord de toit :
1,02 m max. si membrures de 38 × 89
1,42 m max. si membrures de 38 × 140

Toutes les cotes sont en mm
à moins d'indication contraire

Figure B.2 Pente : 1:3

Tableau B.3
Pente 1:4 exclusivement — Ferme en W clouée
Portée : 4,98 à 11,08 m — Goussets : contreplaqué de 12,5 mm

Tableau de clouage

Dim. des membrures supérieures (mm)	Dim. de la membrure inférieure (mm)	Surcharge de neige sur le toit kPa	Portée	Nombre de clous au joint					
			m	1	2	3	4	5	6
38 × 89	38 × 89	1,08	4,98	17	17	4	6	6	12
			5,59	20	18	4	6	6	13
			6,2	22	21	4	7	7	14
			6,81	24	24	4	8	8	16
			7,42	26	26	4	9	9	17
			8,03	29	28	5	9	9	19
			8,64	31	30	5	9	9	20
38 × 89	38 × 89	1,44	4,98	21	21	4	7	7	14
			5,59	24	23	4	7	7	16
			6,2	27	26	5	8	8	17
			6,81	29	29	5	9	9	19
			7,42	32	31	5	10	10	21
			8,03	35	34	6	11	11	23
38 × 140	38 × 89	1,08	4,98	13	13	3	5	5	9
			5,59	15	14	3	5	5	10
			6,2	16	16	3	5	5	11
			6,81	18	18	3	6	6	12
			7,42	20	19	3	6	6	13
			8,03	21	21	4	7	7	14
			8,64	22	22	4	7	7	15
38 × 140	38 × 89	1,44	4,98	16	16	3	5	5	11
			5,59	18	17	3	5	5	12
			6,2	20	19	4	6	6	13
			6,81	22	22	4	7	7	14
			7,42	24	23	4	8	8	16
			8,03	26	25	5	8	8	17
			8,64	27	27	5	8	8	18
38 × 140	38 × 89	1,79	4,98	18	18	4	6	6	12
			5,59	21	20	4	6	6	14
			6,2	24	23	5	7	7	15
			6,81	26	25	5	8	8	17
			7,42	28	27	5	9	9	18
			8,03	30	30	6	10	10	20
38 × 140	38 × 140	1,08	9,25	24	23	4	6	7	16
			9,86	26	25	5	6	8	17
			10,47	28	27	6	7	9	18
			11,08	30	29	7	8	10	19
38 × 140	38 × 140	1,44	9,25	30	29	6	7	9	20
			9,86	32	31	6	7	10	21
			10,47	34	33	7	8	11	22
			11,08	36	35	8	9	12	23
38 × 140	38 × 140	1,79	9,25	35	34	7	8	11	24
			9,86	37	36	7	8	11	25
			10,47	39	38	8	9	12	26
			11,08	41	40	9	10	13	27

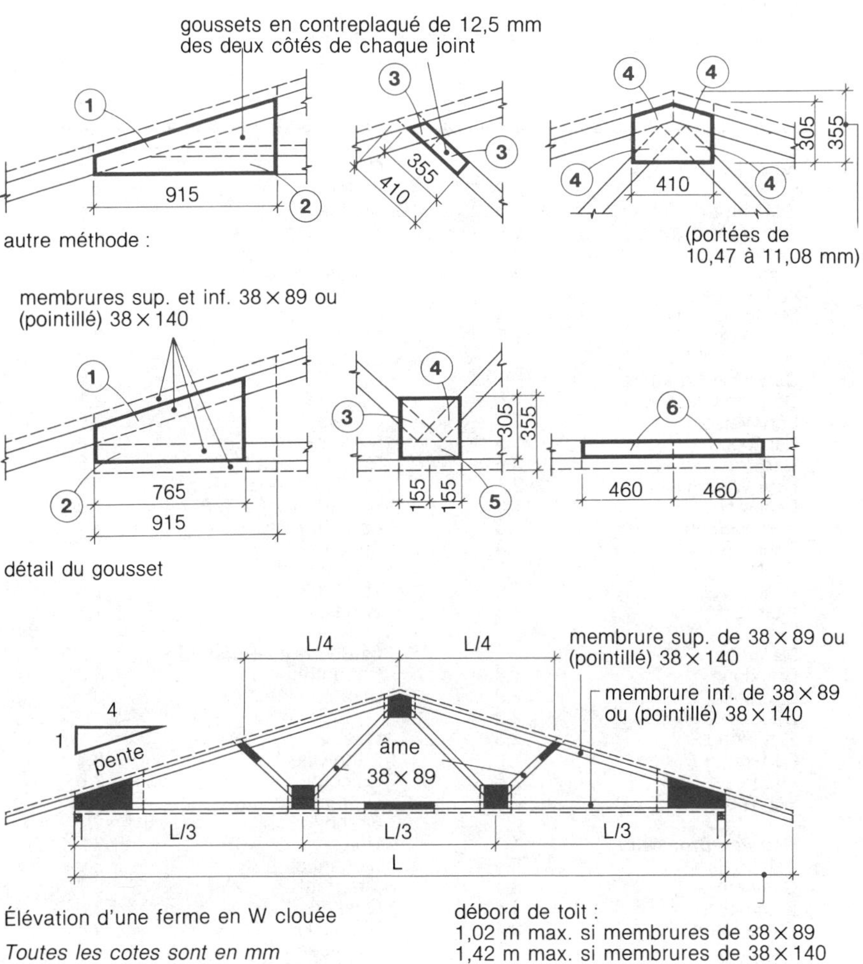

Figure B.3 Pente : 1:4 exclusivement

Remarques

Bois de construction	— épinette catégorie n° 1 ou l'équivalent pour les membrures supérieures et inférieures — épinette catégorie n° 2 ou l'équivalent pour les membrures d'âme
Clous	— clou ordinaire de 76 mm en fil d'acier — les rangées de clous sont en chicane, les pointes de clous repliées perpendiculairement au fil de face du contreplaqué — la *figure B.5* illustre la réalisation des assemblages
Contreplaqué	— sapin de Douglas catégorie « revêtement intermédiaire », 12,5 mm, exclusivement — fil de face parallèle à la membrure inférieure, sauf pour les goussets reliant la membrure d'âme à la membrure supérieure au point médian de chaque demi-portée
Généralités	— pour une rigidité maximale, assembler à joint serré les membrures supérieures au faîte — il est permis d'utiliser des fermes de portée intermédiaire à condition que soient respectées les exigences de clouage données pour la portée supérieure
Surcharge	— surcharge de neige sur le toit égale à 0,6 fois la charge de neige au sol
Espacement	— les fermes sont installées à entraxes de 600 mm

Tableau B.4
Charges de neige au sol dans certains centres urbains

Province et centre urbain	Charge de neige au sol (kPa)
Alberta	
Calgary	0,9
Edmonton	1,5
Fort McMurray	1,8
Grande Prairie	2,1
Jasper	2,4
Lethbridge	1,5
Medicine Hat	1,4
Red Deer	1,5
Colombie-Britannique	
Dawson Creek	2
Fort Nelson	2,4
Kamloops	1,8
Nanaimo	2,6
New Westminster	2,1
Penticton	1,3
Prince George	2,6
Prince Rupert	2,6
Trail	3,2
Vancouver	1,9
Victoria	1,5
Manitoba	
Brandon	1,8
Churchill	2,9
Dauphin	2,2
Flin Flon	2,3
Portage la Prairie	1,6
The Pas	2,6
Winnipeg	2,1
Nouveau-Brunswick	
Campbellton	5
Chatham	3,4
Edmundston	3,5
Fredericton	3,1
Moncton	3,8
Saint-Jean	3
Terre-Neuve	
Corner Brook	4,4
Gander	3,3
Goose Bay	5
St-Jean	3,5
Stephenville	4,3
Territoires du Nord-Ouest	
Fort Smith	2
Inuvik	2,2
Iqualuit	2,2
Resolute	1,3
Yellowknife	2
Ontario	
Belleville	2
Chatham	1,4
Cornwall	2,5
Hamilton	1,6
Kapuskasing	2,9
Kenora	3,1
Kingston	2,2
Kitchener	2,9
London	1,9
North Bay	2,7
Oshawa	2,1
Ottawa	2,9
Owen Sound	3,8
Peterborough	2,8
St. Catharines	1,7
Sarnia	1,6
Sault-Ste-Marie	3
Sudbury	3
Timmins	3,4
Toronto	1,8
Windsor	1,1
Île-du-Prince-Édouard	
Charlottetown	3,3
Summerside	3
Québec	
Bagotville	3,4
Chicoutimi	3,6
Drummondville	3,2
Granby	2,7
Hull	3
Mégantic	3,9
Montréal	2,7
Québec	3,8
Rimouski	4,6
Saint-Jean	2,7
Saint-Jérôme	3,5
Sept-Îles	5,9
Shawinigan	4
Sherbrooke	2,8
Thetford-Mines	3,8
Trois-Rivières	4
Val d'Or	3,4
Valleyfield	2,6
Saskatchewan	
Estevan	1,8
Moose Jaw	1,3
North Battleford	2
Prince Albert	1,9
Regina	1,7
Saskatoon	1,5
Swift Current	1,2
Yorkton	2,2

Tableau B.4 (suite)
Charges de neige au sol dans certains centres urbains

Province et centre urbain	Charge de neige au sol (kPa)	Province et centre urbain	Charge de neige au sol (kPa)
Nouvelle-Écosse		**Yukon**	
Amherst	2,8	Dawson	2,6
Halifax	2,2	Whitehorse	1,7
Kentville	2,8		
New Glasgow	3,2		
Sydney	2,8		
Truro	2,4		
Yarmouth	2,6		

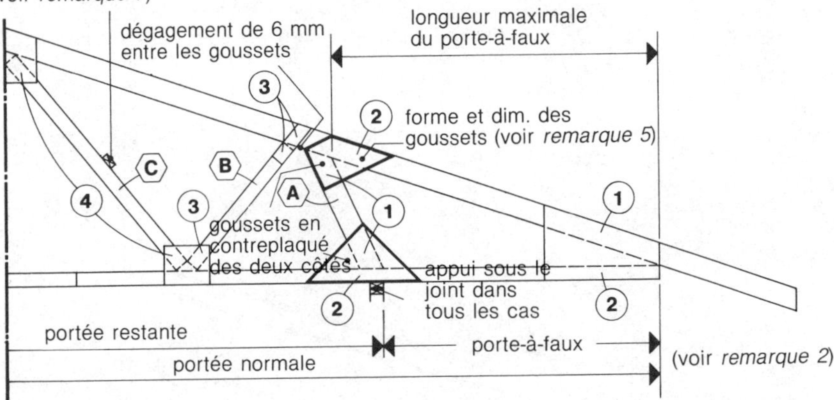

Élévation partielle d'une ferme type, illustrant le détail du porte-à-faux

Figure B.4
Détails du porte-à-faux des fermes en W clouées, avec goussets en contreplaqué

Remarques

1. Les dimensions des membrures supérieures et inférieures doivent correspondre à celles qui sont requises pour une portée normale.
2. La longueur du porte-à-faux ne doit pas être supérieure à 1,83 m pour une ferme dont les membrures supérieures mesurent 38 × 140 mm, ou 1,52 m pour une ferme dont les membrures supérieures mesurent 38 × 89 mm.
3. L'équarissage de la membrure d'âme additionnelle (A) doit correspondre à celui de la membrure supérieure.
4. Les goussets et le clouage de la membrure additionnelle (A) doivent correspondre à ce qui est exigé pour l'assemblage de la membrure supérieure à la membrure inférieure (joints 1 et 2).
5. Pour déterminer la forme et la grandeur de ces goussets, tenir compte de la surface de clouage nécessaire et des contraintes d'espace inhérentes à chaque cas.
6. Le nombre de clous utilisés au joint 3 (membrure B) doit être augmenté pour égaler celui du joint 4 (membrure C). Aux autres joints, le clouage est identique à celui d'une ferme ordinaire, compte tenu de la portée.
7. La membrure C des fermes dont la pente est supérieure à 1:2,4 doit être contreventée. Ce contreventement peut être réalisé en reliant entre elles par leur centre les membrures C des fermes en porte-à-faux au moyen d'une pièce de 38 × 89 mm, assez longue pour se prolonger sur au moins deux fermes ordinaires.

Au besoin, les deux extrémités peuvent être en porte-à-faux, à condition de suivre la méthode susmentionnée pour chacune des extrémités.

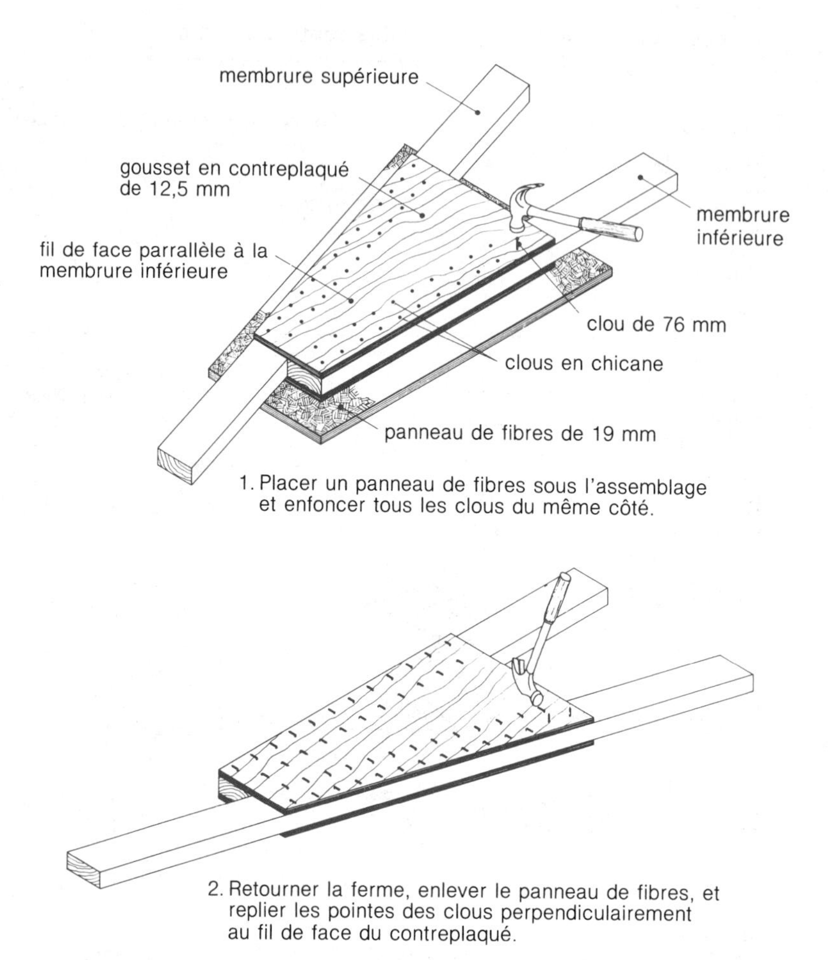

Figure B.5
Réalisation des assemblages d'une ferme en W clouée, avec goussets en contreplaqué

Glossaire

About (End)
L'extrémité d'une pièce, spécialement lorsqu'elle est taillée pour un assemblage.

Adent (Key)
Rainure longitudinale réservée dans les semelles filantes en béton pour recevoir la base du mur de fondation, qui prendra une forme correspondante.

Adjuvant (Admixture)
Produit ajouté au béton au moment de sa fabrication, pour en améliorer certaines caractéristiques. Les entraîneurs d'air en sont un exemple (voir béton à air occlus).

Aérateur à lames (Louvre)
Ouverture de ventilation garnie de lames placées de façon à faire obstacle à la pluie et au soleil.

Aile (Flange)
Chacune des deux parties planes d'une cornière, ou des parties périphériques d'un fer profilé. Une cornière est formée de deux ailes perpendiculaires. Dans une poutre en I, il y a deux ailes dos à dos de chaque côté de l'âme (partie centrale). Ces paires d'ailes forment les semelles de la poutre.

Aplomb [**d'—**] (Plumb)
Vertical. Mettre d'aplomb, c'est rendre vertical, notamment à l'aide d'un niveau ou d'un fil à plomb.

Appareil (Bond)
En maçonnerie, agencement des briques ou des blocs liaisonnés les uns aux autres pour former un ensemble solidaire.

Appui (Bearing)
Partie d'un élément de charpente (solive, chevron, ferme, poutre) qui est en contact avec son support et, réciproquement, partie du support qui est en contact avec cet élément.

Appui [**de fenêtre**] (Sill)
Élément horizontal formant la partie inférieure de la baie d'une fenêtre.

Arase [**des fondations**] (Top)
L'arase des fondations, c'est leur surface supérieure, sur laquelle est ancré le plancher du rez-de-chaussée.

Arête (Hip)
Ligne inclinée formée par la rencontre de deux versants d'un toit.

Arêtier (Hip-Rafter)
Chevron formant l'arête d'un toit.

Argile réfractaire (Fire Clay)
Argile capable de résister à des températures élevées, employée dans la fabrication de la brique réfractaire et dans le mortier utilisé avec ce type de brique.

Assise (Course)
Rang continu de briques ou d'éléments de maçonnerie dans un bâtiment.

Avaloir de sol (Floor Drain)
Dispositif collecteur, généralement pourvu d'une grille, installé en un point bas d'un plancher pour recueillir et évacuer les liquides déversés à proximité.

Avertisseur de fumée (Smoke Alarm)
Détecteur de fumée avec sonnerie incorporée, conçu pour donner l'alarme lorsqu'il détecte la présence de produits de combustion.

Baguette d'angle (Corner Bead)
Dans la pose d'un revêtement de finition en plaques de plâtre, baguette de métal ou de bois servant à couvrir les angles extérieurs pour les protéger.

Bardage (Siding)
Revêtement extérieur de finition, en forme de planches horizontales ou verticales, ou en panneaux, offert en divers matériaux. Se distingue du placage de brique, du stucco et des revêtements en bardeaux.

Bardage à clin (Bevel Siding)
Planches amincies le long d'une rive, utilisées comme bardage horizontal.

Bardeau de fente (Shake)
Bardeau fendu (non scié) dans un bloc de bois, utilisé comme matériau de couverture ou comme bardage.

Béton à air occlus (Air-entrained Concrete)
Béton auquel on a ajouté de minuscules bulles d'air lors du malaxage au moyen d'un adjuvant entraîneur d'air.

Biseau (Bevel)
Bord d'une pièce taillé à un angle autre qu'un angle droit.

Bordure de toit (Fascia Board)
Élément de finition constituant la bordure externe d'un débord de toit.

Bouche-pores (Sealer)
Liquide posé directement sur le bois non apprêté ni peint pour en obturer les pores.

Boulon d'ancrage (Anchor Bolt)
Boulon d'acier utilisé pour empêcher un élément de charpente de se soulever. Il est habituellement déformé à une extrémité pour assurer une bonne prise dans le béton ou la maçonnerie où il est scellé.

Bouveté (Tongue-and-Groove)
Se dit du bois de construction, notamment les planches ou les madriers, présentant une rainure sur une rive et une languette correspondante sur la rive opposée. Il arrive que les extrémités soient également bouvetées.

Branchement d'eau (Water Service Pipe)
Tuyau acheminant l'eau d'un réseau public de distribution ou d'une source privée à l'intérieur d'un bâtiment.

Calibre (Gauge)
Unité de mesure, par exemple du diamètre des clous et des fils; dans le cas des tôles, on parle cependant d'épaisseur.

Carreau céramique (Ceramic Tile)
Carreau d'argile vernissé utilisé comme matériau de finition d'une surface.

Champ (Edge)
Petit côté de la section d'une pièce équarrie. S'écrit aussi chant; synonyme : rive. Une pièce posée sur champ repose sur sa face étroite dans le sens de la longueur, et non à plat.

Chanlatte (Cant Strip)
Tringle de bois de section triangulaire qui se pose généralement sur le pourtour d'un toit plat ou à sa jonction avec un mur.

Chantepleure (Weephole)
Petite fente pratiquée à la base d'un mur de soutènement ou d'un placage de maçonnerie pour laisser l'eau s'écouler vers l'extérieur.

Charge permanente (Dead Load)
Poids de tous les éléments permanents d'un bâtiment, qu'ils soient structuraux ou non.

Charpente à claire-voie (Balloon Framing)
Méthode de construction à ossature de bois dans laquelle les poteaux sont prolongés d'une seule venue depuis la lisse d'assise jusqu'à la sablière qui supporte le toit.

Chasse-clou (Nail Set)
Petit outil servant à enfoncer la tête des clous sous la surface d'une pièce sans l'endommager, comme dans le cas du bardage ou des lames de parquet à rainure et languette.

Chauffage par rayonnement (Radiant Heating)
Méthode de chauffage qui utilise comme radiateurs les murs, planchers et plafonds dans lesquels passent des serpentins, des tuyaux ou des résistances électriques.

Chemisage (Liner)
Matériau qui revêt les parois intérieures d'un conduit de fumée ou de l'âtre d'un foyer à feu ouvert, pour en protéger la maçonnerie. Le chemisage est habituellement fait de boisseaux d'argile de 610 mm de longueur (cheminées seulement) ou de brique réfractaire (cheminées et foyers).

Chevêtre (Header)
Élément de charpente assemblé perpendiculairement aux solives ou chevrons dans une enchevêtrure.

Chevron (Rafter)
Élément incliné de la charpente du toit, ayant habituellement une épaisseur de 38 mm, et calculé de façon à supporter les charges du toit, mais non le revêtement du plafond.

Chevron de noue (Valley Rafter)
Chevron situé dans l'axe d'une noue de toit pour supporter les empannons.

Chevron en porte-à-faux (Lookout Rafter)
Courte pièce de bois dont une partie est en saillie sur un mur pour soutenir un débord de toit.

Ciment à joint (Joint Cement)
Produit pulvérulent qui, après avoir été mélangé à l'eau, est posé dans les joints entre les plaques de plâtre.

Ciment Portland (Portland Cement)
Ciment hydraulique qui est composé de silice, de chaux et d'alumine mélangées selon un dosage précis et cuites au four. Une fois finement broyé, le produit ainsi obtenu (appelé clinker) procure un ciment de très grande résistance.

Cloison (Partition)
Mur qui délimite une pièce, sans toutefois supporter d'autre charge verticale que sa propre masse.

Clouage dissimulé (Blind Nailing)
Clouage effectué de telle façon que les têtes de clous ne soient plus visibles à la surface de l'ouvrage fini.

Clouage droit (Face Nailing)
Fixation d'un élément en enfonçant les clous à angle droit par rapport à sa face exposée.

Clouage en biais (Toenailing)
Mode de clouage qui consiste à enfoncer obliquement les clous dans un élément pour l'assujettir à un autre.

Coffrage (Formwork)
Assemblage temporaire (tôles, planches ou panneaux) assujetti et contreventé avec soin, et servant de moule pour le béton.

Collecteur principal (Building Drain)
Tuyauterie horizontale acheminant les eaux usées hors du bâtiment, vers l'égout public ou l'installation individuelle d'assainissement.

Conduit de fumée (Chimney Flue)
Conduit logé dans une cheminée, par lequel la fumée et les gaz de combustion d'un appareil de chauffage à combustible, d'un foyer ou d'un incinérateur sont évacués à l'extérieur.

Congé (Cove)
Forme concave destinée à adoucir l'angle formé par la rencontre d'une surface horizontale et d'une surface verticale. S'applique surtout dans la pose des matériaux de couverture et à la base des murs de fondation.

Contre-fiche (Strut)
Élément comprimé oblique de la charpente du toit, servant d'appui intermédiaire à un chevron.

Contre-porte (Storm Door)
Porte extérieure additionnelle servant à protéger contre les intempéries.

Contre-solin (Counterflashing)
Solin recouvrant un autre solin de sorte que l'eau ne puisse s'infiltrer entre les deux, tout en permettant le déplacement de l'un par rapport à l'autre sans endommager l'ensemble.

Coulis (Grout)
Mortier de ciment éclairci par l'addition d'eau.

Coupe-feu (Fire Stop)
Élément obstruant complètement un vide dissimulé dans un mur, un plancher ou un toit afin de retarder ou d'empêcher la propagation des flammes et des gaz chauds.

Coupe-froid (Weatherstripping)
Bande de feutre, de caoutchouc, de métal ou d'autre matériau, fixée le long de la rive d'une porte ou d'une fenêtre pour empêcher le passage de l'air et ainsi réduire les pertes de chaleur.

Couverture multicouche (Built-up Roofing)
Couverture constituée de trois couches ou plus de feutre à couverture ou de fibre de verre saturées de goudron ou d'asphalte. L'ensemble fini est recouvert de pierre concassée, de gravillons ou d'un revêtement de protection. Utilisée habituellement sur les toits plats ou à pente douce.

Couvre-joint (Batten)
En général, pièce de bois étroite recouvrant les joints entre des planches ou des panneaux, et en particulier (casing) moulure dissimulant le joint entre le bâti d'une porte ou d'une fenêtre et le revêtement intérieur de finition.

Crépi (Parging)
Enduit au plâtre ou au ciment posé sur un mur de maçonnerie ou de béton.

Croix de Saint-André
Petites pièces de bois ou de métal qui forment un X lorsqu'elles sont assemblées deux à deux en diagonale entre des solives contiguës du plancher ou du toit, pour raidir ces dernières.

Cure [**du béton**] (Curing)
Traitement consistant à maintenir le béton dans un état d'humidité et de température favorisant la réaction chimique entre le ciment et l'eau et, par conséquent, le durcissement du béton.

Dalle [**de foyer**] (Hearth)
Plancher d'un foyer à feu ouvert; se prolonge à l'avant et sur les côtés de l'ouverture du foyer.

Débité sur dosse (Flat-grained)
La dosse est la première planche (recouverte d'écorce sur une face) qu'on enlève d'une bille à équarrir. Dans le débit sur dosse, les pièces sont toutes sciées parallèlement à la dosse, de sorte que dans la plupart d'entre elles, les anneaux de croissance forment un angle de moins de 45° avec la face, ce qui les rend plus sujettes au gauchissement (voir débité sur maille).

Débité sur maille (Edge-grained)
Se dit d'une pièce de bois sciée parallèlement au rayon de la bille d'où elle provient; de cette façon, les anneaux de croissance forment un angle de 45° ou plus avec la face de la pièce sciée (voir débité sur dosse).

Débits courants (Dimension Lumber)
Bois de construction de dimensions courantes, du genre qui est utilisé dans les maisons et petits bâtiments à ossature de bois. Son épaisseur va de 32 à 102 mm.

Débord de toit (Roof Projection)
Partie du toit qui fait saillie sur le mur. Dans un toit à deux versants, il y a des débords à l'égout du toit (en partie basse) et du côté pignon.

Décalage des joints (Breaking Joints)
Façon de disposer les éléments de maçonnerie pour éviter que les joints verticaux de rangs contigus ne soient alignés; aussi, façon d'agencer les joints d'extrémité des planches, des lames de parquet, du lattis et des panneaux pour éviter que deux joints d'extrémité voisins ne soient alignés.

Déflecteur pluvial (Splash Block)
Plaque de pierre ou de béton posée sous une descente pluviale pour recevoir le jet d'eau et l'écarter des fondations.

Dos d'âne (Cricket)
Petit ouvrage à la jonction d'une cheminée et d'un toit, servant à diriger l'eau de pluie de part et d'autre de la cheminée.

Double vitrage (Double Glazing)
Deux panneaux de verre posés dans une porte ou une fenêtre et séparés par une lame d'air; ils peuvent être scellés hermétiquement pour former un seul élément, ou posés séparément dans un châssis.

Doucine (O.G., Ogee)
Moulure composée dont le profil dessine un S.

Écharpe (Diagonal Bracing)
Traverse diagonale posée dans un mur à ossature, près d'un angle, pour prévenir la déformation de l'ensemble en le contreventant. Elle est en général encastrée dans les poteaux.

Égout [du toit] (Eave)
Partie inférieure d'un versant de couverture (là où l'eau s'égoutte). Elle est matérialisée par un débord de toit (voir ce mot).

Empannon (Jack Rafter)
Court chevron qui réunit la sablière à l'arêtier, ou le chevron de noue au faîte du toit.

Enchevêtrure
Assemblage des solives d'un plancher réalisé de façon à délimiter un espace vide, appelé trémie, qui permet de faire passer une cheminée, un escalier, etc. Les chevêtres et solives d'enchevêtrure en font partie.

Entraxe, m. (On-Centre Spacing)
Distance entre deux axes voisins, reflétant l'espacement entre poteaux, solives ou clous, par exemple (on écrit : « un extraxe de 600 mm », ou « 600 mm entre axes »).

Étrier (Hanger)
Dispositif d'assemblage en métal, pour le raccordement des solives aux poutres, par exemple, il soutient l'extrémité de la solive ou s'accroche à la poutre, en permettant le clouage aux deux éléments.

Faîtière Voir planche faîtière et poutre faîtière.

Faux entrait (Collar Brace)
Pièce de bois horizontale utilisée pour assurer l'appui intermédiaire de deux chevrons opposés, et habituellement située dans le tiers médian des chevrons.

Ferme (Truss)
Ensemble rigide et indéformable constitué d'éléments de charpente formant entre eux des triangles, et utilisé en série pour supporter le toit.

Feuillure (Rabbet)
Rainure, le plus souvent d'équerre, creusée le long de la rive d'une pièce de bois, et destinée à recevoir une partie de menuiserie mobile ou fixe, ou une vitre.

Flèche (Deflection)
Déformation d'un élément porteur horizontal sous l'effet d'une charge ou de sa propre masse, qui tend à le courber vers le bas.

Fondations (Foundation)
Partie inférieure d'un bâtiment, construite habituellement en béton ou en maçonnerie et comprenant la semelle filante, qui transmet au sol les charges du bâtiment.

Fouille (Excavation)
Synonyme d'excavation.

Fourrure (Furring)
Pièce de bois fixée à un mur ou une autre surface comme fond de clouage pour le matériau de finition, ou pour augmenter l'épaisseur du mur.

Gâche (Strike Plate)
Partie d'une serrure de porte que l'on fixe au montant, et dans laquelle s'engage le pêne.

Gousset (Gusset)
Plaque de bois ou de métal fixée sur un côté seulement ou sur les deux côtés d'un joint pour accroître la résistance de l'assemblage.

Gouttière (Eavestrough)
Canal fixé à l'égout d'un toit pour en recueillir et en évacuer l'eau.

Granulat (Aggregate)
Matériau grossier tel que gravier, pierre concassée ou sable, mélangé au ciment et à l'eau pour former le béton. La pierre concassée est habituellement considérée comme un gros granulat et le sable comme un granulat fin.

Interrupteur tripolaire (Three-Way-Switch)
Type d'interrupteur employé en conjonction avec un autre semblable afin de commander depuis deux points différents un appareil d'éclairage ou plus.

Isolant (Insulation)
Matériau utilisé pour résister à la transmission de la chaleur à travers les murs, les planchers et les plafonds.

Joint de retrait (Control Joint)
Joint façonné ou scié dans la surface du béton pour canaliser les fissures imputables au retrait.

Laine minérale (Mineral Wool)
Matériau utilisé pour l'isolation thermique des bâtiments, produit par un jet de vapeur projeté dans du laitier ou de la pierre en fusion; comprend la laine de roche, la laine de verre et la laine de laitier.

Laitance (Bleed Water)
Eau excédentaire qui remonte à la surface du béton après sa mise en place.

Lambourde
1. (Ledger Strip) Pièce de bois fixée le long de la rive inférieure d'une poutre et servant d'appui aux solives.
2. (Ribbon) Pièce étroite encastrée dans les poteaux d'une charpente à claire-voie et portant les extrémités des solives.
3. (Sleeper) Pièce de bois fixée en surface d'un plancher de béton, et servant d'appui à un revêtement de sol en bois.

Lattis métallique (Metal Lath)
Métal déployé ou fil métallique tissé utilisé comme support pour le béton, l'enduit ou le stucco.

Linteau (Lintel)
Élément de charpente horizontal qui supporte les charges au-dessus d'une porte ou d'une fenêtre.

Lisse basse (Bottom Plate)
Élément horizontal d'une ossature de bois, cloué à l'extrémité inférieure des poteaux du mur et aux éléments de charpente du plancher.

Lisse d'assise (Sill Plate)
Élément de charpente ancré au sommet du mur de fondation et portant les solives du plancher.

Lit [**de mortier**] (Bed)
Couche de mortier sur laquelle on asseoit un élément de charpente, un élément de maçonnerie ou un carreau.

Logement de poutre (Beam Pocket)
Vide ménagé en partie supérieure des fondations et destiné à recevoir l'extrémité d'une poutre.

Lucarne (Dormer)
Fenêtre établie en saillie sur un toit en pente et permettant d'éclairer et de ventiler le comble.

Menuiserie de finition (Millwork)
Ouvrages de bois prêts à finir tels que portes extérieures et intérieures, bâtis de fenêtres et de portes, moulures et boiseries intérieures, à l'exclusion des parquets, des bardages et des matériaux de finition des plafonds.

Menuiserie extérieure (Exterior Trim)
Menuiserie de finition extérieure, autre que le bardage.

Mi-bois [**à —**] (Shiplapped)
Forme d'assemblage dans lequel les rives ou les extrémités des pièces à assembler sont entaillées sur la moitié de leur épaisseur.

Montant
1. (Stile) Élément vertical d'un châssis, d'une porte ou d'une pièce de charpente, auquel les extrémités des traverses s'assemblent.
2. (Jamb) Pièce constituant l'un des côtés verticaux d'un bâti de porte, de fenêtre ou d'une autre ouverture.

Mortier (Mortar)
Substance produite suivant un dosage prescrit d'agents de liaisonnement, de granulats et d'eau, qui durcit graduellement après le malaxage.

Moulure d'allège (Apron)
Pièce de finition en bois, unie ou moulurée, posée sous le rebord d'appui d'une fenêtre pour dissimuler la rive du revêtement intérieur de finition.

Mur nain (Dwarf Wall)
Mur à ossature dont la hauteur est inférieure à la normale.

Mur pignon (Gable End)
Chacun des murs d'extrémité d'une maison surmontée d'un toit à deux versants.

Mur porteur (Bearing Wall)
Mur qui supporte une charge verticale en plus de sa propre masse.

Nappe phréatique (Water Table)
Couche souterraine saturée d'eau, formée par l'infiltration des eaux de pluie.

Nez (Nosing)
Rive arrondie et en saillie d'une marche d'escalier, d'un appui de fenêtre, etc.

Noue (Valley)
L'angle rentrant formé par la jonction de deux versants d'un toit.

Onglet [assemblage à —] (Mitre Joint)
Assemblage réunissant deux pièces à angle droit, le joint d'assemblage faisant un angle de 45° avec chacune des pièces.

Palier (Landing)
Plate-forme aménagée entre les volées d'un escalier.

Panne (Purlin)
Élément de charpente d'un toit, perpendiculaire aux chevrons.

Papier de revêtement (Sheathing Paper)
Papier imprégné de goudron ou d'asphalte, utilisé sous le bardage pour empêcher le passage de l'eau ou de l'air.

Pare-air (Air Barrier)
Composante interne d'un mur, continue et rigide, très résistante au passage de l'air et, par conséquent, de la vapeur d'eau qu'il pourrait contenir.

Pare-vapeur (Vapour Barrier)
Composante interne d'un mur, continue et située près de la paroi intérieure, qui s'oppose au passage par diffusion de la vapeur d'eau venant de l'intérieur du bâtiment.

Perron (Stoop)
Plate-forme basse avec ou sans marche à l'extérieur d'une porte d'entrée.

Pignon (Gable)
Partie supérieure triangulaire des murs d'extrémité, avec un toit à deux versants.

Pilastre (Pilaster)
Pilier ou poteau légèrement en saillie sur une face du mur auquel il est intégré.

Pilier (Pier)
Massif de maçonnerie, habituellement rectangulaire dans sa section horizontale, servant à supporter d'autres éléments de charpente.

Placage de brique (Brick Veneer)
Mur de brique, liaisonné par points à une ossature murale ou à un mur de maçonnerie, servant de revêtement de finition seulement et ne portant aucune surcharge.

Planche faîtière (Ridge Board)
Pièce horizontale, généralement de 19 mm d'épaisseur, qui forme le faîte du toit à l'extrémité supérieure des chevrons (voir poutre faîtière).

Planches cornières (Corner Boards)
Pièce constituée de deux planches verticales recouvrant les angles extérieurs d'une maison ou d'une construction à ossature de bois, et contre laquelle les extrémités du bardage viennent s'abouter.

Planches de repère (Batter Boards)
Planches posées à angle droit l'une par rapport à l'autre à chaque angle de l'excavation, pour indiquer le niveau et l'alignement du mur de fondation.

Planchette (Bull Float)
Planchette de bois, d'aluminium ou de magnésium fixée à un long manche, que l'on utilise pour étaler et dresser les surfaces horizontales de béton frais.

Plénum (Plenum)
Compartiment de distribution de l'air dans une installation de chauffage ou de climatisation à circulation forcée.

Plinthe (Baseboard)
Planche moulurée fixée au bas des murs d'une pièce pour dissimuler les joints entre le plancher et les murs.

Plomberie (Plumbing)
Ensemble des tuyaux et des appareils d'alimentation en eau et d'évacuation des eaux usées.

Poinçon (Strut)
Élément comprimé vertical de la charpente du toit, supportant la poutre faîtière.

Pontage (Taping)
Opération qui consiste à remplir de ciment les joints entre les plaques de plâtre, à les recouvrir d'un ruban de papier lui-même recouvert de ciment à joint, et enfin à lisser le tout.

Portée (Span)
Distance horizontale entre les appuis de poutres, de solives, de chevrons, etc.

Poteau (Stud)
Élément de charpente en bois, habituellement de 38 mm d'épaisseur, utilisé dans les murs et les cloisons.

Poutre (Beam)
Élément de charpente horizontal, habituellement en bois, en acier ou en béton, supportant des charges verticales.

Poutre en I (I-Beam)
Poutre d'acier dont la section transversale ressemble à la lettre I.

Poutre faîtière (Ridge Beam)
Élément de charpente horizontal, ayant habituellement une épaisseur de 38 mm, auquel s'assemblent les extrémités supérieures des chevrons, (voir planche faîtière).

Pureau (Exposure)
Partie visible, non recouverte, d'un revêtement, notamment de chacun des bardeaux d'une couverture ou de chacune des planches d'un bardage à clin; longueur ou hauteur de cette partie.

Qualité [de bois] (Grade)
Indication relative de la résistance du bois de construction en fonction de critères de classement établis, qui détermine son utilisation.

Quart-de-rond (Shoe Moulding)
En finition intérieure, moulure placée contre la plinthe, sur le plancher.

Raclé [joint] (Raked)
Dans un placage de maçonnerie, se dit d'un joint de mortier taillé en creux après la pose des éléments de maçonnerie, au moyen d'un outil qui enlève l'excédent de mortier.

Rainure (Dado)
Entaille de section rectangulaire dans une planche ou dans un madrier.

Remblai (Backfill)
Matériau utilisé pour remplir une tranchée, ou l'excavation contre la paroi extérieure d'un mur de fondation.

Revêtement de sol (Finish Flooring)
Matériau constituant la surface d'usure d'un plancher.

Revêtement intérieur de finition (Interior Finish)
Matériau utilisé pour revêtir l'ossature des murs et des plafonds.

Rive Voir champ.

RSI
Résistance thermique d'un matériau ou d'un ensemble, exprimée en unité internationale.

Sablière (Top Plate)
Élément horizontal cloué à l'extrémité supérieure des poteaux d'ossature murale.

Ségrégation (Segregation)
Dans un béton à l'état plastique, séparation des gros granulats du liant, ce qui cause notamment la formation de poches de gravier non enrobé qui affaiblissent l'ouvrage.

Semelle [de fondation] (Footing)
Base élargie, habituellement en béton, d'un mur de fondation, d'un pilier ou d'un poteau.

Semelle [**de poutre**]
Voir aile.

Seuil (Door Sill)
Pièce horizontale formant la partie inférieure de la baie d'une porte; correspond à l'appui de la fenêtre.

Solin (Flashing)
Tôle ou autre matériau utilisé en construction pour empêcher l'infiltration d'eau dans un assemblage.

Solin à bardeaux (Step Flashing)
Solin en pièces rectangulaires carrées utilisé à la jonction d'un mur et d'un toit à bardeaux. S'appelle aussi carré de solin.

Solive (Joist)
Chacun des éléments de bois horizontaux, habituellement de 38 mm d'épaisseur, formant la charpente d'un plancher, d'un plafond ou d'un toit.

Solive d'enchevêtrure (Trimmer)
Solive bordant une ouverture dans un plancher et à laquelle s'assemblent les chevêtres.

Solive de bordure (End Joist)
Première solive d'un plancher, située le long d'un mur extérieur parallèlement aux autres solives.

Solive de rive (Header)
Pièce de bois fixée perpendiculairement à l'extrémité des solives, le long du mur extérieur.

Sous-face (Soffit)
Face inférieure d'un élément d'un bâtiment, tel qu'un escalier, un débord de toit, etc.

Support de revêtement de sol (Subfloor)
Planches ou panneaux posés directement sur les solives, avant le revêtement de sol.

Surcharge (Live Load)
Charge s'ajoutant à la charge permanente et qui doit être prévue lors du calcul des éléments structuraux d'un bâtiment. Comprend les charges dues à la neige et celles qui résultent de l'usage du bâtiment.

Thibaude (Carpet Underlay)
Matériau coussiné en rouleau, posé directement sur le support de revêtement de sol, sous un tapis.

Toit en appentis (Shed Roof)
Toit ne présentant qu'un seul versant.

Toit en pente (Pitched Roof)
Toit comportant un ou plusieurs versants dont l'inclinaison est supérieure à ce qu'il faut pour la simple évacuation des eaux.

Toiture-terrasse (Roof Deck)
Toit essentiellement plat, notamment lorsqu'il est accessible et utilisé comme terrasse. On dit aussi toit-terrasse.

Traitement sous pression (Pressure Treatment)
Imprégnation du bois ou du contreplaqué à l'aide de produits chimiques, dans un appareil sous pression, afin de les protéger contre la pourriture et les insectes.

Traverse (Rail)
Pièce horizontale, en bois ou en métal, entre deux éléments verticaux (montants) de portes, fenêtres, etc.

Treillis (Mesh)
Métal déployé ou fil métallique tissé utilisé comme armature pour le béton, l'enduit ou le stucco.

Trémie (Opening)
Espace réservé, notamment dans un plancher, pour le passage d'une cheminée, d'une cage d'escalier.

Trusquinage (Scribing)
Action de marquer une pièce de bois pour l'ajuster à un contour irrégulier.

Tuyau de raccordement (Smoke Pipe)
Tuyau acheminant les produits de combustion d'un appareil à combustible solide ou liquide vers le conduit de cheminée.

Veines d'extrémité (End Grain)
Veines exposées par la coupe transversale d'une pièce de bois.

Versant [**de toit**] (Slope)
Pan de couverture formant une surface plane du faîte à l'égout, et limité latéralement par un débord, une noue ou une arête.

Vide sanitaire (Crawl Space)
Espace peu profond entre le plancher du rez-de-chaussée d'une maison et le sol en dessous.

Vide sous toit (Attic Space, Roof Space)
Espace entre le plafond de l'étage supérieur et le toit, ou, derrière une cloison naine, entre celle-ci et un toit en pente.

INDEX